ENSEMBLE
Culture et Société

An Integrated Approach to French

FOURTH EDITION

Raymond F. Comeau
HARVARD UNIVERSITY

Normand J. Lamoureux
COLLEGE OF THE HOLY CROSS

Marie-France Bunting
HARVARD UNIVERSITY

HOLT, RINEHART AND WINSTON, INC.
Fort Worth   Chicago   San Francisco
Philadelphia   Montreal   Toronto
London   Sydney   Tokyo

Publisher	Ted Buchholz
Senior Acquisitions Editor	Jim Harmon
Developmental Editor	Clifford Browder
Production Manager	Annette Dudley Wiggins
Cover Design Supervisor	Serena L. Barnett
Cover Designer	David S. Harper
Cover	Matisse, *The Snail*, London, Tate Gallery/Art Resource Copyright Succession H. Matisse/ARS N.Y., 1989.
Photo Research	Rona Tuccillo
Design, Editorial, Composition	World Composition Services, Inc.

Library of Congress Cataloging-in-Publication Data

Comeau, Raymond F.
  Ensemble. Culture et société.

  1. French language—Readers—France. 2. French
language—Textbooks for foreign speakers—English.
3. French—Civilization. I. Lamoureux, Normand J.
II. Bunting, Marie-France. III. Title.
PC2127.F7C6   1990   448.6'421   89—26793

ISBN: 0-03-020507-7

Address Editorial Correspondence To: 301 Commerce Street, Suite 3700, Fort Worth, TX 76102.
Address Orders To: 6277 Sea Harbor Drive, Orlando, FL 32887.
1-800-782-4479, or 1-800-433-0001 (in Florida)

Printed in the United States of America

0 1 2 3   039   9 8 7 6 5 4 3 2 1

Holt, Rinehart and Winston, Inc.
The Dryden Press
Saunders College Publishing

Contents

1ère Partie Vie sociale

1 Les jeunes 3

2 Les femmes 23

10   La scène et les lettres   188

11   Chanson et cinéma   210

Index culturel   233

Réponses au Nouveau contexte   139

Vocabulaire   243

Ensemble is an integrated approach to the study of French language, literature, and culture. It has been designed as a complete Intermediate French course, although it may profitably be used in more advanced courses as well. In concrete terms, *Ensemble* consists of three texts: a review grammar (with accompanying language laboratory program), a literary reader, and a cultural reader. Although the three texts have been thematically and linguistically coordinated with one another, each text may be used independently of the other two.

Ensemble : Culture et Société responds to the interest that students have in the human aspects of a culture of which they have thus far experienced primarily the language. The material is organized around a number of themes of permanent relevance (education, the family, politics, communication, the arts, etc.), with an emphasis on issues of current interest in the French-speaking world (urban renewal, immigrant workers, French-Canadian nationalism, *nouvelle cuisine*, etc.). Each of the eleven chapters of the reader includes the following features:

The introduction presents the background information about the issues discussed in the selections. It is written in English in order to offer immediate access to the subjects at hand and to eliminate unnecessary guesswork and contextual misunderstanding.

The selections have been chosen for their intrinsic cultural value. They include newspaper and magazine articles, excerpts from essays, literary works, travel guides, interviews, and cartoons. To help students with their reading, certain items are glossed; they are marked by small circles in the text. Words marked with a superscript ᶜ are explained in the *Index culturel* at the end of the text.

The *Qu'en pensez-vous?* sections test the students' understanding of the French text. Students are asked not only to say whether these statements relating to the text are correct or not, but also to comment further and explain the reasons for their responses. In elaborating on their answers, students must have a good grasp of the context of the paragraph as well as of the individual sentence.

The *Nouveau contexte* exercises select certain key words and expressions from each excerpt and highlight them in a new contextual setting. By choosing the right word to complete the meaning, students learn to transfer vocabulary words from one setting to another and become aware of exact meaning and correct usage. The answers are found in the back of the book.

A basic vocabulary section, *Vocabulaire satellite*, consists of an associative grouping of terms needed for the activities outlined in the following two sections. Students should master this vocabulary before doing the subsequent exercises.

The *Pratique de la langue* encourages students to express articulate opinions on the topics introduced by the various selections. A large number of role-playing activities are also proposed at this point. Collective writing assignments (signs, slogans, pamphlets) are suggested for the purpose of testing the group's ability to combine writing competence with oral effectiveness.

The *Sujets de discussion ou de composition* are intended to promote a more substantial development of students' ideas in the form of written or oral essays.

In addition to the divisions outlined above, the cultural reader also includes an *Index culturel* that supplies basic factual information about a number of cultural terms requiring explanation in the context of modern French society. There is also a French-English vocabulary.

Note to the Fourth Edition

Continuing to evolve as it has through its first three editions, *Ensemble : Culture et Société* has added new exercises and new selections in the present revision. The *Intelligence du texte* of previous editions has been replaced by *Qu'en pensez-vous?*, an exercise that not only tests comprehension of limited parts of the reading but invites students to develop a grasp of the entire context through elaborative comments. Students focus less on individual words and sentences, and more on the ideas developed in each selection, which promotes a more natural and effective reading approach.

Another exercise new to the fourth edition is the *Nouveau contexte*. Students are given some fifteen to twenty words from the selection they have just read. These words are to be used in a new context. Students must choose the appropriate word to fill in each blank in the text. At times, more than one word may seem to fit. In selecting the proper answer, students must not only ponder the exact meaning of a word but also consider such contextual clues as the gender and number of accompanying modifiers, the tenses of other verbs in the paragraph, and the agreement of a past participle. The *Nouveau contexte* thus reinforces grammatical points as well as elements of vocabulary.

Dealing as it does with contemporary France, a cultural reader must remain up-to-date. Like its predecessors, the present edition has been substantially revised. More than fifty percent of the material is new to this edition, complementing the articles retained from the previous edition because of their substance and continued relevance. As students develop their reading abilities in French through a variety of current sources in *Culture et Société,* they will also acquire an appreciation of the problems, preoccupations, and interests of today's French society.

M.-F.B.

About the Ensemble series

The three books that make up the *Ensemble* series—*Ensemble : Grammaire, Ensemble : Culture et Société*, and *Ensemble : Littérature*—are designed to stand alone; but, more important, they fit together to form an "ensemble." The review grammar and the laboratory manual integrate grammar and theme by incorporating thematic vocabulary in the examples and exercises. The first program of its kind in French, *Ensemble*'s integrated approach encourages lively and meaningful student participation and fosters a mature treatment of the subject.

For most intermediate classes it is recommended that instruction begin with a chapter in the grammar and proceed to the same chapter in either of the readers. Instructors may wish to vary the reading selections within a given chapter by alternating between the literary and the cultural reader. An instructor teaching an advanced course may wish to assign the grammar as outside work and spend class time with readings and oral reports. Since the three texts are thematically coordinated, a lesson may even begin with the readings and end with a rapid grammar review.

Acknowledgments

We are grateful to the following reviewers, whose comments and suggestions helped shape this edition of *Ensemble : Culture et Société*: Diane Adler, North Carolina State University; Judith Aydt, Southern Illinois University; Rae S. Baudouin, University of British Columbia; Dorothy M. Betz, Georgetown University; Glenda J. Brown, University of Northern Colorado; Dan M. Church, Vanderbilt University; William Cloonan, Florida State University; Jacques F. Dubois, University of Northern Iowa; Christine Gaudry-Hudson, Randolph-Macon College; Robert Hardin, North Texas State University; Paul Homan, North Dakota State University; Margo R. Kaufman, University of California, Davis; John Klee, Foothill College; Michael Locey, Bowling Green State University; Carol Neidle, Boston University; Marie-Thérèse Noiset, University of North Carolina, Charlotte; Nadine O'Connor, Georgetown University; Mary Rice-DeFosse, Bates College; Aurelia Roman, Georgetown University; Sonja G. Stary, University of Missouri, St. Louis; and Marvin Weinberger, San Francisco State University.

We wish to express our appreciation to the staff of Holt, Rinehart, and Winston, especially to Clifford Browder for his meticulous reading of the manuscript and his creative suggestions, to Katia Lutz for her constant encouragement and gentle prodding, and to James Harmon and Sharon Alexander for listening to our suggestions and guiding the project through its many stages. We also thank Brigitte Lane for her contribution in the beginning stages. Finally, we thank our spouses, Jean Comeau, Priscilla Lamoureux and Robert Bunting for their unfailing support, their endless patience, and their willingness to make the many personal sacrifices that a project of this kind requires.

R.F.C. / N.J.L. / M.-F.B.

Vie sociale

Les jeunes

Les «jamais» de Stéphanie

This is an excerpt from *Cornichons et chocolat*, an authentic autobiography written by Stéphanie, a thirteen-year-old middle-class Parisian. She has a cat named Garfunkel, who is both her best friend and her confidant. Stéphanie's life is not without problems, however. She is worried about her bad grades at school and about the constant quarrelling of her parents, who, never at home, are contemplating divorce.

Stéphanie has clearly defined her likes and dislikes. She has, for example, a rather questionable taste for pickles and chocolate sandwiches, and firm beliefs about what one should never, ever do. Those beliefs are rather unusual but they express her very personal views on life.

Une liste de choses à jamais[1] faire sous aucun pretexte

Jamais aller manger des pizzas ou des spaghettis avec les parents dans un restaurant, on en mange assez à la maison.

Jamais écouter les informations° à la radio ou à la télé parce qu'ils disent toujours la même chose toute l'année, tous les jours. Il ne se passe rien d'éton-
5 nant.° Si encore ils nous disaient qu'on a découvert une autre forme de vie humaine dans l'espace, ça serait un événement°! Ça serait cosmique et sidéral.°

Jamais aller à la piscine municipale et à la rigueur si on y va,° jamais mettre un maillot de bain° deux pièces.

Jamais avouer° le nom de famille des copines avec qui on vient de faire une
10 bêtise° et toujours dire, «c'est une copine, tu connais pas».

Jamais partir la dernière à la sortie du cours quand tout le monde reste devant la porte et dit du mal des autres. Faire pareil° au café quand des fois° on y prend toutes un Coca, il faut jamais partir la dernière.

Jamais tuer des animaux. Aucun animal.
15 Jamais les mettre en cage.

---

les informations *f* news / **il ne se passe rien d'étonnant** nothing surprising happens /
l'événement *m* event / **cosmique, sidéral** out of this world, awesome / **à la rigueur si on y va** if you must go / **le maillot de bain** bathing suit / **avouer** to confess / **faire une bêtise** to do something stupid / **faire pareil** = *faire la même chose* / **des fois** = *quelquefois*

[1]Jamais = ne... jamais. Ce texte utilise beaucoup d'expressions de la langue parlée. À l'oral, on omet souvent la première partie de la négation : (ne)... jamais; (ne)... pas; (ne)... plus.

Jamais écraser° les pigeons quand on conduit dans les rues de Paris—ce qui n'est pas mon cas puisque je n'ai pas encore l'âge de conduire, mais je dis ça plutôt comme un Principe Absolu De Base De La Vie.

Jamais porter de minijupe.°

20 Jamais aller en boum.° J'y ai été une fois, ça m'a suffi.° On peut aller en boum une fois, une seule fois, pour voir comment c'est, mais après faut plus jamais° accepter. C'est la débilité° totale et absolue.

Jamais hésiter à marcher sur les endroits où il y a marqué «Pelouse interdite».°

Jamais porter de parapluie même s'il pleut très fort, parce que porter un 25 parapluie vous classe° immédiatement dans la catégorie des Êtres Humains Ridicules.

Jamais regarder «Dallas» à la télévision. Jamais regarder «Champs-Élysées°» non plus. Les seuls trucs° bien à regarder à la télé, c'est° les films en noir et blanc des années 1940 à Hollywood ou alors «Les Arpents verts°» qui est le feuilleton° 30 le plus con° de l'histoire de la télé, mais c'est tellement con que c'est génial.°

Jamais se faire dégrader les cheveux.°

Jamais sucer son pouce° en public ou pendant les cours.

Jamais passer devant un Mac-Do° sans s'arrêter et acheter au moins un shake, des frites et un super-Mac, parce qu'un jour y en aura plus° des Mac-Do en 35 France, j'ai lu ça dans un journal alors il faut en profiter° quand ils sont encore là. Remarquez, s'ils gardent les Free-Time,° c'est encore mieux que les Mac-Do. Il y en a un sur les Champs-Élysées. Les hamburgers sont encore plus super.

Jamais adresser la parole en premier aux garçons. Il faut attendre qu'ils vous parlent et s'ils le font, il faut les regarder tout le temps dans les yeux, ça les 40 traumatise de manière Absolument Intersidérale,° ils savent plus quoi dire.

Jamais accepter qu'un garçon vous prenne par la main et qu'il vous embrasse, sauf si on l'aime de manière Absolument Indiscutable et Universelle.

Jamais faire une confidence à un professeur—sauf peut-être la prof de musique qui est la seule sympa.° C'est une femme formidable, la prof de musique.

45 Jamais s'habiller autrement qu'en imperméable droit,° jean Levis 501 (pas un autre numéro), mocassins et pull° en V fauché° à son père (quand il savait s'habiller il portait ça et pas des blousons° multicolores), et chemise d'homme

---

écraser to run over / **la jupe** skirt / **aller en boum** to go to a party / **ça m'a suffi** it was enough / **faut plus jamais** *(fam)* = *il ne faut plus jamais* / **la débilité** = *la stupidité* / **«Pelouse interdite»** "Do not walk on the grass" / **vous classe** puts you / **«Dallas»,** **«Champs-Élysées», et «Les Arpents verts** (Green Acres)» TV series / **le truc** *(fam)* = *la chose* (here, TV program) / **c'est** *(fam)* = *ce sont* / **le feuilleton** TV series / **con** *(vulgaire)* = *idiot, stupide* / **génial** *(fam)* = *excellent, formidable* / **se faire dégrader les cheveux** = *se faire couper les cheveux d'une manière irrégulière* / **sucer son pouce** to suck one's thumb / **le Mac Do** McDonald's / **y en aura plus** *(fam)* = *il n'y en aura plus* / **en profiter** to take advantage of it / **le Free-Time** = *le Fast Food, la restauration rapide* / **intersidéral** super-awesome / **sympa** *(fam)* = *sympathique* / **l'imperméable droit** *m* (man's) raincoat / **le pull** pull-over / **fauché** *(fam)* borrowed without permission / **le blouson** jacket

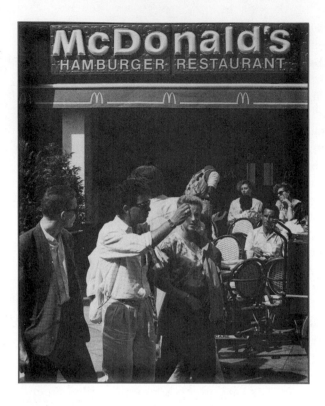

large à col boutonné° mais avec les boutons qui ont été déboutonnés. Et jamais s'habiller comme si c'était l'hiver, même si on a tout le temps froid. Et jamais
50   s'habiller en été comme si c'était l'été, même si on sue° beaucoup dans ces cas-là.

Jamais se promener avec un Walkman dans les oreilles—c'est l'Instrument Fondamental des Abrutis° Absolus.

Jamais penser à l'idée qu'un jour Garfunkel pourrait mourir.

Jamais désespérer. Toujours regarder le ciel.

Stéphanie, *Cornichons et chocolat*

Qu'en pensez-vous?

Êtes-vous d'accord ou non avec les déclarations suivantes? Justifiez votre réponse.

1. Stéphanie aime aller manger des pizzas et des spaghettis au restaurant parce qu'elle n'en mange jamais à la maison.
2. Stéphanie pense que ce serait formidable si on découvrait une autre forme de vie humaine dans l'espace.
3. Il faut mettre un bikini pour aller à la piscine.

à col boutonné buttoned-down collar / **suer** to sweat / **l'abruti** *m (fam)* = *l'idiot m*

4. Quand Stéphanie et ses copines vont au café, elles commandent toujours des jus de fruits.
5. Stéphanie adore les animaux et voudrait que son chat, Garfunkel, soit immortel.
6. Quand il pleut, Stéphanie préfère porter un parapluie plutôt qu'un imperméable.
7. Stéphanie adore toutes les émissions qui passent à la télé.
8. Stéphanie, qui est une fanatique des restaurants fast-food (de la restauration rapide), préfère les Free-Time aux Mac-Do.
9. Stéphanie pense que c'est une bonne idée pour une fille de son âge d'aller en boum toutes les semaines.
10. Les filles de l'âge de Stéphanie doivent prendre l'initiative de parler aux garçons.
11. Stéphanie croit que le grand amour existe.
12. Stéphanie pense que tous les professeurs sont bêtes.
13. Stéphanie n'aime pas s'habiller de façon trop sophistiquée et préfère le style sportif et décontracté.
14. Stéphanie a une philosophie de la vie qui est positive.

Nouveau contexte

Lundi matin Stéphanie retrouve à l'école sa copine Marie. Elles parlent du week-end. Complétez leur dialogue à l'aide des expressions suivantes qui vous sont données par ordre alphabétique.

Noms : abruti *m*, débilité *f*, endroits *m*, feuilleton *m*, parapluie *m*, piscine *f*, trucs *m*
Verbes et expressions verbales : faisais... des bêtises, fauchais, profiter, se promenait, suçait
Adjectifs : génial, sidéral, super

MARIE Salut, Stéphanie! T'as passé un bon week-end?

STÉPHANIE Oui, pas trop mal! Mais pas vraiment _____1__!

MARIE Au fait, tu es allée à la boum chez Marie-Françoise?

STÉPHANIE Non, j'ai pas pu! J'ai même pas pu aller nager à la _____2__. Mon père était furieux contre moi. Il m'a dit que je lui _____3__ toujours ses vêtements, que je _____4__ toujours _____4__ et que j'étais punie.

MARIE Ma pauvre vieille! Moi, je suis allée à une boum où j'ai rencontré un garçon _____5__! Il était vraiment _____6__! C'est pas comme celui de la semaine dernière qui _____7__ son pouce et qui _____8__ toujours avec un Walkman aux oreilles et un _____9__ sous le bras.... Un _____10__ absolu!

STÉPHANIE Tu sais, de toute manière, j'aime pas tellement les boum! Pour moi, c'est la _____11__ totale et absolue! J'aime mieux regarder un bon _____12__ à la télé, comme «Les Arpents verts», ou _____13__ du fait qu'il y a encore des Mac-Do à Paris et aller au resto manger des frites parce que les restaurants fast-food, on dit qu'un jour y en aura plus!

MARIE Chacun son goût, ma vieille! De toute façon on n'a pas besoin de faire des _____14__ pareils ni d'aller aux mêmes _____15__ pour rester copines.

Vocabulaire satellite

écouter les nouvelles à la radio   to listen to the news on the radio

regarder le journal télévisé (un feuilleton, une émission sportive) à la télé   to watch the news (a series, a sports program) on TV

aller à la piscine   to go to the swimming pool

nager   to swim

porter un maillot de bain (une pièce, deux pièces)   to wear a (one-piece, two-piece) bathing suit

conduire une voiture   to drive a car

le **permis de conduire**   driver's licence

aller au cinéma   to go to the movies

aller danser   to go dancing

aller se promener   to go for a walk

aller prendre un pot, un verre avec des copains et des copines   to go out for a drink with friends

commander quelque chose à boire   to order something to drink

sortir avec (un garçon, une fille)   to go out with, to date (a boy, a girl)

un(e) petit(e) ami(e)   a boy (girl) friend

être amoureux, -euse de   to be in love with

embrasser   to kiss

Pratique de la langue

1. Faites votre propre liste de choses à ne *jamais* faire sous aucun prétexte, puis faites une liste de 10 choses qu'il faut *toujours* faire.
2. Situations :
   a. Vendredi après l'école, Stéphanie et sa copine Charlotte se retrouvent au café. Elles commandent quelque chose à boire et parlent du week-end qui arrive. Imaginez leur dialogue.
   b. Le lundi suivant, Stéphanie et Charlotte parlent de la boum où elles sont allées et des garçons qu'elles y ont rencontrés.
   c. Stéphanie parle avec la prof de musique de ses cours à l'école et de ses camarades de classe. Que se disent-elles?
3. Imaginez une journée (heureuse, désastreuse, bizarre, etc.) dans la vie de Stéphanie. Racontez-la en imitant son style.
4. Stéphanie écrit une lettre à une adolescente américaine de son âge en lui parlant de sa vie à Paris et en lui posant des questions sur sa vie, à elle, aux USA. Écrivez la lettre pour Stéphanie.

Les jeunes et l'école

The French school system, which is administered by the federal government, greatly affects the lives of all young persons, whether they successfully negotiate the system's challenges or have their career options drastically curtailed by it. All students leaving elementary school are admitted to a *collège d'enseignement secondaire*[c1] (C.E.S.), which corresponds roughly to the American junior high school. At the end of the *troisième* (ninth grade), students go on either to a *lycée d'enseignement professionnel* (L.E.P.) or to the more traditional *lycée.*[c] At the lycée they follow one year of general studies, then in *première* (eleventh grade), they choose between the humanities or the sciences, and in *terminale* (twelfth grade), they must select specialized tracks in the humanities (A), economics (B), mathematics (E), mathematics and physics (C), natural sciences (D), computer science (H), or other technical specialties (F,G). These various tracks, each of which includes French and foreign languages, prepare the students for a nationally administered exam in their chosen field. Comprehensive, demanding, and feared, the *baccalauréat*[c]

Classe de chimie dans un lycée de jeunes filles

[1]Words marked with a [c] are explained in the *Index culturel* at the end of the book.

(familiarly, the *bac* or *bachot*) tests the students' general as well as specialized knowledge. The *bac* is a crucial hurdle, for only those who pass it (70 percent) can go on to the university or enter the preparatory classes leading to the *grandes écoles*[c].

Following a series of reforms designed to give the system greater flexibility and increase the student population, French secondary education, while remaining more rigorously structured than its American counterpart, has gradually relaxed its extreme selectivity—a development that many middle-class parents view with alarm. Competitiveness among the students has now taken another turn. In recent years, the shift from the bac A or B to the more exacting bac C reflects the pre-eminence of mathematics and the students' desire for a diploma opening the way to the more prestigious schools and careers. Another new trend in education is the higher visibility of private schools (many of them Catholic and partially subsidized by the government), which constitute an alternative for students who have difficulties with the public school system.

La condition de l'enseignement° secondaire est aujourd'hui en France comme aux États-Unis un sérieux sujet de préoccupations. Les livres, la presse, la télévision en parlent. Voici quelques faits et opinions qui mettent en évidence les problèmes majeurs.

L'enseignement secondaire

Hier, il y avait de la discipline, des surveillants° et du latin. Oui. Mais hier, le gros de la troupe° restait en coulisse.° 1950 : 30 pour cent des élèves passent en sixième.° 1960 : 47 pour cent. 1980 : quasiment° 100 pour cent. Juste avant les années 60, tout le monde, à gauche et à droite,° est convenu° qu'il était bon, qu'il
5   était juste de scolariser° plus, plus loin : l'obligation scolaire° a donc été prolongée jusqu'à 16 ans.
    Les mauvais élèves ne sont pas plus nombreux à présent qu'autrefois. Simplement, avant, on les stockait° dans des sections de fin d'études° et la société, miracle des années d'expansion, les absorbait ensuite. Désormais,° ils suivent le cursus°
10 général, donc on les voit. Les 20 pour cent de semi-illettrés° qui perturbent les collèges ne sont point une population nouvelle. Ce qui est nouveau, c'est qu'ils soient là. Et s'ils sont là, c'est parce qu'un choix de société a été fait, parce qu'un

l'enseignement *m* education, teaching / **le surveillant** special staff supervising students outside of class / **le gros de la troupe** = *la majorité des élèves* / **en coulisse** on the sidelines / **la sixième** = *la première classe au C.E.S.* / **quasiment** = *presque* / **à gauche et à droite** = *du point de vue politique* / **est convenu (convenir)** agreed / **scolariser** to provide education / **l'obligation scolaire** *f* compulsory school attendance / **on les stockait** = *on les mettait* / **des sections de fin d'études** in classes that ended their education / **désormais** = *maintenant* / **le cursus** = *l'ensemble des cours* / **illettré** illiterate

consensus les y a conduits. L'école a changé car les Français ont réclamé° qu'elle change, réclamé «l'égalité des chances».

15   Hervé Hamon, «L'École à la tronçonneuse°», *L'Événement du jeudi*

Le point de vue d'un professeur :
    De plus en plus, on doit prendre en charge des élèves dont le niveau° est faible et le manque de motivation pour les études si évident qu'on se demande comment on peut leur être utile : instabilité, passivité, inaptitude à l'effort, pauvreté et confu-
20 sion de la pensée, surtout à l'écrit,° vocabulaire approximatif,° ignorance des règles de la grammaire et de l'orthographe° deviennent des choses courantes auxquelles on nous demande de nous adapter. Si les élèves ne veulent plus ou ne peuvent plus fournir° l'effort intellectuel, il faut trouver les moyens° de les intéresser autrement : organiser des débats, regarder des films, faire des sorties,° animer
25 des clubs... se disperser dans de multiples activités para-scolaires° dont il ne restera pas grand-chose° dans l'esprit des jeunes. J'ai l'impression que, mis à part° quelques îlots° privilégiés, les lycées° sont en train de se transformer en garderies° où l'on ne vient plus pour apprendre mais pour passer le temps entre copains.
        Maurice T. Maschino. «Voulez-vous vraiment des enfants idiots?»

30 *Le point de vue des élèves :*
    Il y a trop de matières° et l'on touche à tout sans rien traiter sérieusement. La sélection se fait encore et toujours sur les maths ou le français. Ah! les maths! Ah! la section C! «Le lycée est le meilleur endroit pour apprendre. Malheureusement, même si on est attiré° par les lettres,° le système vous embarque contre votre gré°
35 vers les matières scientifiques», dit Sylvie, étudiante en terminale au Lycée Rodin. «J'étais d'un niveau moyen° en maths mais bonne en français; on m'a mise en C. Résultat : j'ai raté° le bac° et je recommence en A.»
        «Les lycéens : une furieuse envie de changement», *L'Étudiant*

    Il ne fait guère de doute en ce moment que le choix de ceux qui envisagent
40 de quitter l'école et de commencer à gagner leur vie° est fortement guidé par des conditions dont ils ne sont pas maîtres. Le chômage,° l'idée qu'il faut chercher le plus tôt possible un emploi° au mépris des formations supérieures° guident le choix de certains bacheliers.°
        «Que faire après le bac?», *L'Étudiant*

---

réclamer to demand / **la tronçonneuse** chain saw / **le niveau** level (of performance) / **à l'écrit** in written form / **approximatif** = *imprécis* / **l'orthographe** *f* spelling / **fournir** = *faire* / **le moyen** means / **la sortie** field trip / **para-scolaire** extracurricular / **pas grand-chose** = *pas beaucoup* / **mis à part** apart from / **l'îlot** *m* small island / **la garderie** day-care center / **la matière** subject matter, content (of a course) / **attiré** attracted / **les lettres** *f* = *littérature* / **vous embarque contre votre gré** pushes you against your will / **moyen** average / **rater** to fail, to flunk / **gagner sa vie** to earn a living / **le chômage** unemployment / **l'emploi** *m* job / **au mépris des formations supérieures** at the cost of foregoing higher education / **le bachelier, la bachelière** student who has passed the bac

Qu'en pensez-vous?

Êtes-vous d'accord ou non avec les déclarations suivantes? Justifiez votre réponse.

1. En France, la scolarité est obligatoire jusqu'à 18 ans.
2. Les mauvais élèves sont plus nombreux qu'autrefois.
3. Les Français ont voulu changer le système scolaire pour donner à tous les jeunes les mêmes chances.
4. Le professeur qui parle pense que ses élèves sont très motivés et d'un niveau intellectuel avancé.
5. D'après lui, les lycéens français ignorent souvent les règles de la grammaire et de l'orthographe.
6. Le professeur croit que le seul moyen d'intéresser les élèves est de faire des activités para-scolaires.
7. Les lycéens pensent que le système d'enseignement secondaire français est absolument parfait et idéal.
8. Ils estiment qu'on fait trop pression sur eux pour les orienter vers les matières scientifiques.
9. Certains jeunes ne continuent pas leurs études après le bac^c parce qu'ils ont peur du chômage et veulent trouver un emploi le plus rapidement possible.
10. Le baccalauréat est un examen national.

Vocabulaire satellite

l' **université** *f* university, college

le **collège** = *l'école secondaire, le C.E.S.*

la **fac, la faculté**^c school or department

  aller à la fac to go to the university

la **Fac de Droit** law school

la **Fac de Médecine** medical school

  suivre des cours to attend classes, to take courses

  suivre les cours de (Paris III) to attend the University of (Paris III)

  faire des études to study, to get an education

  faire ses études (de médecine, de droit, etc.) to study (medicine, law, etc.)

le **cours** class, course

la **matière** subject matter, content (of a course)

se **spécialiser en** to major in

  passer un examen to take an exam

  échouer à un examen to fail an exam

  réussir à un examen to pass an exam

  l'échec *m* failure

la **concurrence** competition

  compétitif competitive

  exigeant demanding

l' **orientation** *f* tracking

  bosser (*fam*) to work hard, to cram

  être polarisé (*fam*) to be completely absorbed in one's study

  sécher un cours (*fam*) to cut a class

s' **ennuyer** to be bored

penser à l'avenir   to think of the future
gagner de l'argent   to earn money
être au chômage, être chômeur, -euse   to be unemployed

obtenir, décrocher un diplôme   to graduate
avoir de bonnes (mauvaises) notes   to have good (bad) grades

Pratique de la langue

1. Un professeur de lycée pessimiste accuse ses élèves :
   a. Complétez les phrases suivantes pour lui à l'aide du texte.
      — «Vous ignorez... »
      — «Pour vous intéresser, il faut... »
      — «Vous ne venez pas au lycée pour apprendre mais pour... »
   b. Vous êtes le représentant des élèves de la classe. Répondez à ces accusations.
2. Improvisez les situations suivantes :
   a. Un professeur, déprimé à cause du manque de motivation de ses élèves et de leurs mauvais résultats, va consulter un psychiatre. Jouez les deux rôles par groupes de deux.
   b. Un conseiller d'orientation (*student adviser*) discute avec un(e) élève qui veut quitter l'école avant 16 ans. L'élève a toujours été en situation d'échec et déteste l'école. Imaginez leur discussion.
3. Comparez l'emploi du temps d'Olivier, élève de Terminale C, avec celui que vous aviez en dernière année de high school.

nom : Olivier   **Emploi du temps**   **Terminales C**

	LUNDI	MARDI	MERCREDI	JEUDI	VENDREDI	SAMEDI
8h	Piscine	Physique	Sciences naturelles		Physique	
9h	Histoire	Chimie	Maths.	Anglais	Physique	Maths.
10h	Géographie	Maths.	Physique	Sport	Maths.	Maths.
11h	Anglais	Histoire		Sport	Maths.	Maths.
Pause du déjeuner						
13h30	Espagnol	Espagnol		Maths.	Espagnol	
14h30	Philosophie			Maths.	Philosophie	
15h30	Philosophie			Sciences Naturelles		

4. D'après ce dessin, pensez-vous que tous les baccalauréats^c aient la même valeur?
   Si Josiane n'a pas les mêmes idées que sa mère sur l'éducation des filles, imaginez ce
   qu'elle peut lui répondre.

L'enseignement supérieur

Many aspects of the French postsecondary school system may puzzle
Americans. The system is almost entirely state-run, state-supported, and
practically free, yet it is by no means open to everyone. After the *bac*^c a
student may choose to attend (subject to resident requirements) one of the
seventy universities where courses offered by the *facultés*^c (schools or
departments) are not general but specialized, leading to a specific degree and
career. Enjoying even greater status are the *grandes écoles.*^c These schools,
however, take only a limited number of students, whom they recruit on the
basis of a highly selective entrance examination (*le concours*) for which a long
and arduous preparation is necessary. Some *lycées*^c offer such candidates
special advanced classes. Enrolled for two years in these *classes préparatoires*,
the college-age students (*les élèves des classes préparatoires*) cram to meet the
demands of the particular type of *grande école* they want to enter. Some of the
most prestigious of these schools, such as the *École Polytechnique*, the *École
des Arts et Métiers*, and the *École Normale Supérieure*, date back to Napoléon.
Others such as the E.N.A. (*École Nationale d'Administration*) or the E.S.S.E.C.
and H.E.C. (business schools) are more recent, but all guarantee their
graduates interesting and well-paid careers.

Des étudiants de ces classes préparatoires parlent ici des problèmes qu'ils rencontrent pendant ces années difficiles, mais aussi de leurs motivations.

L'angoisse° des élèves de «prépa°»

«Pourquoi est-ce que je suis là? Parce que je n'ai pas envie de bouffer° des pâtes° à la fin du mois quand je serai dans la vie active°». C'est un argument solide. Dans la cour° du Lycée Saint-Louis, qui n'accueille que° des élèves de «prépa», Jean-François se tourne vers ses copains. Ils sont quatre, élèves de «math sup°». Tous
5   avaient passé de bons bacs, C selon l'usage, et ils ne sont pas plus boutonneux que la moyenne.°

«La première semaine, c'était vraiment dur. J'essayais de me raccrocher° aux autres mais on était tous au même point. À la fin du premier week-end quand je suis rentré chez moi, j'ai failli ne pas° revenir». Et puis Stéphane a pris le rythme°
10 du boulot° (trente heures de cours, quinze heures de travail personnel par semaine), de l'internat° avec ses petites cellules° tristes, de la camaraderie très «sport» qui résiste aux classements affichés° après chaque interro° écrite. Un rythme qui ne permet pas les amourettes° et les envies° de cinéma, et Stéphane conclut : «Il faut partir du principe° qu'on n'est pas là pour se faire plaisir.°»
15 Un «taupin°» a 80% de chance d'entrer dans une école d'ingénieurs dont il sortira, dans 90% des cas, avec un diplôme en poche, une dizaine de propositions de travail et un haut salaire. «Il faut bosser° là où ça rapporte,° avant les interros. Après l'école, tu commences à vivre». Tant de renoncements pour décrocher,° les yeux cernés,° une place° de cadre^c moyen ou supérieur°!
20 D'autres témoignages° :

Véronique prépare le concours d'une Grand École de Commerce : «Je suis ici avant tout pour l'intérêt des études. Même si je ne décroche pas H.E.C.° je ne regretterai rien. Je suis toujours aussi nulle° en math, mais maintenant je peux lire *Le Monde*° et comprendre ce qui se passe.»
25 Laurent lui aussi apprécie la valeur des études qu'il reçoit. Il prépare l'entrée dans une École Normale Supérieure.° «Ici, c'est la vraie interdisciplinarité. On

---

l'angoisse *f* anxiety / **la «prépa»** = *classe préparatoire à l'entrée dans une Grande École* / **bouffer** *(fam)* = *manger* / **les pâtes** *f* pasta / **la vie active** real world / **la cour** yard / **n'accueille que** = *reçoit seulement* / **math sup** = *classe préparatoire de mathématiques supérieures* / **pas plus boutonneux que la moyenne** with no more pimples than average / **se raccrocher à** to hang on to / **j'ai failli ne pas** I almost didn't / **a pris le rythme** got into the routine / **le boulot** *(fam)* = *le travail* / **l'internat** *m* residence hall, dorm / **la cellule** cell / **les classements affichés** posting of grades by order of rank / **l'interro** *f* test / **les amourettes** *f* flirtations / **les envies** *f* = *les désirs* / **partir du principe** = *comprendre* / **se faire plaisir** = *s'amuser* / **le taupin** *(fam)* = *l'étudiant de math sup* / **bosser** *(fam)* = *travailler dur* / **où ça rapporte** where it pays (counts) / **décrocher** = *obtenir* / **les yeux cernés** *m* with rings under one's eyes / **une place** = *un emploi* / **le cadre moyen ou supérieur** middle- or top-level executive / **le témoignage** testimony / **H.E.C.** = *l'École des Hautes Études Commerciales* / **nulle** very weak / **Le Monde** the most highbrow of French daily newspapers / **l'École Normale Supérieure** = *une Grande École*

fait sérieusement de tout. Même si on ne réussit pas à intégrer Fontenay ou Saint-Cloud,° on aura acquis une culture générale et des méthodes de travail qui nous seront utiles partout.... On n'est pas des bûcheurs,° plutôt des lutteurs.° Il faut
30 lutter° contre la politique de découragement que pratiquent certains profs. Par exemple : le premier jour un prof est arrivé : «Vous êtes 70 aujourd'hui, vous serez 50 à Noël et 25 passeront à la fin de l'année».

Qu'est-ce qui motive ces étudiants? Un professeur de Saint-Louis conclut : «C'est plutôt contre eux-mêmes qu'ils se battent,° contre la peur de l'échec,° la
35 peur de décevoir° leurs parents et, surtout, de ne pas être à la hauteur de° l'image qu'ils ont d'eux-mêmes».

Odile Cuaz, *Le Nouvel Observateur*

Qu'en pensez-vous?

Êtes-vous d'accord ou non avec les déclarations suivantes? Justifiez votre réponse.

1. Dans le texte, «bouffer des pâtes» signifie «bien gagner sa vie».
2. Les élèves de «prépa» du Lycée Saint-Louis ont passé le bac C avant d'entrer en «math sup».

> **intégrer Fontenay ou Saint-Cloud** to enter the *Écoles Normales Supérieures* in Fontenay or Saint-Cloud outside of Paris (now one single school located in Fontenay) / **le bûcheur** *(argot)* grind, hard-working student / **le lutteur** fighter / **lutter** to struggle / **se battre** = *lutter* / **la peur de l'échec** the fear of failure / **décevoir** = *désappointer* / **être à la hauteur de** to be equal to

3. Tous les élèves de «prépa» sont des intellectuels boutonneux.
4. Le rythme du boulot en «math sup» est infernal.
5. À l'internat du Lycée Saint-Louis les étudiants ont une vie sociale très agréable et très décontractée.
6. Quatre-vingts pour cent (80%) des «taupins» entrent dans une école de journalisme.
7. Tous les renoncements des années de «prépa» sont finalement justifiés par une place de cadre moyen ou supérieur et un haut salaire.
8. Véronique pense qu'elle perd son temps en «prépa» parce qu'elle est toujours nulle en maths.
9. Laurent pense que les étudiants qui préparent l'École Normale Supérieure sont avant tout des bûcheurs.
10. Les profs de «prépa» ont une attitude positive et encouragent toujours leurs élèves.
11. Les élèves de «prépas» travaillent beaucoup parce qu'ils aiment la compétition.

Nouveau contexte

Complétez le passage suivant à l'aide des mots et expressions ci-dessous qui vous sont donnés par ordre alphabétique.

Noms : amourettes *f*, bûcheurs *m*, camaraderie *f*, cellules *f*, classements *m*, cours *m*, culture *f*, échec *m*, envies *f*, interro écrite *f*, lutteurs *m*, renoncement *m*, travail personnel *m*
Verbes et expressions verbales : décrocher, être à la hauteur de, permet, se battent

Un prof de «prépa» parle de ses élèves : «C'est la peur de l' _échec_ 1, la peur de ne pas *être à la* 2 l'image qu'ils ont d'eux-mêmes qui est la plus grande motivation de nos élèves de «prépa». Le rythme de travail est intensif : trente heures de _____ 3 par semaine et quinze heures de _____ 4. Leur vie est pratiquement monastique. Elle ne _permet_ 5 ni _____ 6 ni _____ 7 de cinéma! Ils sont logés en internat, dans de petites _____ 8 tristes mais ont un bon esprit de _____ 9 qui résiste aux _____ 10 affichés après chaque _____ 11. Qu'ils arrivent ou non à _____ 12 H.E.C. ou à entrer dans une école d'ingénieurs ou à l'École Normale Supérieure, les élèves de «prépa» ne regrettent pas leurs années de _____ 13. Ils savent qu'ils en sortiront avec une bonne _____ 14 générale et des méthodes de travail qui leur seront utiles partout. En «prépa», ils apprennent à être non seulement des _____ 15 mais aussi des _____ 16 ; mais, la plupart du temps, c'est surtout contre eux-mêmes qu'ils _____ 17.

Pratique de la langue

1. Jouez les situations suivantes :
   a. Deux étudiantes de «prépa» : l'une en lettres, l'autre en math sup parlent des facilités ou des difficultés qu'elles auront à trouver un emploi.
   b. Présentez une discussion entre deux étudiants : un bûcheur et un fumiste (un étudiant qui fait beaucoup de choses mais qui ne fait rien sérieusement). Chacun critique le

comportement (*behavior*) de l'autre et expose les raisons ou les avantages de sa propre attitude.

2. Êtes-vous bûcheur, lutteur? Qu'est-ce qui vous motive à travailler?

3. Pourquoi allez-vous à l'université? (pour acquérir une culture générale, pour vous préparer à un emploi bien précis, etc.) Posez cette question aux autres étudiant(e)s de la classe et dressez une liste des raisons citées le plus fréquemment.

4. Demandez à vos camarades de classe ce qu'ils (elles) aimeraient faire après leurs études universitaires (poursuivre leurs études, travailler, voyager, etc.), puis dressez une liste des différents choix.

Vie sociale et culturelle des étudiants

Dans la vie sociale des étudiants français le café joue un rôle important. Le temps important que tant d'étudiants passent au café, peut apparaître comme une «perte° de temps». Il répond, à vrai dire, en grande partie, à tout un ensemble de° besoins que l'étudiant cherche à satisfaire, en dehors du° temps consacré au
5 travail. Aller au café, ce n'est pas uniquement chercher un refuge entre deux cours quand la bibliothèque est pleine, ou éviter° un déplacement° lorsqu'on habite une chambre éloignée de la Faculté,^c ou trop exiguë,° ou mal chauffée,° ou encore coûteuse° à chauffer. Il semble que le café réponde avant tout à un besoin de contacts que les structures universitaires n'ont pas satisfait jusqu'à
10 maintenant. Le café est bien souvent le seul lieu° où fuir° la solitude, où nouer des connaissances° et se faire des amis.

Des étudiants, habitués° du Quartier latin,° expriment leurs opinions sur le rôle du café dans la vie de l'étudiant :

«S'il n'y avait pas de café, on se sentirait lâché dans la nature.°» «On se sent moins seul. La chaleur humaine fait du bien. C'est gai, on oublie ses idées noires,°» vous diront les habitués du Quartier latin.

Les plus esseulés° vont toujours au même café. Ils s'y sentent un peu chez eux,
5 ils prennent plaisir à retrouver les mêmes habitués, à être traités amicalement par les garçons.° À l'âge où les relations amicales ou amoureuses commencent à

---

la perte waste / **un ensemble de** = *un certain nombre de* / **en dehors de** outside of /
éviter to avoid / **le déplacement** trip / **exigu** = *très petit* / **chauffé** heated / **coûteux,
-euse** costly / **le lieu** = *l'endroit m* / **fuir** = *échapper à* / **nouer des connaissances** to make
acquaintances / **l'habitué,e** regular visitor (or customer) / **le Quartier latin** = *centre de la vie
universitaire parisienne* / **lâché dans la nature** = *tout à fait désorienté* / **les idées noires**
f depressing moments / **esseulé** = *solitaire* / **garçon** = *garçon de café*

prendre plus d'importance que les relations familiales, les étudiants apprécient tout ce que peut leur apporter l'ambiance° d'un café familier. «L'amitié, la camaraderie, ne peuvent pas se trouver dans la famille. Au café, on n'est pas forcé de
10 répondre à tous les appels. Ça détend,° on est entre jeunes, c'est mieux que d'être en famille.»

Au café, l'étudiant devient un être sociable. Il goûte l'imprévu des rencontres,° qu'elles soient° de peu d'importance ou marquantes.°

Il se sent disponible,° détaché de toute contrainte. Le fait d'inviter des amis
15 chez soi suppose une sélection, alors qu'°au café on ne se sent pas engagé vis-à-vis de ceux que l'on y fréquente. C'est souvent là que se racontent le film à voir,° le livre à lire, le disque à acheter. C'est aussi l'endroit où rencontrer des gens qui peuvent vous indiquer du travail, une chambre à louer, bref, c'est sortir du monde clos des cafétérias de Facultés[c] ou de Résidences.°

---

tout... l'ambiance *f = tout ce que l'ambiance... peut leur apporter* / **détendre** to relax / **l'imprévu** *m* **des rencontres** chance encounters / **qu'elles soient** whether they be / **marquant** = *mémorable* / **disponible** = *libre* / **alors que** whereas / **que se racontent le film à voir...** = *que le film à voir... se racontent* / **la Résidence** student housing, dormitory

20   Au cours d'une enquête° sur les loisirs° faite par la Mutuelle des Etudiants,° un garçon déclarait : «On acquiert au café une culture générale, bien mieux qu'à la Faculté, parce qu'on y rencontre des non-étudiants. On écoute les conversations des voisins, on regarde vivre les autres. C'est le lieu où se forme l'intelligence de la vie, pas seulement la connaissance : on se dépolarise.°»

Catherine Vallabrègue, La Condition étudiante

Qu'en pensez-vous?

Êtes-vous d'accord ou non avec les déclarations suivantes? Justifiez votre réponse.

1. Les étudiants considèrent qu'ils perdent leur temps au café.
2. Ils vont au café pour fuir la solitude, nouer de nouvelles connaissances et se faire des amis.
3. Ils ne vont jamais au même café parce que ce serait trop ennuyeux.
4. Dans un café que l'on connaît bien, on a l'impression d'être en famille.
5. Au café, on peut parler avec n'importe qui sans se sentir engagé.
6. On ne parle jamais de choses intellectuelles au café.
7. En pouvant rencontrer des non-étudiants au café, on apprend à connaître le monde.
8. Les cafés sont importants parce qu'il n'y a pas beaucoup de lieux de rencontre et de détente à l'université.

Nouveau Contexte

Interview d'un garçon de café. Complétez le texte suivant à l'aide des termes et expressions qui vous sont donnés ci-dessous par ordre alphabétique.

Noms : ambiance *f*, bibliothèque *f*, disque *m*, endroit *m*, imprévu *m*, jeunes *m*, refuge *m*, relations *f*
Verbes : se dépolariser
Adjectifs : chauffée, clos, coûteuses, culturelles, esseulés

JOURNALISTE	Monsieur Jean, ça fait vingt ans que vous êtes garçon de café. Aimez-vous votre métier?
MONSIEUR JEAN	Enormément! C'est un métier passionnant surtout quand on travaille dans un petit café de quartier, comme celui-là, qui a une _____ 1 familiale.
JOURNALISTE	Vous rencontrez beaucoup d'étudiants. Pourquoi pensez-vous qu'ils viennent au café?
MONSIEUR JEAN	Pour des raisons multiples! Des fois, pour trouver un _____ 2 entre deux cours ou parce que la _____ 3 est pleine et qu'ils ne peuvent pas étudier. Quelquefois, en hiver, parce que leur chambre est

---

l'enquête *f* survey / les loisirs *m* leisure time / la Mutuelle des Etudiants a social service agency run by the students themselves / se dépolariser *(fam)* = *ouvrir l'esprit*

mal _____ *4* et qu'ils y ont froid. Des fois aussi, tout simplement, pour fuir la solitude, être moins _____ *5* et goûter l' _____ *6* des rencontres. C'est un âge où l'on pense que les _____ *7* amicales sont très importantes.

JOURNALISTE   Les _____ *8* ne viennent donc au café que pour des raisons sociales?

MONSIEUR JEAN   Sociales et _____ *9*. Il leur arrive de vouloir _____ *10*, être en contact avec la vie, le monde extérieur, de vouloir sortir de l'univers _____ *11* des Facultés[c] ou des Résidences. Mais ils ont souvent plaisir à parler avec quelqu'un d'autre du film à voir, du livre à lire ou du _____ *12* à écouter. Le café est vraiment l' _____ *13* favori des étudiants avant le cinéma : deux activités qui ont l'avantage d'être peu _____ *14*.

Vocabulaire satellite

les **distractions,** *f* les **loisirs** *m*   leisure-time activities

se **distraire**   to amuse oneself

se **détendre**   to relax

décontracté relaxed

passer, perdre du temps   to spend, to waste time

la **culture générale**   general education, liberal arts

se **cultiver**   to broaden one's mind, to acquire some culture

la **lecture**   reading

écouter une conférence   to hear a lecture

jouer du piano, du violon   to play the piano, the violin

aller voir un spectacle de danse to go to the ballet

aller à un concert de rock   to go to a rock concert, **de musique classique** to the symphony

aller au musée pour voir une exposition   to go to a museum to see an exhibition

s' **intéresser à la peinture**   to be interested in painting

pratiquer un sport   to play a sport

jouer au tennis, au football   to play tennis, soccer/football

nouer des contacts, des amitiés   to make contacts, to strike up friendships

être déprimé   to feel depressed

avoir des idées noires, avoir le cafard   to feel blue

Pratique de la langue

1. Improvisez les rôles suivants :
   a. Un étudiant étranger, qui est venu faire des études en France, a des difficultés à rencontrer des étudiants français. Donnez-lui quelques conseils : expliquez-lui l'importance du café dans la vie sociale des étudiants français et indiquez-lui le nom et les caractéristiques de vos cafés préférés.
   b. Deux étudiants, un rat de bibliothèque (*book-worm*) et un habitué des cafés, discutent de la façon dont ils travaillent. L'un adore aller en bibliothèque pour y trouver le

calme et la concentration; l'autre a besoin du bruit et de l'ambiance chaleureuse des cafés. Imaginez leur discussion.

2. Parlez de vos loisirs.
   Mettez-vous en groupe et posez-vous les questions suivantes :
   —Quand vous avez besoin de vous détendre, que faites-vous? où allez-vous?
   —Que faites-vous pour vous cultiver?
   Faites une liste des activités les plus fréquemment mentionnées.

3. Êtes-vous satisfaits de la formation universitaire que vous recevez (que vous avez reçue)? Quels en sont les éléments les plus positifs? Quels aspects aimeriez-vous voir changer?

Sujets de discussion ou de composition

1. Écrivez une lettre à un(e) étudiant(e) français(e). Racontez-lui votre vie d'étudiant en la comparant un peu à la sienne.

2. Est-ce que les étudiants mènent (*lead*) une existence privilégiée, à votre avis? Dans quelle mesure sont-ils artificiellement isolés ou protégés de la réalité quotidienne? Faut-il, d'après vous, remédier à cette situation et, si oui, comment?

2

Les femmes

Les femmes et le travail

The role of French women in the family and in society is a powerful one. Throughout French history, women have been influential. Some of them have achieved fame in the literary and artistic world as well as in science (for example, two Nobel Prize winners, Marie Curie in 1903 and 1911 and her daughter Irène Joliot-Curie in 1935). And yet women in France have not made it a point to take part in movements involving their sex as a whole. French women regard themselves as equal to men, but different. As John Ardagh writes: "France is still the land, cliché or not, of *la petite différence*: it is not the land of the suffragettes, nor of the women's club, beloved of Anglo-Saxon amazons."[1] For a long time, French women were treated as minors, a condition that was actually enshrined in the 1804 *Code Civil*, the cornerstone of the set of legal codes commissioned by Napoleon. It reflected the philosophy and the prejudices of a military man for whom "la femme est la propriété de l'homme comme l'arbre à fruit celle du jardinier". Over the next 150 years, legislation regarding the rights of women was surprisingly slow in coming compared to the United States. It was not until 1945 that women gained the right to vote in national elections and run for public office. In recent years, however, the position of women has improved markedly with respect to civil rights, marriage and birth control. Women have now achieved a growing self-awareness and a new active role in society.

Nicole Avril is a successful novelist who has published a dozen novels, some of them best-sellers. She is very skillful at portraying unusual, strong-willed, even scandalous women. Jean-Pierre Elkabbach is a popular and controversial journalist. As a producer for public television, his interviews with well-known political figures captivated audiences by their caustic style. He left television for political reasons when the Socialists came into power in 1981. Nicole Avril and Jean-Pierre Elkabbach, each pursuing an independent career, have been married for more than 10 years. In the text that follows, Nicole Avril discusses their relationship.

Couples à force égale : ça marche°

«Il y a trois réussites qu'une femme peut désirer : celle de sa vie professionnelle, celle de la maternité et celle de la vie de couple. Certaines, sans doute, sont capables de mener les trois de front.° Comme je ne m'en sens pas capable, j'en ai choisi deux : la vie de couple et la création.

ça marche it's working well / **mener les trois de front** = *faire les trois choses en même temps*

[1]John Ardagh, *France in the 1980s.*

5   C'est un choix tout à fait personnel. À mes yeux, vouloir un enfant est aussi
égoïste° que de se donner à une création personnelle. Si autrefois l'ambition était
le seul fait° des hommes, aujourd'hui elle existe des deux côtés. Cette situation à
l'intérieur d'un couple exige° plus de qualités de la part de l'homme que de la
femme.

10   Elle, elle a à faire constamment acte de volonté, c'est entendu. Mais lui, il doit
être de taille à° accepter cette chose tout à fait nouvelle.

Quand j'ai rencontré Jean-Pierre, je venais de publier deux livres. Donc mon
choix était déjà fait. Et lui le savait. Il était évident que je ne lui donnerais pas
ce qu'avait pu lui apporter sa mère. Heureusement il n'a jamais rêvé de me
15 métamorphoser en popote,° ayant peu de goût pour les femmes maternelles.

Réussir sa vie, à mes yeux, c'est la première des ambitions. Elle suppose une
attitude constamment dynamique. Je ne voudrais pas me dire au dernier moment :
«Je suis passée à côté de ça,° j'aurais dû, j'aurais pu, j'ai perdu du temps... »

Vivre à deux cette dynamique, c'est avoir non seulement de l'ambition pour
20 soi mais aussi pour l'autre.

Je me vois mal mariée à un écrivain. Il y aurait une compétition, même
inconsciente. Avec Jean-Pierre, nous avons des métiers opposés mais complémentaires. À la fin d'une journée de travail, Jean-Pierre a mille choses à me
raconter, et moi je n'ai rien à dire. Avoir trouvé un mot, une métaphore, ça ne

égoïste selfish / **le seul fait** = *la caractéristique* / **exige** demands / **être de taille à** = *être
capable de* / **popote** *(fam)* "hausfrau", housewife / **je suis passée à côté de ça** = *je n'ai pas fait
ça*

25 s'explique pas. C'est pourquoi j'ai envie qu'on me parle de l'extérieur.° C'est ce
que Jean-Pierre m'apporte.

Je lui fais lire ce que j'écris à peu près toutes les vingt-cinq pages. C'est une
sorte de rite entre nous. On s'assied toujours à la même place, il prend le texte
qu'il n'a pas vu auparavant, et il le lit à haute voix. C'est un homme de radio,
30 alors il lit bien.

Un texte n'est d'ailleurs vraiment écrit que lorsque Jean-Pierre l'a lu. Je prends
parfois assez mal les remarques qu'il me fait; il me faut la nuit pour les assimiler.
Mais il est bien rare ensuite que je n'en tienne pas compte.°

Il m'aurait été très difficile de me considérer aimée par quelqu'un qui ne se
35 serait pas intéressé à ce que je fais. Ça aurait pu tout juste° être la passion
malheureuse d'un moment, une relation insupportable. Quand on a un métier
de journaliste ou d'écrivain, un de ces métiers qui sont la vie même, on ne peut
pas faire un tiroir° pour la vie professionnelle et un autre pour la vie privée. Dans
notre vie à Jean-Pierre et à moi, tout est étroitement mêlé.°

40 Jean-Pierre ne m'a jamais présentée comme Mme Elkabbach. Je ne porte pas
d'alliance.° J'accepte qu'il s'approprie ma personne, mais je tiens à garder mon
nom, je ne veux pas de pseudonyme. Peut-être y a-t-il des hommes pour qui
aimer un être entier est plus excitant que de dire : «Ma moitié.°»

Il y a deux ans, lors du° départ de Jean-Pierre de la télévision, nous avons
45 concrétisé dans un livre la rencontre de nos ambitions respectives. Je venais de
sortir° mon dernier roman qui marchait très bien, et forte de ce succès, j'ai pu
être tout à fait à ses côtés.

C'était un acte d'amour aussi. Nos deux ambitions ne se sont pas contrecarrées,°
bien au contraire : je devenais journaliste et lui un peu écrivain. Si on ne peut
50 pas partager son ambition personnelle, à quoi cela sert-il?

Mais la chance,° le miracle pour moi, c'est d'avoir rencontré en Jean-Pierre
quelqu'un qui me corresponde exactement. Je ne pensais pas cela possible. Il faut
tellement chercher avant de trouver. Je ne pensais pas pouvoir trouver tout ce
que je voulais avec un homme. Je croyais qu'il y aurait toujours quelque chose
55 qui clocherait.°

S'aimer ad vitam aeternam,° ça m'aurait fait rire, et ça me fait rire encore.
Mais quand je vois que notre lien° continue dans la passion, qu'en dix ans il est
devenu plus fort qu'au premier jour, je me dis que ce que nous avons vécu
ensemble est irremplaçable et que ça le rend, lui, à mes yeux, incomparable.»

Michèle Manceaux, *Marie-Claire*

---

l'extérieur *m* = *le monde extérieur* / **que je n'en tienne pas compte** that I don't take them into
consideration / **tout juste** = *juste* / **faire un tiroir** to compartmentalize / **étroitement
mêlé** closely mingled / **l'alliance** *f* wedding ring / **ma moitié** my better half / **lors du** = *à
l'occasion du* / **sortir** = *publier* / **contrecarrées** = *opposées* / **la chance** luck / **clocherait**
(*fam*) would not work / **ad vitam aeternam** (latin) = *pour toujours* / **le lien** = *l'attachement m*

Qu'en pensez-vous?

Êtes-vous d'accord ou non avec les déclarations suivantes? Justifiez votre réponse.

1. Nicole est une superwoman qui se sent capable de réussir à la fois sa vie professionnelle et sa vie de mère et d'épouse.
2. Nicole n'a pas eu d'enfant parce qu'elle déteste les enfants.
3. Dans un couple à force égale, la situation est quelquefois plus difficile pour les hommes que pour les femmes.
4. Quand Nicole a rencontré Jean-Pierre, elle savait déjà ce qu'elle voulait faire dans la vie.
5. Jean-Pierre a épousé Nicole parce qu'il adore les femmes popote.
6. Pour que le couple marche, il ne faut pas que les deux partenaires aient chacun de l'ambition.
7. Pour Nicole, c'est une chose très positive qu'elle et Jean-Pierre aient des métiers opposés mais complémentaires.
8. Jean-Pierre apporte à Nicole le silence et le calme.
9. Quand Jean-Pierre fait des remarques à Nicole sur un texte qu'elle a écrit, elle n'en tient pas compte généralement.
10. Nicole, qui est écrivain, publie ses livres sous son nom de femme mariée.
11. Quand Jean-Pierre et Nicole ont écrit un livre ensemble, la compétition entre eux a été terrible.
12. Nicole considère que, lorsqu'elle a rencontré Jean-Pierre, elle n'a pas eu beaucoup de chance.
13. Après dix ans de mariage, Nicole trouve que leur lien est plus fort qu'au premier jour.

Nouveau contexte

Complétez le passage suivant à l'aide des mots et expressions ci-dessous qui vous sont donnés par ordre alphabétique.

Noms : acte d'amour *m,* alliance *f,* écrivain *m,* lien *m,* maternité *f,* pseudonyme *m,* réussite *f*

Verbes et expressions verbales : cloche, mener de front, s'intéresse à

Adjectifs : écrasée, incomparable, irremplaçable, personnelle, popote, professionnelle

La mère de Nicole, qui est une femme traditionnelle, parle : «Je ne comprends pas ma fille! Pour moi, dans la vie, il y a seulement une _____¹ qui compte : c'est celle de la maternité. Mais Nicole dit qu'elle ne veut pas se métamorphoser en femme _____² et que sa vie _____³ est aussi importante que sa vie _____⁴. Comme elle pense qu'il n'est pas possible de _____⁵ profession, _____⁶, et vie de couple, elle ne veut pas d'enfants. Quel mariage étrange! Elle ne porte pas d'_____⁷, elle écrit sous un _____⁸ et elle me dit qu'elle ne veut pas être _____⁹ par le succès de son mari qui est journaliste. Elle, elle est _____¹⁰. D'ailleurs, ils ont écrit un livre ensemble. Elle dit que c'était un _____¹¹. Il y a vraiment quelque chose qui _____¹² dans ce mariage! Heureusement, son mari est un homme dynamique et tolérant. Il _____ 13 ce qu'elle fait et, en dépit de tout, leur _____ 14 semble être encore très fort. Il dit qu'elle est _____ 15 et elle dit qu'il est _____ 16 . Espérons qu'ils s'aimeront ainsi ad vitam aeternam!»

Vocabulaire satellite

l' **époux** *m*, **l'épouse** *f*   spouse
le **mari**, la **femme**   husband, wife
la **femme au foyer**   homemaker, housewife
être frustré   to be frustrated
être libéré, émancipé   to be liberated
se **consacrer à**   to devote oneself to
l' **éducation** *f* **des enfants**   bringing up children
élever des enfants   to bring up children
la **crèche**   day-care center
partager les travaux ménagers   to share household chores
faire le ménage   to do the cleaning

passer l'aspirateur   to vacuum
faire la cuisine   to cook
faire la lessive   to do the laundry
faire la vaisselle   to do the dishes
repasser   to iron
avoir une activité professionnelle   to have a profession
réussir professionnellement   to have a successful career
s' **épanouir (dans son travail)**   to find fulfillment in one's job
travailler à mi-temps, à temps partiel   to work part-time
être qualifié pour   to be qualified for
à travail égal, salaire égal   equal pay for equal work

Pratique de la langue

1. C'est au tour de Jean-Pierre de parler. Complétez pour lui chacune des déclarations suivantes (2 phrases minimum) en vous servant des idées du texte.
   a. Nous n'avons pas d'enfants parce que...
   b. Je ne voulais ni une femme maternelle ni une femme-popote parce que...
   c. Nos métiers sont à la fois différents et semblables parce que...
   d. Écrire un livre ensemble a été pour nous...
   e. Vivre à deux avec Nicole, c'est...
2. Jouez les situations suivantes :
   a. La mère de Jean-Pierre interroge Nicole sur les raisons pour lesquelles ils n'ont pas d'enfants. Nicole explique son point de vue personnel mais sa belle-mère proteste et dit qu'elle s'inquiète pour son fils et qu'elle est très triste à l'idée qu'elle n'aura pas de petits-enfants.
   b. Nicole rencontre au café une vieille amie de lycée qu'elle n'a pas vue depuis dix ans. Son amie est mariée à un homme traditionnel et a cinq enfants. Elle n'a pas d'activité professionnelle. Les deux amies se racontent leur vie. Parlez pour elles.
3. Que pensez-vous du couple que forment Nicole et Jean-Pierre? À votre avis, représentent-ils le couple parfait ou un modèle qu'il ne faut surtout pas imiter?

4. À débattre : Croyez-vous qu'à l'heure actuelle il soit possible pour une femme d'avoir à la fois des enfants et une vie professionnelle réussie?
5. «Réussir sa vie», qu'est-ce que cela signifie pour vous?
6. Étudiez le sondage ci-dessous. Posez les mêmes questions à vos camarades de classe et comparez les résultats obtenus avec ceux du sondage.

Libres et égales aux hommes ?
Non : 49 %

Dans la Déclaration des droits de l'homme et du citoyen, il est dit que les hommes naissent libres et égaux en droits. Selon vous, aujourd'hui, en France, les femmes sont-elles libres et égales aux hommes ?

Oui	**50 %**
Non	**49**
Ne se prononcent pas	**1**

Elle est plus courageuse : 47 %
Il est plus solide : 56 %

Selon vous, qui, en général, de l'homme ou de la femme, est le plus...

	L'homme	La femme	Ne se prononcent pas
Intelligent	16 %	25 %	59 %
Courageux	28	47	25
Sociable	29	48	23
Intuitif	11	77	12
Sensible	16	70	14
Solide	56	32	12

Dites qui, selon vous, dans chacun des domaines suivants, est, en général, le meilleur : l'homme ou la femme ?

	L'homme	La femme	Ne se prononcent pas
Sport	68 %	8 %	24 %
Ecole	14	55	31
Professions manuelles . . .	53	26	21
Professions intellectuelles .	29	28	43
Politique	68	12	20
Affaires	45	28	27

«Le match homme-femme», *L'Express*, Janvier 1989

La révolution féminine

The 1970s were decisive years in the history of French women. Though France did not witness the militant "bra-burning" demonstrations common in the United States, there were some provocative gestures. In 1969, when a group of women laid a wreath dedicated to "the wife of the Unknown Soldier" under the Arc de Triomphe, the press viewed this act as offensive and scandalous. More recently, the militant feminists of groups like the *Mouvement de Libération de la femme* (MLF) and *Choisir* have concentrated on changing the laws that traditionally define the condition of women. In the working-class suburb of Bobigny, the 1972 trial of a seventeen-year-old girl who had undergone an abortion with her mother's approval was turned into a *cause célèbre* by her energetic lawyer, Gisèle Halimi, a leader of the *Choisir* movement. The momentum generated by the Bobigny trial forced the government to legalize abortion; as a result the cost of contraceptives and abortion (*L'I.V.G. : L'Interruption volontaire de grossesse*) is now absorbed by the *Sécurité Sociale*. Working mothers are now entitled to a fourteen-week maternity leave with pay. Government-subsidized *crèches* are also available (but in insufficient numbers) at rates that vary according to a family's means. Divorce laws, long held back by the legacy of the Code Civil, were liberalized in 1975.

Under the presidency of Valéry Giscard d'Estaing (1974–1981), women were brought into the cabinet. Simone Veil, a brilliant lawyer who later went on to chair the European Parliament, served as Minister of Public Health. For Françoise Giroud, a well-known writer and journalist, Giscard created the position of *Secrétaire d'Etat à la Condition Féminine*. France's Socialist leaders have made real efforts to promote women within party ranks. The total number of women in the National Assembly rose to 28 (5.7%) in 1981, 20 of whom were elected on a Socialist Party ticket. Several women held cabinet posts, among them Yvette Roudy who was named to head the newly-created *Ministère des Droits de la Femme.* This new title emphasizes the willingness of the Socialist Party "to promote measures designed to ensure that women's rights in society are respected, to remove any form of discrimination against women, and to increase guarantees of equality in the political, economic, social, and cultural fields."

These breakthroughs have encouraged a small number of women who can support themselves financially to remain single and raise a child by themselves, as the following text illustrates.

Un enfant pour elles toutes seules

Si Françoise a pu venir, ce soir-là, à la réunion du groupe femmes, ce n'est pas parce que son mari a accepté de garder° les enfants. De mari, Françoise n'en a pas. Elle vit seule avec son fils, Hervé, quatre ans. «Je suis métis°», dit simplement Hervé, qui connaît son père, un Africain, mais n'a jamais vécu avec lui. L'été
5 dernier, il est allé en Afrique, dans la famille de son père, et a trouvé que «c'était très bien».

Hervé, métis par hasard,° n'est pourtant pas un enfant du hasard. Sa naissance a été «voulue et programmée». Françoise, la trentaine dépassée,° après un mariage raté,° puis la mort d'un homme qu'elle aimait, vivait seule dans la ville de
10 province où elle est médecin. «J'avais envie d'avoir un enfant, et je me disais qu'il allait bientôt être trop tard», raconte-t-elle. «Alors, j'ai arrêté la contraception et je me suis donné un an. Quand j'ai été enceinte,° je n'ai rien dit au père. Je n'avais pas l'intention de le dire à l'enfant non plus. À la naissance d'Hervé, j'ai changé d'avis. Je ne pouvais pas couper l'enfant de ses racines° africaines. Il sait donc
15 qui est son père. Mais c'est moi qui ai l'entière responsabilité de sa vie.»

Françoise est l'une de ces quelque cent mille femmes célibataires° et chefs de famille.° Elles étaient quatre-vingt-cinq mille en 1975 selon les statistiques de l'Institut national d'études démographiques (INED). Celles qu'on appelait «filles mères»,° femmes victimes et rejetées, sont devenues «mères célibataires». Fran
20 çoise est fière de ce statut.° Elle se dit «mère célibataire volontaire», catégorie, selon elle, «en augmentation rapide depuis que la contraception a donné aux femmes cette liberté et en même temps cette responsabilité de décider elles-mêmes de leur vie».

Christine n'utilisait pas de contraceptifs. Fragile et réservée, elle semble l'op
25 posé de Françoise. À Marseille, comme avant à Paris, elle sortait peu, et «pour faire l'amour, il fallait que le type° soit vraiment intéressant. Alors à quoi bon° la pilule tous les jours?» Christine a été enceinte par hasard, il y a deux ans. «Ce bébé non prévu,° dès que j'ai été enceinte, j'ai décidé de le faire», assure-t-elle. Elle ne voulait rien dire au père pour ne rien lui imposer. Son médecin l'a
30 convaincue du contraire. Le petit garçon a été reconnu par son père, dont il porte le nom.

Ces mères célibataires, revendiquant° un statut naguère infamant° et qui demeure scandaleux, appartiennent pour la plupart à un milieu socio-culturel

---

garder = *s'occuper de* / **métis** *m* half-breed; of mixed racial descent / **par hasard** by chance, by accident / **la trentaine dépassée** = *ayant plus de 30 ans* / **raté** failed / **enceinte** pregnant / **les racines** *f* roots / **célibataire** single / **chef de famille** head of household / **filles mères** unwed mothers / **le statut** status / **le type** (*fam*) = *l'homme* / **à quoi bon?** what's the use (the good) of? / **non prévu** not planned for / **revendiquant** laying claim to / **naguère infamant** until recently dishonorable

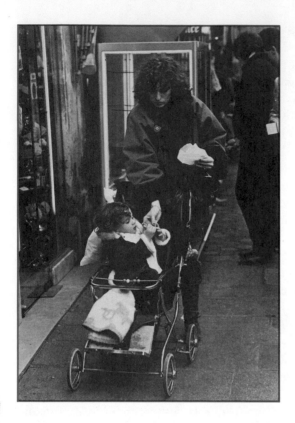

privilégié. Elles se sont intéressées à la lutte° des femmes, même si elles ne militent

35 pas dans un mouvement. Elles ont longuement réfléchi à leur désir d'enfant, au choix du père, à l'éventuelle reconnaissance° de l'enfant par le père. Beaucoup souhaitent donner à l'enfant leur propre nom. Elles ont généralement un peu moins ou un peu plus de trente ans lorsque naît l'enfant.

Certaines avaient déjà des relations avec un homme auquel elles ont demandé

40 d'être le père de leur enfant; les hommes sont souvent extrêmement réticents. D'autres, comme Françoise, cessant de prendre des contraceptifs ont, au gré des rencontres,° attendu. D'autres encore ont été enceintes accidentellement. Leur acte volontaire a été le refus d'avorter.°

Pour Carmen, une petite brune énergique qui élève son fils en faisant des

45 ménages,° ces femmes «font partie d'un ghetto intellectuel» et leur discours° a peu de rapport avec ce que vivent les femmes seules. «À partir du moment où on peut avorter, bien sûr que si on ne le fait pas c'est volontaire, mais ça s'arrête

la lutte struggle   /   **l'éventuelle reconnaissance** *f* the possible acknowledgment   /   **au gré des rencontres** leaving it up to chance encounters   /   **avorter** to have an abortion   /   **faire des ménages** to work as a cleaning woman   /   **le discours** talk, verbal rationalization

là. Ces femmes trouvent de beaux arguments psychologiques et féministes. Elles ont du mal à° imaginer qu'on puisse être enceinte sans le vouloir. C'est pourtant
50 le cas pour la majorité des femmes. Moi, je dis que, depuis sept ans que j'élève mon fils seule, je n'ai pas rencontré une seule vraie mère célibataire volontaire. Qui voudrait être ainsi au ban de° la société?»

Juliette et Romuald

Tous les matins, Carmen fait le ménage dans des bureaux de son quartier° à partir de 4 heures. Lorsqu'elle rentre chez elle, après 8 heures, elle a juste le
55 temps de préparer son fils pour l'école. Si elle perd quelques minutes et manque un autobus, il arrive en retard à l'école. Cette année, l'institutrice a fait des remarques à Carmen. «Il paraît qu'on dérange° la classe. Elle sait pourtant que je n'y peux rien.° Je suis sûre que cela a un rapport avec le fait que je n'ai pas de mari. Elle veut me le faire sentir. Toutes les femmes seules ont des problèmes.»
60 Que la maternité soit volontaire ne supprime° pas les difficultés de la solitude. Il ne suffit pas que des mères revendiquent leur célibat° pour que la réalité se plie à° leurs désirs. La famille elle-même est souvent le premier obstacle. Les belles-sœurs° de Françoise n'osaient pas expliquer à leurs enfants qu'elle était enceinte alors qu'°elle n'avait pas de mari. La mère de Christine, au contraire,
65 âgée et ayant perdu son mari depuis longtemps, se réjouissait,° pensant vivre avec sa fille et élever l'enfant.

Les mères célibataires volontaires ont essayé, par leur décision, de trouver le meilleur compromis possible entre leur désir d'enfant et une vie qui ne permettait pas la réalisation de ce désir. Mais elles ne savent pas encore si elles sont en train
70 d'inventer une nouvelle cellule familiale ou si elles referment sur elles le piège° d'une maternité solitaire, exclusive et aliénante.°

Josyane Savigneau, *La Société française en mouvement*

Qu'en pensez-vous?

Êtes-vous d'accord ou non avec les déclarations suivantes? Justifiez votre réponse.

1. Les mères-célibataires volontaires viennent généralement d'un milieu socio-culturel privilégié.
2. Elles ont, le plus souvent, moins de 25 ans.
3. Leur famille accepte toujours sans problème leur décision d'avoir un enfant sans être mariée.
4. Beaucoup de mères-célibataires souhaitent donner leur propre nom à leur enfant.
5. Françoise a voulu et a littéralement programmé la naissance de son fils, Hervé.

avoir du mal à (+ verb) to have a hard time (doing something) / **au ban de** banned from, shunned by / **le quartier** neighborhood / **déranger** to disturb / **je n'y peux rien** I can't help it / **supprimer** = *éliminer* / **le célibat** = *l'état d'être célibataire* / **se plier à** = *se conformer à* / **la belle-sœur** sister-in-law / **alors que** while, even though / **se réjouir** to be pleased / **referment sur elles le piège** are closing the trap on themselves / **aliénante** = *qui vous aliène des autres*

6. Hervé n'a jamais rencontré la famille de son père qui est africain.
7. Christine a toujours eu l'intention de révéler la naissance de son enfant au père de celui-ci.
8. Tout comme Françoise, Christine a soigneusement programmé la naissance de son enfant.
9. La mère de Christine a été très heureuse de la naissance de l'enfant.
10. Carmen et son fils ont tous deux une vie très facile.
11. D'après Carmen, toutes les femmes seules ont des problèmes.
12. La maternité volontaire met automatiquement fin à la solitude des mères célibataires.

Nouveau contexte

Complétez le passage suivant à l'aide des mots et expressions ci-dessous qui vous sont donnés par ordre alphabétique.

Noms : filles-mères *f*, milieu *m*
Verbes et expressions verbales : ai du mal à, ai raté, dérange, fais des ménages, me plier, me réjouis, n'y peux rien, seront supprimés, sommes au ban de
Adjectifs : aliénante, célibataires, intellectuel, scandaleux

Carmen, qui ne vient pas d'un _____ 1 socio-culturel privilégié et qui n'appartient à aucun ghetto _____ 2 féministe, trouve parfois la maternité _____ 3 . Voilà ce qu'elle nous a dit : «Vous savez, ma vie n'est pas toujours facile! Il est vrai qu'on accepte plus facilement aujourd'hui que les femmes _____ 4 aient un enfant, et qu'on ne les appelle plus _____ 5 mais beaucoup de gens pensent encore qu'avoir un enfant sans être mariée est _____ 6 . Je _____ 7 dans les bureaux de mon quartier pendant une partie de la nuit et je suis fatiguée quand la journée commence. J' _____ 8 tout faire et l'institutrice de mon fils dit qu'il _____ 9 la classe tous les matins parce qu'il est souvent en retard. Parfois, j'ai l'impression que lui et moi, nous _____ 10 la société et que j' _____ 11 ma vie. Pourtant, comme je l'adore, je _____ 12 toujours des moments que nous passons ensemble et refuse de _____ 13 aux pressions extérieures. Je _____ 14 , après tout, si je ne suis pas riche. L'argent n'est pas tout dans la vie et, quand mon enfant sera plus grand, beaucoup de mes problèmes actuels _____ 15. Enfin, j'espère!»

Vocabulaire satellite

la **condition féminine**   status of women
le (la) **féministe**   feminist
le **sexisme**, le **machisme**   sexism, male chauvinism
les **préjugés** *m* **sexistes**   sexist prejudices

avoir un mariage réussi   to have a successful marriage
la **bonne (mauvaise) entente**   good (bad) relationship
faire un mariage d'amour   to marry for love
être divorcé   to be divorced

être séparé de   to be separated
  from
les **difficultés** *f* **financières**   financial
  difficulties
la **garde des enfants**   custody of
  children
la **garde alternée (conjointe)**   joint
  custody
la **pension alimentaire**   alimony
  accoucher   to give birth
  la grossesse   pregnancy

être enceinte   to be pregnant
la **contraception**   contraception
la **pilule**   pill
l' **avortement** *m*, l'I.V.G.
  (**l'interruption** *f* **volontaire de
  grossesse**)   abortion
le **congé de maternité**   maternity
  leave
le **congé de paternité**   paternity
  leave

Pratique de la langue

1. Questions aux mères-célibataires volontaires du texte. Répondez pour chacune d'elles
   (en 2 ou 3 phrases) aux questions qui suivent.
   a. Hervé, le fils de Françoise, à sa mère : «Maman, pourquoi mon papa n'habite-t-il pas
      avec nous?» Réponse de Françoise : «Mon petit,... »
   b. Le prof du fils de Carmen à Carmen : «Mais enfin, Madame, pourquoi votre fils est-
      il toujours en retard à l'école?» Réponse de Carmen : «Madame,... »
   c. La mère de Françoise à sa fille : «Mon enfant, pourquoi as-tu choisi un Africain
      comme père de ton fils?» Françoise : «Maman,... »
   d. Le père de l'enfant à Christine : «Pourquoi ne m'as-tu pas dit plus tôt que tu étais
      enceinte? Et pourquoi me le dire maintenant?»
      Christine : «Eh bien,... »
   e. Le patron de Carmen à Carmen : «Ne préféreriez-vous pas, Madame, faire vos heures
      de ménage pendant la journée plutôt qu'à des heures aussi bizarres?»
      Carmen : «C'est-à-dire, Monsieur, que... »
2. Jouez les situations suivantes par groupe de deux :
   a. Christine annonce à sa mère qu'elle est enceinte et lui dit qu'elle veut garder l'enfant.
      Sa mère lui parle des difficultés d'élever un enfant seule, puis se réjouit avec elle de
      cet événement.
   b. Françoise (ou Christine, ou Carmen) retrouve une amie d'enfance qu'elle n'a pas vue
      depuis longtemps et lui parle de son enfant et de sa vie.
   c. Faites parler deux pères dont les enfants sont élevés par leurs mères célibataires. Ils
      expriment leur regret de ne pas voir leur enfant plus souvent.
3. Étudiez le document qui suit :
   Cette nouvelle législation sur le travail à mi-temps en cas de maternité ou d'adoption
   vous semble :
   a. encourager les femmes à rester à la maison
   b. encourager les femmes à rester dans la vie active
   c. favoriser les femmes
   d. encourager les hommes et les femmes à partager l'éducation des enfants.
   Justifiez vos réponses et faites des comparaisons avec la législation qui existe dans votre
   pays.

CENTRE NATIONAL
D'INFORMATION
CNIDF SUR LES DROITS DES FEMMES

Mars 1984

S 10

B.P. 470.08 - 75366 PARIS CEDEX - Tél. 225.05.05

Présidé par Madame Yvette ROUDY, Ministre des Droits de la Femme, le CNIDF est une association régie par la loi de 1901.

Secteur Législation Sociale

LE TRAVAIL A MI-TEMPS°
EN CAS DE MATERNITÉ OU D'ADOPTION (1)

● QUI PEUT EXERCER SON ACTIVITÉ A MI-TEMPS ?

Tout salarié° peut demander à travailler à mi-temps, quelle que soit la taille° de son entreprise, à condition qu'il ait au moins un an d'ancienneté° dans celle-ci à la date :
— de la naissance de l'enfant,
— ou de l'arrivée au foyer° d'un enfant adopté, âgé de moins de 3 ans.

IMPORTANT

— La possibilité de travailler à mi-temps est ouverte, à l'occasion de chaque naissance ou adoption, au père et à la mère, légitimes ou naturels° et aux adoptants. Le père et la mère peuvent travailler à mi-temps simultanément ou l'un après l'autre, dans la limite des deux ans qui suivent la fin du congé de maternité ou d'adoption.

—————

(1) Cette fiche tient compte des dispositions de la loi n° 84-9 du 4 janvier 1984 — publiée au Journal Officiel du 5 janvier 1984.

le travail à mi-temps part-time work / **le salarié** = *une personne qui reçoit un salaire* / **la taille** size / **à condition qu'il ait au moins un an d'ancienneté** = *s'il a travaillé au moins un an* / **au foyer** = *à la maison* / **naturel** = *illégitime*

Sujets de discussion ou de composition

1. Analysez ce sondage effectué par l'Institut Louis Harris auprès d'un échantillon (*sample*) national représentatif de 1005 personnes âgées de 18 ans et plus. Qui détient (*hold*) le pouvoir à l'heure actuelle? Voyez-vous un grand changement dans les années à venir? Posez les mêmes questions à vos camarades de classe et comparez les résultats obtenus avec ceux du sondage.

Patrons° ? Oui !
Patronnes ? Mmmh !

Vous, personnellement, préféreriez-vous que votre patron soit un homme ou une femme ?

Un homme . . . . **48 %**
Une femme **16**
Ne se prononcent pas **36**

Las ! 57 % des femmes plébiscitent... un homme. Ce qui s'explique par d'autres critères : plus on est catholique, moins on est actif ; plus on est âgé, plus on se méfie des femmes. Les hommes sont plus « cools » (37 % seulement penchent pour un homme, 63 % s'en moquent). Une tolérance sans risque : les femmes patrons sont rares.

Pour une femme à l'Elysée° ? 22 %

Pour chacune des personnalités suivantes, dites si vous préféreriez que ce soit un homme ou une femme.

	Un homme	Une femme	Ne se prononcent pas
Le maire° de votre commune	55 %	20 %	30 %
Votre député°	53	18	29
Le président de la République	58	22	20

Là encore, ce sont les femmes qui votent le plus pour les hommes. Fatalisme ou réalisme ?

---

le patron, la patronne boss / **l'Élysée** = *la résidence du président de la République* / **le maire** mayor / **le député** representative

2. Quand les rôles changent, est-ce que les femmes perdent leur féminité, les hommes leur masculinité? À votre avis, la société change-t-elle en bien ou en mal? Pourquoi?
3. Écrivez une lettre au Ministre des Droits de la Femme, à Paris, pour exprimer votre opinion sur son action ou pour lui exposer des problèmes qui vous semblent être très importants.

3

La famille

Changement et continuité

The French family has changed radically during the past generation. The traditional situation in which the father worked and took care of matters outside the home while the mother remained at home to raise the children is no longer the norm. Women are working in increasing numbers and are often themselves heads of households. In addition, fewer couples are getting married. Since 1972 the number of marriages has been decreasing by nearly 30% each year. Moreover, those who choose to marry are doing so at a later age: the average age for men is twenty-six and for women twenty-four. At the same time divorce now terminates one out of every three marriages. Finally, the birth rate has decreased substantially despite government subsidies to every family for each child beyond the second one. The current birth rate of 1.84 children per woman is below the rate needed to maintain the population at the current level.

Nevertheless, in spite of these substantial changes, the French family continues to survive and has not lost its importance. Young people are choosing to live at home longer: one-third of current male wage-earners who are twenty-five years old continue to live with their parents. Children, parents, and grandparents generally remain quite close as they often live near one another. The notion of the family clan is still very much alive and manifests itself in a variety of rituals, including the family taking a Sunday meal together, grandparents baby-sitting their grandchildren, parents and grandparents helping the younger generation to purchase a home or launch a career. The family remains a refuge protecting its members from insecurity and anguish and the absence of values. Given the numerous assaults against it in recent times, the family has maintained an amazing vitality.

La transformation de la famille traditionnelle

Discussion entre Évelyne Sullerot, sociologue, cofondatrice du Mouvement français pour le Planning familial, et Colette Soler, rédactrice pour le magazine freudien *L'Âne*.

COLETTE SOLER   La famille a beaucoup changé en peu de temps. Pouvez-vous nous parler de cette évolution?

ÉVELYNE SULLEROT   Plus qu'une évolution, c'est d'une sorte d'éboulement° qu'il s'agit.° Je n'aime pas parler de destruction parce que cela ressemble à un jugement moral. Éboulement convient bien.°

5

l'éboulement *m* collapse / **qu'il s'agit** = *dont il est question* / **convient bien** is suitable, is the right word

Jusqu'à présent, la France a vécu avec une institution :
le mariage, la famille constituée, qui était d'une stabilité
extraordinaire. Depuis la fin du XVIIIe siècle, neuf personnes sur° dix se mariaient; aujourd'hui, cinq sur dix seule-
10   ment. Ce changement s'est fait en l'espace de° dix à douze
ans.

À ce chiffre,° d'autres s'ajoutent, tels que la baisse° de
40% du remariage des divorcés, ou la multiplication par
cinq de la proportion d'enfants nés hors mariage.° J'essaie,
15   en ce moment, d'évaluer la proportion d'enfants de moins
de quinze ans élevés sans leur père : ils sont près de deux
millions. C'est que, parallèlement à la baisse des mariages,
le divorce reste en hausse° : d'un mariage rompu° sur dix,
on est passé à un sur trois. Tout ceci va toucher des enfants
20   qui sont actuellement° encore jeunes....

Ce qui se substitue au mariage a pris la forme de concubinage.° Cette évolution part des classes cultivées,° des
grandes villes, et des personnes ayant reçu une instruction
supérieure°; elle touche ensuite les classes moyennes, les
25   petites villes, puis les agriculteurs.° Depuis 1983 on re-
marque de façon très nette d'autres phénomènes. Les
jeunes—je mets la limite vers 40 ans—vivent seuls, quoi-
qu'°ils aient une union stable. Leur nombre s'est beaucoup
accru° ces dernières années. On trouve aussi de très nom-
30   breux jeunes gens et jeunes filles qui vivent jusqu'à 30 ou
35 ans chez leurs parents, tout en ayant° une vie sexuelle
ou affective.° Il est très frappant° de constater° que les
parents de cette génération se montrent tout à fait libéraux.
Ils acceptent cette situation et donnent même de l'argent
35   aux enfants.

Je pense que vous serez intéressés de constater l'absence
de terme pour désigner° cette nouvelle réalité. Il y a un
vide° du vocabulaire, particulièrement chez les parents,
pour désigner le partenaire de leur enfant. On parle de
40   pseudo-belle-fille, d'amie, de petite amie. C'est tout à fait
symptomatique, et à propos des enfants, on retrouve ce

---

sur out of / **en l'espace de** within / **le chiffre** = *le nombre* / **la baisse** drop / **né hors mariage** born out of wedlock / **en hausse** = *en augmentation* / **rompu (rompre)** broken / **actuellement** = *en ce moment* / **le concubinage** = *le fait de vivre maritalement sans être légalement marié* / **cultivé** educated / **une instruction supérieure** higher education / **les agriculteurs** *m* farmers / **quoique** even though / **s'est....accru (accroître)** = *a augmenté* / **tout en ayant** while having / **affective** = *sentimentale* / **frappant** = *surprenant* / **constater** = *noter, observer* / **désigner** = *nommer* / **un vide** = *une absence*

même défaut° de vocabulaire. De nombreux enfants issus
de° parents séparés, ayant refait un autre couple se trouvent
élevés avec des enfants qui ne sont ni leur demi-frère° ni
45   leur demi-sœur.° Eh bien, il n'y a pas de mot pour désigner
leur relation. Les sociologues doivent parfois inventer des
mots, par exemple, ils parlent de «famille recomposée», car
pour eux, la famille n'existe qu'autour du rapport sexuel
de deux individus. La famille recomposée, c'est un foyer,°
50   un homme et une femme vivant ensemble au sens topo-
graphique,° et des enfants dont peu importe° de qui ils sont
nés. Leur désir est de montrer que c'est le couple sexuel et
sa volonté qui fondent la famille, et non plus la filiation°️ et
le mariage. Ce changement anthropologique est énorme,
55   puisque nous sommes les héritiers° d'une civilisation où la
famille était fondée sur la filiation.

COLETTE SOLER   Comment voyez-vous la génération nouvelle qui est en train
de se fabriquer?

ÉVELYNE SULLEROT   Près de la moitié des enfants à l'école n'ont pas le même
60   nom que leur père, et s'embrouillent° avec leur nom.
Fréquemment, ils parlent de leurs papas au pluriel. Le
mariage détermine le nom, donc l'identité. Il a des réper-
cussions symboliques profondes. Or, aujourd'hui, des
femmes ne se marient pas pour pouvoir donner leur nom
65   à l'enfant; certaines demandent au père de ne pas le reconnaître pour qu'il soit tout à fait leur. Tous ces phénomènes
ont en commun de signer° une société où la valeur suprême
est l'individu autonome.

Évelyne Sullerot, propos recueillis par Colette Soler,
«La courte échelle° des générations,» *L'Âne*

Qu'en pensez-vous?

Êtes-vous d'accord ou non avec les déclarations suivantes? Justifiez votre réponse.

1. En l'espace de 10 à 12 ans, le mariage est devenu une institution extrêmement stable.
2. Il y a de plus en plus d'enfants nés hors mariage.
3. Les enfants de moins de 15 ans sont souvent élevés par un seul parent.
4. Le concubinage se trouve surtout dans les classes moyennes, les petites villes et les milieux ruraux.

le défaut lack / **issu de** = *né de* / **le demi-frère, la demi-sœur** step-brother, step-sister / **le foyer** home / **au sens typographique** in the same space / **dont peu importe** about whom it matters little / **la filiation** blood relationship / **l'héritier** *m* heir / **s'embrouiller** to get mixed up / **signer** = *indiquer* / **l'échelle** *f* ladder

5. Beaucoup de jeunes vivent seuls tout en ayant une relation sexuelle et affective stable.
6. En général, les parents n'acceptent pas le fait que leurs enfants, une fois adultes, continuent à vivre à la maison.
7. Dans la nouvelle famille française, il y a souvent des enfants nés de différentes unions.
8. À l'école il faut que les enfants aient le même nom que leur père.
9. Nous allons vers une société où la famille n'est plus fondée sur la filiation et le mariage.
10. Il faut créer d'autres mots pour désigner les nouvelles relations des différents membres à l'intérieur de la famille.

Vocabulaire satellite

se **marier avec quelqu'un**   to marry someone
épouser quelqu'un   to marry someone
se **marier et avoir des enfants**   to start a family
vivre sous le même toit   to live under the same roof
fonder un foyer   to get married, to set up a household
à la maison   at home
entretenir quelqu'un   to support someone
trouver un emploi   to find a job
l' **arbre** *m* **généalogique**   family tree
le **refuge**   refuge

l' **union** *f* **libre**, le **concubinage** cohabitation (of an unmarried couple)
la **famille monoparentale**   single-parent family
la **naissance illégitime**   illegitimate birth
l' **enfant** *m* **naturel**   illegitimate child
le **beau-père**, la **belle-mère**   step-father, step-mother
le **demi-frère**, la **demi-sœur**   step-brother, step-sister
le **fils unique**, la **fille unique**   only child
le **célibat**   celibacy
le **veuf**, la **veuve**   widower, widow

Pratique de la langue

1. Jouez les situations suivantes :
   a. Isabelle et Jacques vivent ensemble depuis cinq ans. Ils viennent d'avoir un enfant qu'ils désiraient tous les deux, mais ils refusent toujours de se marier. Ils discutent avec les parents d'Isabelle qui n'approuvent pas leur concubinage.
   b. Sophie, 21 ans, est étudiante en droit mais elle continue de vivre chez ses parents. Elle explique à son amie, Mélanie, qui est américaine, pourquoi elle préfère rester à la maison. Imaginez leur discussion.
   c. Nathalie, 10 ans, dont les parents sont divorcés et remariés partage sa vie entre son père et sa mère. Elle a donc deux chambres, double vacances, une belle-mère, un beau-père, de charmants demi-frères et sœurs, et une foule de grands-parents, d'oncles et de cousins. Elle essaie d'expliquer sa vie à sa copine Sandrine qui est fille unique et qui vient d'une famille traditionnelle.
2. Dans le milieu que vous connaissez le mieux, quelles sont les attitudes concernant le mariage et la famille?

La famille et l'enfant

The place of the child within the family has evolved greatly in time. In the
Middle Ages, for example, as studies by Philippe Ariès have shown, the notion
of childhood did not even exist. Children used to leave the family circle at an
early age to undertake an apprenticeship. They then mingled with adults and
shared their work. Later, in the 18th century, as private life took on more
importance, the modern family came into existence as a unit, particularly in
middle-class circles. Children became the focus of the family; there was a
preoccupation with their upbringing; they were protected and surrounded
with affection—until they eventually developed a life of their own.

Rousseau

   Today the concept of childhood and the role of the child are continually
changing as society itself is transformed. Children are entering the adult world
at an ever younger age and in areas that had been off limits. The breakup of
traditional family structures is placing children in difficult situations, forcing
them to make choices and take on responsibilities which bring them quickly
out of childhood. Family and school, the ordinary sources of information,
must now compete on a daily basis with television. In their many viewing
hours, children are subjected to the realities of life; exposure to war,
unemployment, and sexuality require of them a maturity which their parents
did not possess at a similar age. Consequently, parents can no longer treat
their children as generations before them did by exercising a strict, tyrannical
authority over them. They must instead "negotiate," reason with their children,
somewhat as equals, in order to bring about certain modes of behavior.

   The children of the "kid génération," (i.e., the 9- to 13-year-olds) are not
young adults in miniature. They have a well defined personality with clear
preferences of their own. They have become a major interest group which
politicians, businessmen, and advertising agents are keenly aware of and eager
to attract.

La Kid Génération : Les enfants de la crise° et du marketing

Il n'y a plus de jeunesse. On considère aujourd'hui qu'un enfant de treize ans
possède la maturité que ses parents avaient à seize ans. Les 9–13 ans ont leurs
passions, leurs idoles, leur langage, leur look et leur morale.° Ils lancent les
modes,° les stars, touchent à tous les sports. Et quand nos managers ont découvert
5   que les moins de quinze ans influaient sur près de 45% du budget familial, on a
commencé à les prendre très, très au sérieux.

---

la crise = *la crise économique* / **la morale** ethics / **la mode** trend

Maintenant, on crée pour eux, on fait de la pub° pour eux. Les enquêtes de marché° ont montré que leur avis° comptait beaucoup dans l'achat de la voiture familiale, de la maison ou de l'appartement, dans la décoration, l'ameublement,°
10 le choix des vêtements, de la nourriture, des loisirs, des jeux, des ordinateurs,° des disques et des cassettes, etc. Ils gagnent de l'argent. Ils épargnent.° Les banquiers les ont repérés° : leur argent aussi les intéresse.

Dans cette époque de scepticisme généralisé, où les adultes deviennent plus ludiques,° les parents partagent les jeux et les sports des enfants. Et comme
15 les gosses° apprennent vite les techniques nouvelles, notamment° à manier° un ordinateur, ils peuvent jouer un vrai rôle pédagogique et leader dans la famille.

«Je leur ai mis des pistolets° sur les hanches°», dit la mère d'Alexandre, 10 ans, et de Julie, 8 ans. «Je ne sais pas s'ils auront à s'en servir. Mais, au moins, ils seront armés.»° Pour ces parents qui avaient environ vingt ans en 1968, il s'agit
20 de donner aux gamins° toutes les armes pour devenir responsables, de les pousser à l'autonomie pour qu'ils sachent, au plus tôt, se battre seuls dans un monde qui promet d'être cruel.

---

la pub = *la publicité* / **une enquête de marché** market research / **l'avis** *m* = *l'opinion f* /
l'ameublement *m* furnishing / **l'ordinateur** *m* computer / **épargner** to save / **repérer** =
découvrir / **ludique** = *qui aime jouer* / **le, la gosse** kid / **notamment** = *particulièrement* /
manier to use / **le pistolet** gun (used here in the figurative sense) / **la hanche** hip / **être
armé** to be well-prepared to face daily life / **le gamin, la gamine** = *le, la gosse*

«Les parents, parfois par facilité, mais aussi par conviction éducative,° les ont laissés libres beaucoup plus tôt, constate Rose Vincent, auteur dans les années 60
25 de plusieurs livres à succès° sur l'éducation des enfants. Libres de choisir leurs vêtements, leurs distractions, leurs amis. Les enfants ne sont pas soumis,° comme ceux de la génération précédente, aux conseils° permanents des parents.»

Mais, attention, les kids ne sont pas seulement ludiques et consommateurs.° «On en fait un groupe social, une clientèle consommatrice. Mais ces enfants sont
30 aussi très en prise avec° la réalité. La crise économique, le chômage° ont pénétré souvent leur manière d'être. Le chômage est, avant la peur du noir,° la maladie, la guerre, leur principale angoisse. Les enfants savent non seulement économiser, mais aussi gérer un budget,° investir, emprunter.° Ils ont une compétence pratique en matière économique que les enfants d'autrefois° n'avaient pas.»

35 Ils sont durs et tendres. Durs en affaires,° durs quand ils jouent. Mais dans leurs jeans (501 de Levis, de préférence), leurs baskets° (Adidas), leurs sweats (Benetton), Walkman sur les oreilles, ils vivent aussi de déchirantes° histoires d'amour avec leurs copains et leurs copines d'école.

À cet âge-là, il est très important d'être intégré dans une bande.° C'est l'époque
40 aussi où, à défaut de° bande, le kid apprend les coups de cafard.° Les filles se tournent plutôt vers le journal intime.° Les garçons, plus volontiers vers la vidéo et l'ordinateur, autre moyen de création personnel et «symbole d'un espace qui n'appartient à personne d'autre».

C'est vrai, sans doute, que les kids ne sont plus comme les autres avant eux.

Jacques Buob, *L'Express*

Qu'en pensez-vous?

Êtes-vous d'accord ou non avec les déclarations suivantes? Justifiez votre réponse.

1. Les adolescents français ressemblent beaucoup à leurs parents.
2. Les 9–13 ans d'aujourd'hui ont un univers qui leur est spécifique.
3. Les managers et autres spécialistes du marketing ne s'adressent pas au moins de 15 ans, parce qu'ils pensent qu'ils n'ont pas d'importance.
4. Quand les parents français d'aujourd'hui veulent acheter une voiture, des meubles ou même un appartement ou une maison, ils consultent leurs enfants.

par conviction éducative because of their own beliefs concerning education / **un livre à succès** best-seller / **ne sont pas soumis à** = *n'obéissent pas à* / **le conseil** advice / **le consommateur, la consommatrice** consumer / **être en prise avec** to be at grips with / **le chômage** unemployment / **la peur du noir** fear of the dark / **gérer un budget** to manage a budget / **emprunter** to borrow / **d'autrefois** of yesterday / **dur en affaires** tough in business / **les basket** *m* sneakers, high tops / **déchirant(e)** agonizing / **la bande** peer group / **à défaut de** for lack of / **le coup de cafard** the blues / **le journal intime** private diary

5. Les parents français aiment partager un certain nombre d'activités avec leurs enfants.
6. Les enfants français sont plus à l'aise que les adultes avec les nouvelles techniques.
7. Les parents pensent que les enfants n'ont pas besoin d'apprendre à se protéger parce que le monde moderne est plein de promesses.
8. Les parents considèrent que leurs enfants doivent apprendre très jeunes à être indépendants et autonomes.
9. Les kids français sont tous habillés pareils.
10. Les jeunes français sont très conscients des réalités de la vie : leur attitude est réaliste et pratique.
11. Ils ne sont ni vulnérables ni sentimentaux.

Nouveau contexte

Complétez le passage suivant avec les termes ou expressions qui vous sont donnés ci-dessous par ordre alphabétique.

Noms : amitié *f*, argent *m*, consommateurs *m*, ordinateur *m*, technologie *f*, vidéo *f*
Verbe : partager
Adjectifs : durs, mûrs, pédagogique, tendres

Les jeunes Français d'aujourd'hui sont plus _____ ^{1} que leurs parents ne l'étaient au même âge. Ils sont fascinés par les produits de la _____ ^{2} moderne : par exemple, l' _____ ^{3} et la _____ ^{4}. Leurs parents aiment _____ ^{5} leurs jeux et leurs sports, quand c'est possible, et les enfants jouent parfois un rôle _____ ^{6} dans leur famille. Le marketing voit uniquement en eux des _____ ^{7} potentiels mais ces jeunes sont pleins de contradictions : ils sont _____ ^{8} en affaires mais _____ ^{9} avec leurs amis. Ils connaissent la valeur de l' _____ ^{10} et respectent l' _____ ^{11}.

Vocabulaire satellite

être sévère   to be rigid, strict
compréhensif   understanding
être indulgent   to be lenient, lax
être permissif   to be permissive
gâter   to spoil
punir   to punish
gronder   to scold
récompenser   to reward
étouffer   to smother, to stifle
se rebeller contre   to rebel against
obéir à   to obey

l' autorité *f* parentale   parental authority
encourager   to encourage
faire confiance à   to trust
bien (mal) élevé   well (ill) bred
donner son avis sur   to give advice on
le pouvoir d'achat   purchasing power
l' argent *m* de poche   pocket money

Pratique de la langue :

1. Étudiez les résultats de l'enquête ci-dessous :

DES KIDS HEUREUX EN FAMILLE

Qu'est-ce qui te plaît le plus chez tes parents?

Tu sens qu'ils t'aiment	64 %
Ils te font confiance°	43
Ils s'intéressent à toi	42
Tu peux leur parler de tes problèmes	40
Ils tiennent leurs promesses	31
Ils te donnent assez d'argent	29
Ils ne sont pas sévères	29
Ils ont l'esprit jeune	22

De quoi discutes-tu avec tes parents?

De ton travail à l'école	81 %
Des questions que tu poses sur ce que tu ne sais pas	59
Des tes copains (copines)	46
De ce qui se passe dans le monde	41
Des programmes de télévision	36
De Dieu	27
De ce que tu as fait dehors dans la rue	26
De leur travail	25
Des amis de tes parents	20
De l'argent	5

MAIS QUI ONT QUAND MÊME PEUR

De quoi aurais-tu le plus peur?

Que tes parents n'aient plus de travail	44 %
D'être renversé(e)° par une voiture	38
D'avoir de mauvaises notes à l'école	37
Que tes parents soient malades	33
D'être attaqué(e) à la sortie de l'école	22
D'être malade	15
De ne pas avoir de copains (copines)	13
D'être souvent seul(e) à la maison	9

Enquête réalisée pour L'Express auprès d'un échantillonnage national de 300 enfants représentatif de la population des 9 à 12 ans. Mèthode des quotas.

ils te font confiance they trust you   /   **renversé(e)** run over

Complétez les phrases suivantes :
a. Les kids français veulent avoir des parents qui....
b. Ils discutent souvent avec leurs parents des sujets qui les préoccupent comme *(such as)*....
c. Ils sont encore très vulnérables parce que....

2. Vous êtes spécialiste de marketing ou publiciste. Inventez une publicité radio s'adressant à des jeunes Français de 9 à 13 ans pour les 3 produits suivants :
   — Les jeans 501
   — Le coca-cola
   — Un Walkman (de la marque de votre choix)
   Faites 4 phrases au minimum par objet.
3. Jouez les situations suivantes par groupes de 2.
   a. Un(e) journaliste interroge la mère d'Alexandre et de Julie sur l'influence qu'ont eue sur elle ses enfants quand elle a acheté maison familiale, voiture, ameublement, etc. Imaginez le dialogue.
   b. Conversation entre un 9–13 ans américain et un 9–13 ans français qui comparent leur vie et leurs intérêts. Inventez les personnages, puis parlez pour eux.
4. Quand vous aviez entre 9 et 13 ans, aviez-vous les mêmes intérêts et aspirations que ceux des kids français dans le texte?
5. Quels sont les éléments du texte (linguistiques et autres) qui montrent l'américanisation de la société française? Relevez *(point out)* les mots franglais.

La famille et l'État

Unlike the United States, France has a long history of government involvement in the family. Social legislation in this field first developed after World War I and was coordinated into a Code of Family Law. In 1956 a new and much enlarged *Code de la Famille* was designed to incorporate the many advances in social legislation introduced during and after World War II.

The system of *allocations familiales*[c] was initiated in 1940 and generalized during the latter part of the decade. Originally designed to stimulate the distressingly low birth rate that had affected France for several generations, it is now an established feature of French society. *Allocations familiales* are monthly benefits paid by the government, based on the number of children in a family. These benefits are extended to all families, irrespective of need, to help them raise their children. To those who see in social legislation a kind of welfare system, the fact that rich people—or, for that matter, aliens working for a French employer—are entitled to such allocations may seem surprising, but these payments must be viewed as a direct commitment by the government to the children, who are equal under the law. The upward adjustment of the *allocations familiales* was one of the first decisions made in 1981 by the new administration of President Mitterrand. Expectant mothers are entitled to an extensive maternity leave (with pay), and a special bonus (*prime de naissance*) is also paid out at the birth of each child. Mothers from low- and middle-income families who stay home to take care of their children

also receive special benefits that compensate them to some extent for the income they might otherwise derive from outside employment (*prime de salaire unique*). Of course the usual income-tax deductions for dependent children are also allowed in France.

Families with three or more children (*familles nombreuses*) receive additional forms of government support (e.g., a reduced fare on all public transportation) and, in certain cases, a housing allowance (*allocation de logement*) that permits large families to pay a rent they could not otherwise afford. Government supports, however, have recently been questioned and could be curtailed in the future because the *Sécurité Sociale* is verging on bankruptcy.

The following excerpt highlights in a humorous vein the direct and indirect effects of such social legislation on the life style of a low-income family. Christiane Rochefort, a contemporary prize-winning novelist, evokes in her style the language of the common people, with frequent use of slang and unacademic syntax. Josyane, the eldest of five children, tells her life story.

Naître ou ne pas naître

À la mi-juillet, mes parents se présentèrent à l'hôpital. Ma mère avait les dou-leurs.° On l'examina, et on lui dit que ce n'était pas encore le moment. Ma mère insista qu'elle avait les douleurs. Il s'en fallait de quinze bons jours,° dit l'infirmière°; qu'elle resserre sa gaine.°

5 Mais est-ce qu'on ne pourrait pas déclarer tout de même° la naissance° mainte-nant? demanda mon père. Et on déclarerait quoi? dit l'infirmière : une fille, un garçon ou un veau°? Nous fûmes renvoyés sèchement.°

Zut, dit mon père, c'est pas de veine,° à quinze jours on loupe° la prime.° °¹

Il regarda le ventre° de sa femme avec rancœur.° On n'y pouvait rien.° On
10 rentra en métro. Il y avait des bals, mais on ne pouvait pas danser.

Je suis née le 2 août. C'était ma date correcte, puisque je résultais du pont de la Toussaint.° Mais l'impression demeura, que j'étais lambine.° En plus j'avais fait louper les vacances, en retenant mes parents à Paris pendant la fermeture de l'usine.° Je ne faisais pas les choses comme il faut.°

15 Ma mère était déjà patraque° quand je la connus; elle avait une descente d'organes°; elle ne pouvait pas aller à l'usine plus d'une semaine de suite,° car elle travaillait debout; après la naissance de Chantal elle s'arrêta complètement, d'ailleurs° on n'avait plus avantage,° avec le salaire unique,° et surtout pour ce qu'elle gagnait,° sans parler des complications avec la Sécurité° à chaque Arrêt°
20 de Travail, et ce qu'elle allait avoir sur le dos° à la maison avec cinq tout petits enfants à s'occuper, ils calculèrent qu'en fin de compte° ça ne valait pas la peine, du moins si le bébé vivait.

À ce moment-là je pouvais déjà rendre pas mal° de services, aller au pain,° pousser les jumeaux° dans leur double voiture d'enfant, le long des blocs, pour

---

les douleurs *f* **(de l'accouchement)** labor pains / **Il s'en fallait de quinze bons jours** She still had a good two weeks to go / **l'infirmière** *f* nurse / **qu'elle resserre sa gaine** have her tighten her girdle / **déclarer la naissance** to register the birth / **tout de même** even so / **le veau** calf / **renvoyé sèchement** summarily dismissed / **c'est pas de veine** *(fam)* = *nous n'avons pas de chance* / **à quinze jours on loupe** *(argot)* we'll miss by fifteen days / **la prime** = *la prime de naissance* / **le ventre** belly / **la rancœur** = *le ressentiment, l'hostilité* / **On n'y pouvait rien** It couldn't be helped / **le pont de la Toussaint** the long weekend of All Saints' Day / **lambin(e)** *(fam)* slow, a dawdler / **la fermeture de l'usine** plant closing / **comme il faut** = *bien, correctement* / **patraque** (argot) = *en mauvaise santé* / **la descente d'organes** uterine prolapse / **de suite** consecutively / **d'ailleurs** besides / **on n'avait plus avantage** it was no longer advantageous / **le salaire unique** = *la prime de salaire unique (voir introduction)* / **gagnait** earned / **la Sécurité** = *la Sécurité sociale* / **l'arrêt** *m* stoppage / **avoir sur le dos** *(fam)* to be overloaded with / **en fin de compte** all things considered / **pas mal** quite a few / **aller au pain** = *aller chercher du pain* / **les jumeaux** *m* twins

---

¹L'argent de la prime de naissance aurait permis au couple de mieux profiter de leurs vacances.

25 qu'ils prennent l'air, et avoir l'œil sur Patrick, qui était en avance° lui aussi, malheureusement. Il n'avait pas trois ans quand il mit un chat dans la machine à laver; cette fois-là tout de même° papa lui donna une fessée° : la machine n'était même pas payée.

Je commençais à aller à l'école. Le matin je faisais déjeuner les garçons, je les 30 emmenais° à la maternelle,° et j'allais à mon école. Le midi, on restait à la cantine.° J'aimais la cantine, on s'assoit et les assiettes arrivent toutes remplies; c'est toujours bon ce qu'il y a dans des assiettes qui arrivent toutes remplies; les autres filles en général n'aimaient pas la cantine, elles trouvaient que c'était mauvais; je me demande ce qu'elles avaient à la maison; quand je les questionnais, c'était pourtant 35 la même chose que chez nous, de la même marque,° et venant des mêmes boutiques, sauf la moutarde, que papa rapportait directement de l'usine; chez nous on mettait de la moutarde dans tout.

Le soir, je ramenais les garçons et je les laissais dans la cour,° à jouer avec les autres. Je montais prendre les sous° et je redescendais aux commissions.° Maman 40 faisait le dîner, papa rentrait et ouvrait la télé, maman et moi on faisait la vaisselle, et ils allaient se coucher. Moi, je restais dans la cuisine, à faire mes devoirs.

Maintenant, notre appartement était bien. Avant, on habitait dans le treizième,° une sale chambre avec l'eau sur le palier.° Quand le coin° avait été démoli, on nous avait mis ici; dans cette Cité°ᶜ les Familles Nombreuses étaient 45 prioritaires.° On avait reçu le nombre de pièces° auquel nous avions droit selon le nombre d'enfants. Les parents avaient une chambre, les garçons une autre, je couchais avec les bébés dans la troisième; on avait une salle d'eau,° la machine à laver était arrivée quand les jumeaux étaient nés, et une cuisine-séjour° où on mangeait; c'est dans la cuisine, où était la table, que je faisais mes devoirs....

50 Le vendeur vint reprendre la télé, parce qu'on n'avait pas pu payer les traites.° Maman essayait d'expliquer que c'est parce que le bébé était mort, et que ce n'était tout de même pas sa faute s'il n'avait pas vécu, et avec la santé qu'elle avait ce n'était déjà pas si drôle.°

C'était un mauvais moment. Ils comptaient le moindre sou.° Je sais pas° com-55 ment tu t'arranges° disait le père, je sais vraiment pas comment tu t'arranges, et la mère disait que s'il n'y avait pas le P.M.U.ᶜ elle s'arrangerait sûrement mieux.

---

en avance precocious / **tout de même** all the same / **la fessée** spanking / **emmenais** brought / **la maternelle** = *l'école maternelle* (nursery school) / **la cantine** school cafeteria / **la marque** brand (of a product) / **la cour** yard / **les sous** *m* = *l'argent* / **la commission** errand / **le treizième** = *le XIIIème arrondissement*ᶜ : a low-income section of Paris at the time / **le palier** landing (of a staircase) / **le coin** neighborhood / **la Cité** public housing project / **être prioritaire** to have priority / **la pièce** room / **la salle d'eau** room containing a sink and shower / **la cuisine-séjour** combination kitchen and living room / **la traite** installment, monthly payment / **ce n'était déjà pas si drôle** life wasn't much fun anyway / **le moindre sou** the slightest penny / **Je sais pas** = *Je ne sais pas* / **s'arranger** to manage

Le père disait que le P.M.U. ne coûtait rien avec les gains et les pertes° qui s'équilibraient et d'ailleurs il jouait seulement de temps en temps et s'il n'avait pas ce petit plaisir alors qu'est-ce qu'il aurait, la vie n'est pas déjà si drôle. Et
60 moi qu'est-ce que j'ai, disait la mère, moi j'ai rien du tout, pas la plus petite distraction dans cette vacherie d'existence,° toujours à travailler du matin au soir.

Le soir on ne savait pas quoi faire sans télé, toutes les occasions étaient bonnes pour des prises de bec.° Le père prolongeait l'apéro,° la mère l'engueulait.° Les
65 petits criaient,° on attrapait des baffes perdues.°

J'ai horreur des° scènes. Le bruit que ça fait, le temps que ça prend. Je bouillais° intérieurement, attendant qu'ils se fatiguent, qu'ils se rentrent dans leurs draps,° et que je reste seule dans ma cuisine, en paix.

Christiane Rochefort, *Les Petits Enfants du siècle*

Qu'en pensez-vous?

Êtes-vous d'accord ou non avec les déclarations suivantes? Justifiez votre réponse.

1. Les parents de Josyane sont vraiment contents parce qu'elle n'est pas née à la mi-juillet.
2. En France, il y a des bals dans la rue le jour de la Fête Nationale qui est le 17 juillet.
3. Quand Josyane est née ses parents pensent immédiatement qu'elle est parfaite.
4. La mère de Josyane arrête de travailler parce qu'elle adore rester à la maison où elle n'a rien à faire.
5. Josyane rend beaucoup de services à sa mère.
6. Patrick a reçu une fessée le jour où il a cassé le réfrigérateur.
7. Josyane aime bien manger à la cantine.
8. La famille de Josyane habite maintenant dans une petite maison.
9. La famille ne peut plus avoir la télé à cause de la mort du dernier bébé.
10. La disparition de la télé est un désastre pour la famille de Josyane.
11. Les parents de Josyane ont choisi d'avoir une famille nombreuse parce qu'ils adorent les enfants.
12. Le meilleur moment de la journée, pour Josyane, c'est le soir, après dîner, quand tout le monde est couché.

la perte loss / **cette vacherie d'existence** (*fam*) this lousy life / **la prise de bec** (*fam*) dispute / **prolongeait l'apéro** = *prolongeait l'apéritif*° he lingered over his drink (and came home late for dinner) / **engueuler** (*fam*) to bawl out / **criaient** to scream / **on attrapait des baffes** (*fam*) **perdues** we got slaps not meant for us / **j'ai horreur de** = *je déteste* / **bouillir** to boil / **le drap** sheet (of a bed)

Nouveau contexte

Complétez le passage suivant à l'aide des mots et expressions ci-dessous qui vous sont donnés par ordre alphabétique.

Noms : apéro *m*, commissions *f*, existence *f*, fessées *f*, jumeaux *m*, maternelle *f*, mère de famille *f*, naissance *f*, pont *m*, salaire unique *m*, santé *f*, scènes *f*, sou *m*, veine *f*
Verbes et expressions verbales : bouillais, ont loupé, rendais des services, s'asseoir
Adjectifs : drôle, lambine

Vingt ans plus tard, Josyane raconte son enfance à sa fille : «Tu sais, je n'ai pas eu autant de chance que toi! D'abord, je suis né le 2 août, j'étais le résultat du _____*1* de la Toussaint et mes parents n'étaient pas du tout contents. Parce que je suis née en retard, ils _____*2* de 15 jours la prime de _____*3*. C'était pas de _____*4* et, après ils m'ont toujours accusée d'être _____*5*. Donc, même quand je suis née ce n'était déjà pas si _____*6*. Ma mère m'a toujours gardé un peu de rancœur et, quelques années plus tard, comme elle était en mauvaise _____*7*, elle a dû arrêter de travailler. À partir de ce moment, en fin de compte, c'est moi qui suis devenue la _____*8*. Avec le _____*9* nous n'avions pas beaucoup d'argent et c'était toujours moi qui _____*10* : le matin, j'emmenais les _____*11* à la _____*12* et l'après-midi, j'allais faire les _____*13*. Mes parents étaient pauvres et comptaient le moindre _____*14*. Il y avait constamment des prises de bec entre eux. Alors, mon père allait au café, prendre l' _____*15*, ma mère gueulait (*screamed*), et nous, les enfants, nous attrapions les baffes perdues ou des _____*16*. Moi, qui ai horreur des _____*17*, je _____*18* intérieurement et je rêvais d'une autre vie, je me disais : «Quelle vacherie d' _____*19*! Mais heureusement, il y avait l'école et là, au moins, on pouvait _____*20*!»

Vocabulaire satellite

les **rapports** *m* **familiaux**   family relationship
se **disputer**   to fight
s' **entendre bien avec**   to get along well with
la **scène de ménage**   family quarrel, scene
donner une gifle   to slap
donner une fessée   to give a spanking
l' **aîné,e**   the elder, the eldest
s' **occuper de**   to take care of
garder des enfants   to babysit
être débrouillard   to be resourceful
avoir des responsabilités   to have responsibilities

avoir un emploi du temps chargé   to have a heavy schedule
avoir des loisirs   to have some free time
partir en vacances   to go on vacation
les **congés** *m* **payés**   paid holidays
l' **ouvrier, l'ouvrière**   manual worker
l' **usine** *f*   factory
acheter à crédit   to buy on credit
la **machine à laver**   washing-machine
vivre dans une Cité, dans une HLM (*dans une habitation à loyer modéré*)   to live in a public housing project

Pratique de la langue

1. Complétez le dialogue suivant entre Josyane et une petite voisine, Claudine :

   CLAUDINE   Est-ce que tu t'entends bien avec ta famille?
   JOSYANE   ....
   CLAUDINE   Moi, je suis fille unique, ça doit être chouette *(great)* d'avoir des petits frères
              et sœurs?
   JOSYANE   ....
   CLAUDINE   Pourquoi est-ce que tu ne joues pas avec nous après l'école?
   JOSYANE   ....
   CLAUDINE   Quand est-ce que tu fais tes devoirs?
   JOSYANE   ....
   CLAUDINE   J'entends souvent ta mère qui se dispute avec ton père quand il rentre à la
              maison. Pourquoi?
   JOSYANE   ....
   CLAUDINE   Qu'est-ce que tu fais quand tes parents se disputent?
   JOSYANE   ....

2. Le père et la mère de Josyane se disputent. Chacun rejette la responsabilité des problèmes
   de la famille sur l'autre. Complétez les déclarations suivantes en donnant 3 arguments
   chaque fois :

   LE PÈRE   «Tout ça c'est ta faute! Je ne suis pas du tout heureux parce que...
   LA MÈRE   «Mais non, ce n'est pas ma faute! C'est la tienne! Ma vie et celle de mes
             enfants est impossible parce que...

3. Imaginez la vie de Josyane vingt ans plus tard. Où habite-t-elle? Est-elle mariée? A-t-elle
   des enfants? Travaille-t-elle?
4. Faites le portrait d'une Josyane américaine. Quelles pourraient être ses origines géo-
   graphiques et sociales? Inventez le personnage et décrivez-le.

Sujets de discussion ou de composition

1. À débattre : Le mariage est-il une institution démodée?
2. Les Français disent : «Aux États-Unis, les enfants sont rois!» Est-ce exact d'après vous?
3. Auriez-vous aimé avoir de nombreux frères et sœurs? Pourquoi? Pourquoi pas?
4. La mère de Josyane parle avec son pédiatre pour lui demander des conseils sur l'éducation de ses enfants. Reproduisez leur conversation.

2ème PARTIE

Modes de vie

4

Ville et campagne

L'agglomération parisienne

Anyone going to France for the first time—and even more so, perhaps, someone returning there after twenty years—may be startled by the number of new apartment buildings in every town and suburb. It may be disconcerting to see the traditional architecture of Paris silhouetted against the futuristic skyscrapers of La Défense, Le Front de Seine, the brash Tour Montparnasse, or the incongruous Centre Pompidou. Automobiles now race along the romantic banks of the Seine. France's major cities—especially Paris—have grown tremendously since the end of World War II. Some twelve million people, well over one-fifth of the total population of France, now live in the greater Paris area, which has been subdivided into seven *départements*.^c A metropolis as well as a capital, Paris monopolizes every form of national activity: it serves as headquarters for 70 percent of French business firms, provides employment for 40 percent of all senior executives, and attracts 35 percent of the student population and 70 percent of the country's personnel. Half the total expenditures for urban development go to the Paris area.

The predominance of Paris over the provinces has been reinforced throughout French history. This is seen, for example, in the forging of national unity by the Capetian kings, lords of Paris; in the centralization initiated by the Bourbon kings and completed by Napoleon; and in the economic expansion of the nineteenth century, which created a vast network of roads and railroads radiating from the capital. As France entered the modern age, Baron Haussmann, a technocrat with a vision, drove wide boulevards through the congested sections of the old city, and by the last quarter of the nineteenth century had turned Paris into the world's most elegant capital. The working-class population was driven to the outskirts of the city, where—especially to the north and east—Paris was soon ringed by drab, impoverished districts known as "the red belt" (*la ceinture rouge*) because of the workers' political allegiance to the Left.

By 1950, systematic planning had begun to limit and control the growth of the Paris area. Initially, the quickest and most economical solution seemed to be urban renewal for the suburbs in the form of large housing projects (*grands ensembles*^c or *cités*^c) and low-income housing (*habitations à loyers modérés*, or *H.L.M.*^c). They provided large families with cheap decent housing but failed to offer a human, convivial environment. Recently, immigrant worker families have moved in large numbers into the *grands ensembles*; in certain cities where unemployment is high, problems of cohabitation and racial tension have occurred. As the inadequacy of these large projects became increasingly evident, other alternatives were sought.

In 1965 a master plan (*schéma directeur*) was drawn up, based on forecasts of a metropolitan Paris population of fourteen million by the end of the century. The plan proposed new centers of urbanization to compete with Paris and stabilize the growing population under normal, decent living conditions.

L'entrée du musée du Louvre : la pyramide en verre de I. M. Pei

Quickly, new cities (*villes nouvelles*ᶜ) like Évry, Melun-Sénart, St-Quentin-en-Yvelines, Marne-la-Vallée and Cergy-Pontoise, sprang up east and west of Paris. Today, these new cities have proved to be a better solution to the problem. A new generation of architects has found in these *villes nouvelles* an interesting challenge. The drabness of the first H.L.M. has been replaced by a variety of architectural styles, some of them extremely imaginative and original.

With the assistance of the central government, other vigorous measures have renovated the capital itself. Slum clearance programs have restored the beauty of the historic Marais district. Les Halles, the central market district, was moved from Paris to suburban Rungis to reduce heavy trucking in the city. The modernistic shopping center built in its place has become a popular spot for young people and tourists. With its aggressively modern architecture and garish colors, the nearby Centre Pompidou (familiarly known as Beaubourg) is now recognized as a model concept of today's museum, with its permanent galleries, constantly changing temporary exhibits, and libraries from which books and records can be borrowed.

Ambitious architectural projects are being developed by the current administration: the Institut du monde arabe, close to the universities of the Left Bank; the new Ministère des Finances on the Quai de Bercy, which will give a face-lift to an otherwise cluttered area of the city; the renovation of the Louvre with its controversial pyramid-shaped outside entrance; the conversion of the former Gare d'Orsay into the Musée d'Orsay; the Opéra populaire built on the historic Place de la Bastille; the daring Arche de la Défense in the prolongation of the Arc de Triomphe; and, just on the outskirts of Paris, a major cultural complex, the Parc de la Villette, including a futuristic museum of science and technology, a cité musicale and a 125-acre park with a network of bright red "follies": modern, witty versions of the little antique temples found in English parks.

Les villes nouvelles : Marne-la-Vallée

Marne-la-Vallée existe depuis une quinzaine d'années. C'est la ville nouvelle la plus proche de Paris et la plus grande urbanisation de ce genre en Europe. Elle a été choisie comme site du parc d'attractions Euro-Disneyland et est, de ce fait,° devenue célèbre internationalement.

Le texte suivant nous parle des problèmes des habitants pendant le processus de maturation de la ville nouvelle.

Incorrigibles propriétaires°! Les urbanistes de Marne-la-Vallée leur concoctent° des espaces ouverts, où chacun peut déambuler° au travers des allées et des résidences,° où l'œil ne heurte° nulle barrière, et quel est le premier souci° des nouveaux arrivants, les meubles à peine installés°? Clôturer,° encercler, barrer la
5 perspective, soustraire° leur jardinet° à la vue° des voisins, construire des murets,° poser des grillages° et faire pousser° des troènes° au mépris du règlement° qui interdit, dans les lotissements,° de telles insultes à la convivialité.°

De quoi désespérer° architectes et sociologues ou, plutôt, ramener sur terre° ceux qui avaient cru pouvoir confondre° ville nouvelle et nouvelle ville. Les
10 habitants de Marne-la-Vallée ne sont ni des pionniers ni des aventuriers de l'urbanisme de demain. Ils sont venus parce qu'ils en avaient «assez de payer un loyer° pour rien» et parce que «acheter à Paris aurait coûté trop cher», ou parce qu'ils ont trouvé ici «un F4° au prix d'un deux-pièces à Paris», ou —exception— «pour aller pêcher° sur les bords de la Marne».°

---

de ce fait = *à cause de cela* / **le propriétaire** owner / **concocter** = *élaborer* / **déambuler** = *marcher, se promener* / **une résidence** = *une construction* / **heurter** to stumble against / **le souci** = *la préoccupation* / **les meubles à peine installés** the furniture hardly having been set in place / **clôturer** = *fermer par une clôture* (fence) / **soustraire...à la vue** = *cacher* / **un jardinet** = *un petit jardin* / **un muret** = *un petit mur* / **un grillage** fence, grating / **faire pousser** to grow / **des troènes** *f* type of bush / **au mépris du règlement** in spite of the regulation / **les lotissements** *m* developments / **la convivialité** sense of community / **de quoi désespérer** = *(de telles attitudes) peuvent désespérer* / **ramener sur terre** bring back to earth / **confondre** to mix / **un loyer** rent / **un F4** = *un appartement de 4 pièces* / **pêcher** to go fishing / **la Marne** = *affluent de la Seine*

15   Ils sont aujourd'hui près de cent quatre-vingt mille, dont plus de la moitié ont
moins de trente cinq ans; 44% des actifs° se rangent dans la catégorie «employés°»;
57% des habitants sont propriétaires de leur logement.

De clôture en aménagement personnalisé,° les habitants de Marne-la-Vallée
ont fini par imprimer leur marque° à cette ville sortie des planches à dessin° des
20   architectes à la fin des années 60. En fait, le nom de Marne-la-Vallée est surtout
utilisé par les Parisiens qui ont peine à° s'y retrouver° dans ces 26 communes°
disséminées de part et d'autre° de la ligne de RER,° comme les bourgs° anciens
l'étaient le long de la Marne. Il est difficile donc de généraliser. Que peut-il y
avoir de commun entre les constructions géantes de Noisy-le-Grand comme le
25   Palacio de Ricardo Bofill¹, véritables délires° d'architectes où vivent plusieurs

Grands ensembles dans la banlieue de Paris

un actif = *une personne qui travaille* / **un(e) employé(e)** = *une personne qui travaille dans des*
bureaux / **de clôture en aménagement personnalisé** from building fences to furnishing their
homes / **imprimer leur marque** put their stamp / **une planche à dessin** drawing-board /
ont peine à = *ont des difficultés à* / **s'y retrouver** to find one's way around / **une commune** =
une petite ville / **de part et d'autre** on either side / **la ligne de RER (Réseau Express**
Régional) express subway line connecting the distant suburbs to Paris / **un bourg** = *un*
village / **le délire** = *la folie*

¹Ricardo Bofill : architecte espagnol qui a travaillé en France. Les logements sociaux
qu'il a construits à Marne-la-Vallée sont de style néo-classique : *le Palacio* qui
comprend des appartements à loyer peu élevé et *le Théâtre* qui est plus luxueux.
Environ 2000 personnes habitent dans ces deux immeubles.

milliers de personnes, et les zones pavillonnaires°[1] de Val-Maubuée? Entre les occupants d'une HLM° de quatorze étages° et les propriétaires d'un cottage avec jardin?

Certains habitants ne connaissent de leur ville que le trajet° qui conduit du
30 RER à leur immeuble,° en passant par la boulangerie, et la route de l'hypermarché° pour les courses du week-end. «Le dimanche, on s'en va d'ici; c'est trop peuplé.° Nous allons à la campagne, jamais à Paris», dit Andrée, une dactylo° de vingt-quatre ans installée à Noisy depuis trois ans. D'autres, au contraire, retournent systématiquement à Paris. «Aller au cinéma ici, dans le centre com-
35 mercial me donne l'impression de prendre une consommation° dans un fast-food», explique Simone Granger, médecin installé dans le Théâtre de Bofill. Il y a enfin ces jeunes couples avec enfants qui sortent peu et rêvent de «partir pour acheter un petit pavillon», et ces irréductibles,° comme Yasmina, dix-neuf ans, pour qui «c'est mort, cela ne bouge pas,° tout est fermé le dimanche...»

40 Les aménageurs,° de leur côté, ont aussi dû se résoudre à° construire des immeubles moins hauts et des quartiers° moins denses et à relancer° l'idée de commerces° au rez-de-chaussée des habitations au lieu de les parquer dans des centres commerciaux. On retrouve les vertus des bonnes vieilles rues d'autrefois°!

Après cette longue période de constructions, où les habitants ont eu constam-
45 ment les pieds dans la boue,° la vie s'est banalisée,° mais tout ne va pas pour le mieux dans la ville nouvelle. L'ennui,° l'isolement, restent des ennemis invaincus. Les équipements° existent pourtant, en nombre suffisant (cinq piscines, vingt-sept gymnases, vingt et un centres de loisirs°). Des hôtesses d'accueil passent chez les nouveaux arrivants pour expliquer le fonctionnement des services muni-
50 paux. Des réseaux° se sont créés pour nouer des liens° entre les habitants. Ainsi, à Val-Maubuée, une association, Voisinage°-Service, propose des échanges originaux : quatre heures de baby-sitting contre autant de bricolage° ou de cours

---

zone pavillonnaire = *endroit où il y a une concentration de pavillons* / **une H.L.M.**[c] = *une habitation à loyer modéré* / **un étage** story, floor / **le trajet** route / **l'immeuble** *m* apartment building / **l'hyper marché** *m* = *super marché géant* / **peuplé** = *avec beaucoup de gens* / **une dactylo** = *une secrétaire qui tape à la machine* / **prendre une consommation** = *boire ou manger quelque chose* / **un(e) irréductible** obstinate, intractable person / **cela ne bouge pas** nothing happens / **un aménageur** developer / **ont dû se résoudre** had to bring themselves to / **le quartier** neighborhood, section of town / **relancer** to propose anew / **le commerce** = *petit magasin* / **d'autrefois** of yesterday / **la boue** mud / **s'est banalisée** = *est devenue normale* / **l'ennui** *m* boredom / **l'équipement** *m* facility / **un centre de loisirs** recreation area / **le réseau** network / **nouer des liens** create bonds / **le voisinage** = *le quartier* / **autant de bricolage** = *autant d'heures de bricolage* (hours during which one would do odd jobs)

---

[1]un pavillon : petite maison, d'habitude en pierre de taille (*cut-stone*) avec un jardinet entouré d'une clôture, typique de l'univers petit-bourgeois.

d'anglais, par exemple. Mais il manque toujours ce supplément d'âme° qui donne envie de flâner,° ces boutiques, ces petits commerces grâce auxquels la ville-
55 dortoir° deviendrait enfin une ville tout court.

Corine Lesnes, «Banale comme la vie», Le Monde

Qu'en pensez-vous?

Êtes-vous d'accord ou non avec les déclarations suivantes? Justifiez votre réponse.

1. Les habitants de Marne-la-Vallée apprécient beaucoup les espaces ouverts.
2. Les habitants des villes nouvelles sont passionnés d'architecture moderne.
3. Les logements à Marne-la-Vallée sont aussi chers qu'à Paris.
4. Il y a une grande proportion de gens âgés et de chômeurs (*unemployed*) à Marne-la-Vallée.
5. La majorité des habitants sont propriétaires de leur logement.
6. L'ensemble de Marne-la-Vallée comprend plusieurs communes.
7. Quand on est à Marne-la-Vallée, on peut aller facilement à Paris en train.
8. On trouve des types de constructions très variés dans cette ville nouvelle.
9. Les habitants de Marne-la-Vallée sont unanimes à dire qu'ils préfèrent retourner à Paris le dimanche pour se distraire.
10. Les aménageurs essayent de retrouver l'atmosphère des vieilles rues d'autrefois dans les nouveaux projets qu'ils proposent.
11. Le bruit et la forte densité de population sont les grands ennemis de cette ville nouvelle.
12. Il est très difficile de faire du sport à Marne-la-Vallée.
13. L'association «Voisinage-Service» aide les nouveaux arrivants à mieux s'intégrer dans la ville.
14. Paris est un bon exemple de ville-dortoir.

Nouveau contexte

Complétez le passage suivant à l'aide des mots et expressions ci-dessous qui vous sont donnés par ordre alphabétique.

Noms : boue *f,* centre commercial *m,* clôture *f,* employée *f,* équipements *m,* étage *m,* isolement *m,* loyer *m,* pavillon *m,* quartier *m,* RER *m,* réseau *m,* trajet *m,* trois-pièces *m*

Verbes et expressions verbales : bouge, nouer des liens, nous en allant, retourner, s'installer, soustraire à la vue

Adjectif : peuplé

Les habitants des villes nouvelles sont-ils des habitants heureux? Notre équipe de journalistes est allée enquêter pour vous à Marne-la-Vallée. Voici quelques-unes des réponses obtenues.

---

ce supplément d'âme = *cette vie, cet élément vivant* / **flâner** to stroll about / **la ville-dortoir** dormitory town

Mlle Martin : Oui, je suis heureuse d'habiter à Marne-la-Vallée. J'ai 28 ans. Je suis _____ 1 dans une banque à Paris, dans le _____ 2 de l'Opéra. Avec le _____ 3, je mets 20 minutes pour me rendre à mon bureau. C'est un _____ 4 très court et très agréable. J'habite dans un _____ 5 avec terrasse; avant, pour le même type d'appartement dans Paris, je payais un _____ 6 très cher. En général, le dimanche, je reste à Marne-la-Vallée. J'aime faire du sport et les _____ 7 sportifs sont formidables ou je vais voir un film dans les nombreux cinémas du _____ 8. Pour moi la vie est plus facile ici, et je ne voudrais pas _____ 9 vivre à Paris!

Cécile Petit : Non, moi je déteste vivre ici! J'ai 17 ans, mes parents ont été parmi les premiers habitants à venir _____ 10 ici. Pendant longtemps, il y a eu constamment des constructions et nous avions toujours les pieds dans la _____ 11. J'habite dans une tour au 14ᵉ _____ 12. C'est gigantesque et trop _____ 13. Il est difficile de _____ 14 avec les autres gens. Et puis le dimanche, on ne sait pas quoi faire avec les copains, on s'ennuie, il n'y a qu'à Paris que ça _____ 15!

M. et Mme Nicolas : Oui, nous sommes satisfaits, mais nous ne souhaitons pas rester très longtemps ici. Nous voudrions acheter un _____ 16 en grande banlieue, avec un petit jardin entouré d'une _____ 17. Nous aimerions bien nous sentir chez nous et nous _____ 18 des voisins.

Mais il y a des choses que nous regretterons en _____ 19 d'ici. Nous ne connaissions personne en arrivant, mais grâce à l'association Voisinage-Service, nous n'avons pas souffert d' _____ 20. Ce _____ 21 d'échange et d'amitié, c'est formidable et ça ne se retrouve pas partout!

Vocabulaire satellite

le **centre-ville** downtown

l' **arrondissement**ᶜ *m* subdivision of Paris and other big cities, borough

la **banlieue** suburbia

la **grande banlieue** distant suburb

les **moyens** *m* **de transports** means of transportation

l' **insécurité** *f* insecurity, lack of safety

l' **embouteillage** *m* traffic jam

le **bruit** noise

la **circulation** traffic

déménager to move out

emménager to move in

l' **agence immobilière** *f* real estate agency

les **petites annonces** *f* classified advertisements

posséder un appartement en copropriété to own a condominium

louer un appartement to rent an apartment

le, la **locataire** tenant

l' **ascenseur** *m* elevator

la **cuisine équipée** furnished kitchen

bruyant noisy

le **centre commercial** shopping center, shopping mall

anonyme anonymous

Pratique de la langue

1. Donnez trois raisons pour lesquelles vous aimeriez vivre à Marne-la-Vallée. Donnez trois raisons pour lesquelles vous préféreriez habiter à Paris ou à la campagne.
2. Improvisez les conversations suivantes :
   a. Un jeune couple avec enfant vient d'emménager dans un petit pavillon en grande banlieue. Ils habitaient avant dans un grand ensemble près de Paris dans un quartier surpeuplé. Vous êtes un de leurs voisins. Demandez-leur ce qu'était leur vie dans cet environnement et pourquoi ils ont déménagé.
   b. Vous êtes hôtesse d'accueil à Marne-la-Vallée. Vous allez rendre visite à des nouveaux locataires pour leur expliquer les différents services offerts par la commune (moyens de transport, crèches, écoles, équipements sportifs, centres de loisirs, etc.). Jouez cette scène par groupes de 3 ou 4.
   c. Vous en avez assez de vivre en banlieue et vous voulez revenir habiter à Paris. Vous cherchez un appartement. Étudiez les petites annonces ci-dessous. Choisissez un appartement et téléphonez à l'agent immobilier pour avoir plus de détails. Travaillez en groupes de deux (l'agent immobilier, le client).

5° arrdt	
GOBELINS CHARME Séj. + 2 chbres, cuisine équipée, bains, refait neuf, imm. pierre de taille. 1 290 000 F, 45-67-86-16.	**arrdt.** = *arrondissement* **charme** = *qui a du charme, charmant* **séj.** = *salle de séjour* / **chbres** = *chambres* **refait neuf** = *refait à neuf, rénové* **imm.** = *immeuble* / **pierre de taille** cut stone, freestone
12° arrdt	
Splendide appt 32, rue de Lyon, 12°, 2° ét., 140 m² environ avec balcon + cave. Visite tous les jours l'après-midi, 43-43-28-72.	**appt.** = *appartement* **ét.** = *étage* / **m²** = *mètres carrés* **cave** cellar
15° arrdt	
M° CONVENTION Gd. 2 p., style ATELIER D'ARTISTE pierre de t., ét élevé trés bon état INONDÉ DE LUMIÈRE, 820 000 F France Conseil 48-28-00-75.	**M° Convention** = *près de la station de métro Convention* **Gd.** = *grand* / **2p.** = *pièces* **atelier d'artiste** studio / **pierre de t.** = *pierre de taille* **inondé de lumière** = *avec beaucoup de lumière*
VUE SEINE, VERDURE Bel imm. 1926, 3 p. 70 m² tt. cft 2° étage ascenseur. 45-38-49-34.	**vue Seine** = *vue sur la Seine* **verdure** = *avec des arbres et des espaces verts* **tt. cft.** = *tout confort*

3. Faites des propositions d'échanges pour l'association Voisinage-Service.
4. Demandez aux autres étudiants quels sont les quartiers de votre ville qu'ils préfèrent et ceux qu'ils évitent. Pour quelles raisons? Faites une carte (liste) des quartiers les plus agréables et indiquez les centres d'intérêt (magasins, parcs, résidences, cinémas, théâtres, terrains de sports, etc.).

La maison de campagne

One's home is one's castle. The Frenchman's castle, however, is his vacation home. This cult of the vacation home is without a doubt a national characteristic of the French since, relatively speaking, more of them own such homes than any other national group. One out of every ten Frenchmen has a second home, which often was acquired through an inheritance. Usually it is located in that region of the country where the family had its origins (54% are in the countryside, 32% at the seashore, 14% in the mountains).

This attachment to the land reflects the fact that France remained a rural nation until well into the twentieth century: as late as 1921, 53.6% of all French people lived in villages with fewer than 2,000 inhabitants. Even as France was undergoing industrialization and modernization, the increasingly urbanized French never quite lost their peasant roots. To this day, millions of them have maintained links with their rural relatives (whom they often visit for an inexpensive vacation) and with their ancestral villages.

The French have always been fond of real estate, which they consider a safe investment. The vacation home has thus become an object of pride and a symbol of success. Many Frenchmen are willing to put up with weekend traffic jams in order to get to their country home. They devote a large share of their leisure time to fixing up an old building or improving a small house that they have built for eventual retirement purposes.

Maison de campagne

Dans Le Petit Nicolas, *l'auteur, René Gosciny—qui a aussi écrit les albums d'*Astérix *et de* Lucky Luke, *raconte l'histoire d'un petit garçon et de ses aventures avec ses camarades de classe, ses professeurs et ses parents. Dans l'extrait suivant, Gosciny, à travers le petit Nicolas, se moque de ces campagnards° du dimanche incapables d'abandonner leur mentalité petite-bourgeoise à la campagne.*

Le chouette° bol d'air°

Nous sommes invités à passer le dimanche dans la nouvelle maison de campagne de M. Bongrain. M. Bongrain est comptable° dans le bureau où travaille Papa, et il paraît qu'il a un petit garçon qui a mon âge, qui est très gentil et qui s'appelle Corentin.

5   Moi, j'étais bien content, parce que j'aime beaucoup aller à la campagne et Papa nous a expliqué que ça ne faisait pas longtemps que M. Bongrain avait acheté sa maison, et qu'il lui avait dit que ce n'était pas loin de la ville. M. Bongrain avait donné tous les détails à Papa par téléphone, et Papa a inscrit° sur un papier et il paraît que c'est très facile d'y aller. C'est tout droit, on tourne à gauche au
10 premier feu rouge,° on passe sous le pont de chemin de fer, ensuite c'est encore tout droit jusqu'au carrefour,° où il faut prendre à gauche, et puis encore à gauche jusqu'à une grande ferme blanche, et puis on tourne à droite par une petite route en terre,° et là c'est tout droit et à gauche après la station-service.°
15 On est partis°, Papa, Maman et moi, assez tôt le matin dans la voiture, et Papa chantait, et puis il s'est arrêté de chanter à cause de toutes les autres voitures qu'il y avait sur la route. On ne pouvait pas avancer. Et puis Papa a raté° le feu rouge où il devait tourner, mais il a dit que ce n'était pas grave, qu'il rattraperait son chemin° au carrefour suivant.° Mais au carrefour suivant, ils faisaient des tas de
20 travaux° et ils avaient mis une pancarte° où c'était écrit : «Détour»; et nous nous sommes perdus; et Papa a crié après° Maman en lui disant qu'elle lui lisait mal les indications qu'il y avait sur le papier; et Papa a demandé son chemin à des tas de gens qui ne savaient pas; et nous sommes arrivés chez M. Bongrain presque à l'heure du déjeuner, et nous avons cessé de nous disputer. M. Bongrain est
25 venu nous recevoir à la porte de son jardin.

    —Eh bien, il a dit M. Bongrain. On les voit les citadins°! Incapables de se lever de bonne heure, hein?

---

les campagnards *m* country folks / **chouette** (*fam*) super, fine / **le bol d'air** breath of air /
le comptable accountant / **a inscrit** = *a écrit* / **le feu rouge** red light / **le
carrefour** intersection / **la petite route en terre** dirt road / **la station-service** gas station /
On est partis = *Nous sommes partis* / **rater** = *manquer* / **rattraper son chemin** to get back on
the right road / **suivant** next / **des tas** *m* **de travaux** lots of road work / **la
pancarte** sign / **a crié après** shouted at / **On les voit les citadins!** You can see that you're
city people!

Alors, Papa lui a dit que nous nous étions perdus, et M. Bongrain a eu l'air tout étonné.

30   —Comment as-tu fait ton compte°? il a demandé. C'est tout droit! Et il nous a fait entrer dans la maison.

Elle est chouette, la maison de M.Bongrain! Pas très grande, mais chouette.

—Attendez, a dit M. Bongrain, je vais appeler ma femme. Et il a crié : «Claire! Claire! Nos amis sont là!»

35   Et Mme Bongrain est arrivée, elle avait des yeux tout rouges, elle toussait,° elle portait un tablier plein de taches noires° et elle nous a dit :

—Je ne vous donne pas la main, je suis noire de charbon°! Depuis ce matin, je m'escrime à faire marcher cette cuisinière° sans y réussir!

M. Bongrain s'est mis à rigoler.°

40   —Évidemment, il a dit, c'est un peu rustique, mais c'est ça, la vie à la campagne! On ne peut pas avoir une cuisinière électrique, comme dans l'appartement.

—Et pourquoi pas? a demandé Mme Bongrain.

—Dans vingt ans, quand j'aurai fini de payer la maison, on en reparlera, a dit M. Bongrain. Et il s'est mis à rigoler de nouveau. Mme Bongrain n'a pas rigolé

45   et elle est partie en disant :

—Je m'excuse, il faut que je m'occupe du déjeuner. Je crois qu'il sera très rustique, lui aussi.

—Et Corentin, a demandé Papa, il n'est pas là?

—Mais oui, il est là, a répondu M. Bongrain; mais ce petit crétin° est puni,

50   dans sa chambre. Tu ne sais pas ce qu'il a fait, ce matin, en se levant? Je te le donne en mille° : il est monté sur un arbre pour cueillir des prunes°! Tu te rends compte? Chacun de ces arbres m'a coûté une fortune, ce n'est tout de même° pas pour que le gosse° s'amuse à casser les branches, non?

Et puis M. Bongrain a dit que puisque j'étais là, il allait lever° la punition, parce

55   qu'il était sûr que j'étais un petit garçon sage° qui ne s'amuserait pas à saccager° le jardin et le potager.° Corentin est venu, il a dit bonjour à Maman, à Papa et on s'est donné la main. Il a l'air assez chouette, pas aussi chouette que les copains de l'école.

—On va jouer dans le jardin? j'ai demandé.

60   Corentin a regardé son papa, et son papa a dit :

—J'aimerais mieux pas, les enfants. On va bientôt manger et je ne voudrais pas que vous ameniez de la boue° dans la maison. Maman a eu bien du mal° à faire le ménage, ce matin.

Comment as-tu fait ton compte? How did you manage (to get lost)? / **tousser** to cough / **taches noires** *f* black spots / **noire de charbon** covered with coal / **je m'escrime à faire marcher cette cuisinière** I've been struggling to get this kitchen range to work / **rigoler** *(fam)* = *rire* / **le crétin** *(fam)* imp / **Je te le donne en mille!** You'll never guess! / **cueillir des prunes** to pick plums / **tout de même** in any case / **le gosse** *(fam)* kid / **lever** = *mettre fin à* / **un petit garçon sage** a good little boy / **saccager** = *détruire* / **le potager** vegetable garden / **la boue** mud / **bien du mal** = *beaucoup de difficultés*

Alors, Corentin et moi on s'est assis, et pendant que les grands° prenaient
65 l'apéritif °, nous, on a regardé une revue° que j'avais déjà lue à la maison. Et on
l'a lue plusieurs fois la revue, parce que Mme Bongrain, qui n'a pas pris l'apéritif
avec les autres, était en retard pour le déjeuner. Et puis Mme Bongrain est
arrivée, elle a enlevé° son tablier° et elle a dit :

—Tant pis°... À table°!

70   M. Bongrain était tout fier pour le hors-d'œuvre, parce qu'il nous a expliqué
que les tomates venaient de son potager, et Papa a rigolé et il a dit qu'elles étaient
venues un peu trop tôt, les tomates, parce qu'elles étaient encore toutes vertes.
M. Bongrain a répondu que peut-être, en effet, elles n'étaient pas encore tout à
fait mûres,° mais qu'elles avaient un autre goût° que celles que l'on trouve sur le
75 marché.

Ce qui n'était pas trop réussi, c'était les pommes de terre du rôti°; elles étaient
un peu dures.

les **grands** *m* = *les adultes* / **la revue** magazine / **enlever** to take off / **le tablier** apron /
tant pis too bad / **À table!** Lunch is ready! / **mûr** ripe / **un autre goût** = *un goût*
différent / **du rôti** around the roastbeef

Après le déjeuner, on s'est assis dans le salon. Corentin a repris la revue et
M. Bongrain a expliqué à Papa combien ça lui avait coûté, la maison, et qu'il
80 avait fait une affaire formidable.° Moi, tout ça ça ne m'intéressait pas, alors j'ai
demandé à Corentin si on ne pouvait pas aller jouer dehors où il y avait plein de
soleil. Corentin a regardé son papa, et M. Bongrain a dit :

—Mais, bien sûr, les enfants. Ce que je vous demande, c'est de ne pas jouer
sur les pelouses,° mais sur les allées.° Amusez-vous bien, et soyez sages.

85 Corentin et moi nous sommes sortis et Corentin m'a dit qu'on allait jouer à la
pétanque.° On a joué dans l'allée; il y en avait une seule et pas très large; et je
dois dire que Corentin, il se défend drôlement.°

—Fais attention, m'a dit Corentin; si une boule va sur la pelouse, on pourrait
pas la ravoir°!

90 Et puis Corentin a tiré,° et bing! sa boule a raté la mienne et elle est allée sur
l'herbe.° La fenêtre de la maison s'est ouverte tout de suite et M. Bongrain a sorti
une tête toute rouge et pas contente :

—Corentin! il a crié. Je t'ai déjà dit plusieurs fois de faire attention et de ne
pas endommager° cette pelouse! Ça fait des semaines que le jardinier y travaille!
95 Dès que tu es à la campagne, tu deviens intenable°! Allez! dans ta chambre jusqu'à
ce soir!

Corentin s'est mis à pleurer et il est parti; alors, je suis rentré dans la maison.

Mais nous ne sommes plus restés très longtemps, parce que Papa a dit qu'il
préférait partir de bonne heure pour éviter les embouteillages.° M. Bongrain a
100 dit que c'était sage, en effet, qu'ils n'allaient pas tarder à rentrer° eux-mêmes,
dès que Mme Bongrain aurait fini de faire le ménage.

M. et Mme Bongrain nous ont accompagnés jusqu'à la voiture; Papa et Maman
leur ont dit qu'ils avaient passé une journée qu'ils n'oublieraient pas, et juste
quand Papa allait démarrer,° M. Bongrain s'est approché de la portière° pour lui
105 parler :

—Pourquoi n'achètes-tu pas une maison de campagne, comme moi? a dit
M. Bongrain. Bien sûr, personnellement, j'aurais pu m'en passer,° mais il ne faut
pas être égoïste,° mon vieux! Pour la femme et le gosse, tu ne peux pas savoir le
bien que ça leur fait, cette détente° et ce bol d'air, tous les dimanches!

René Goscinny, *Le Petit Nicolas*

---

il avait fait une affaire formidable he had gotten a fantastic bargain / **plein de** = *beaucoup
de* / **la pelouse** lawn / **l'allée** *f* path / **jouer à la pétanque** to have a game of bowls / **il
se défend drôlement** (*fam*) he's pretty good at it / **ravoir** to get it back / **a tiré** = *a jeté la
boule* / **l'herbe** *f* the grass / **endommager** to damage / **intenable** = *impossible* / **pour
éviter les embouteillages** to avoid the traffic jams / **ils n'allaient pas tarder à rentrer** they
would leave pretty soon / **démarrer** to start the car / **la portière** = *la porte (de la voiture)* /
j'aurais pu m'en passer I could have done without it / **égoïste** selfish / **la détente** = *la
distraction, le repos*

Qu'en pensez-vous?

Êtes-vous d'accord ou non avec les déclarations suivantes? Justifiez votre réponse.

1. M. Bongrain a acheté, il y a longtemps, une maison de campagne qui est loin de la ville et difficile à trouver.
2. Bien qu'ils soient partis très tôt le matin, le petit Nicolas et ses parents sont arrivés chez les Bongrain presqu'à l'heure du déjeuner.
3. Mme Bongrain adore faire la cuisine dans sa maison de campagne.
4. Corentin est dans sa chambre parce qu'il est puni.
5. Avant le déjeuner, Corentin et Nicolas vont jouer dans le jardin.
6. Comme hors-d'œuvre, il y avait du pâté que Mme Bongrain avait fait elle-même.
7. En achetant cette maison, M. Bongrain pense avoir fait une affaire formidable.
8. Corentin et Nicolas sont autorisés à jouer à la pétanque sur la pelouse.
9. Corentin s'est mis à pleurer parce qu'il était furieux d'avoir perdu à la pétanque.
10. Avant de quitter leur maison de campagne, Mme Bongrain veut faire le ménage.
11. Les parents du petit Nicolas sont sincères quand ils disent qu'ils ont passé une excellente journée.
12. M. Bongrain a acheté cette maison parce qu'il adore la campagne.

Nouveau contexte

Complétez le passage suivant à l'aide des mots et expressions ci-dessous qui vous sont donnés par ordre alphabétique.

Noms : bol d'air *m*, citadins *m*, copains *m*, cuisinière *f*, détente *f*, embouteillages *m*, maison de campagne *f*, pelouses *f*, potager *m*, revues *f*
Verbes et expressions verbales : a... coûté, cueillir, être puni, éviter, passe, rentrer, rester, se perdre
Adjectifs : chouette, mûres

Le petit Nicolas et ses parents discutent dans la voiture après la visite chez les Bongrain.

La mère du petit Nicolas : Quelle journée! Je suis contente de _____ 1 à la maison! Pauvre Madame Bongrain! Ce n'est pas une _____ 2 pour elle! Elle _____ 3 son dimanche à travailler, à faire le ménage, la cuisine et sur cette vieille _____ 4, ce n'est pas facile! Tu sais, chéri, je crois que je n'ai plus envie d'avoir une _____ 5.

Nicolas : Moi non plus, papa. Je préfère _____ 6 en ville le dimanche et jouer avec mes _____ 7. Je ne voudrais pas être à la place de Corentin; il ne peut rien faire, même pas aller dehors pour prendre un _____ 8; il ne peut pas marcher sur les _____ 9, ni _____ 10 des fruits aux arbres sans _____ 11! La seule chose qu'il peut faire, Corentin, c'est de lire des _____ 12; il n'a pas besoin d'être à la campagne pour ça!

Le père de Nicolas : Oh vous exagérez, elle est _____ 13 cette maison! Il est vrai qu'elle n'est pas aussi près de Paris que M. Bongrain ne le dit. Il y a toujours des _____ 14 sur cette route, et si on veut les _____ 15 il faut prendre des petites routes et il est facile de _____ 16. J'ai l'impression que M. Bongrain ne se détend pas beaucoup non plus;

il a toujours quelque chose à faire dans le jardin et le _____ 17. Tout ça pour manger des tomates pas _____ 18! Enfin, espérons que cette maison ne lui _____ 19 pas _____ 19 une fortune! Non, décidément, la campagne, ce n'est pas pour nous. Nous sommes de vrais _____ 20. Vive la vie en ville!

Vocabulaire satellite

se **détendre**   to relax
se **reposer**   to rest
le **calme**   peace and quiet
respirer le bon air   to breathe the fresh air
la **vie au grand air**   outdoor living
sain(e)   healthy
aller à la campagne   to go to the country
faire une promenade   to take a walk
paisible   peaceful
isolé   isolated

campagnard   rustic
la **résidence secondaire**   vacation home
le **paysage**   landscape
planter   to plant
jardiner   to garden
le **jardinage**   gardening
les **légumes** *m*   vegetables
tondre la pelouse   to mow the lawn
se **faire piquer**   to be stung
un **moustique**   mosquito
s' **ennuyer**   to be bored

Pratique de la langue

1. Complétez les phrases suivantes
   a. Comment va-t-on à la maison de campagne des Bongrain?
      —C'est facile, il faut...
   b. Vous avez trouvé la maison facilement?
      —Non, nous nous sommes perdus parce que...
   c. Mme Bongrain vous attendait dans le salon?
      —Non, elle était dans la cuisine parce que...
   d. Et Corentin, il était là?
      —Non, il était dans sa chambre parce que...
   e. Pourquoi est-ce que M. Bongrain a acheté cette maison?
      —Surtout pour...
2. Improvisez les dialogues suivants :
   a. Au moment de partir à la campagne, Mme Bongrain et Corentin décident qu'ils ne veulent pas y aller et donnent leurs raisons. M. Bongrain se met en colère. Jouez cette dispute.
   b. Mme Bongrain prend le thé avec une amie et parle de sa résidence secondaire et de ses activités campagnardes en termes élogieux (*full of praise*) pour impressionner son amie.
   c. Un couple de fermiers du voisinage parle des Bongrain en se moquant de leurs habitudes citadines et de leur façon de jardiner, etc.

3. Quand vous étiez enfant, alliez-vous souvent rendre visite le dimanche à des amis de vos parents? Comment se passaient ces visites? En avez-vous gardé de bons ou de mauvais souvenirs?

Sujets de discussion ou de composition

1. À débattre : On a une vie plus intéressante et plus riche à la ville qu'à la campagne.
2. Décrivez l'endroit idéal où vous aimeriez vivre (dans une ville, dans un petit village à la campagne, en banlieue) et expliquez pourquoi.
3. Pourriez-vous vivre n'importe où ou êtes-vous, au contraire, très influencé par votre environnement?
4. Vous êtes Corentin, l'ami du petit Nicolas. Donnez des extraits du journal intime que vous écrivez le dimanche quand vous vous ennuyez à la campagne.

5

Les classes sociales

La conscience de classe en France

On the basis of their own national experience, most Americans view social class as relatively unimportant—certainly less crucial than race and ethnic background. The overwhelming majority of Americans see themselves as members of a vast "middle class." To a considerable extent, this attitude reflects a reaction against the more rigid class structure of nineteenth-century Europe, from which immigrants consciously sought to escape by coming to America. This attitude is also supported by a wage structure that blurs the traditional distinction between manual and clerical workers and frequently allows blue-collar workers to earn more than their white-collar counterparts. Even more important, perhaps, is the belief that upward social mobility based on merit and achievement remains largely unrestricted.

By contrast, class consciousness is far more acute in France, even though many factors accounting for the relative "classlessness" of American society are now present in Europe as well. Whether they accept their status or seek to escape from it, most French people are keenly aware of being workers, peasants, or members of the lower- or upper-middle class. Communication across class lines remains difficult and strained, as the rebellious university students of May 1968[c] discovered when they tried to join forces with the workers, only to be rebuffed as *des fils à papa* (rich men's sons and playboys).

Despite a general improvement in working-class living standards, the gap between rich and poor in France is the largest among the major industrialized nations of the world. The law guarantees a minimum wage, the SMIC,[1c] which applies to some 800,000 mostly unskilled workers (*les smicards*) and is automatically adjusted for inflation. It is paradoxically true that the number of poor people has risen even while the country has experienced an increase in purchasing power. This phenomenon is mainly attributed to a ten percent unemployment rate. The unemployed consist mostly of women, young people who lack education and training, and older workers with outdated skills. Fortunately, organizations such as *SOS-Racisme* and establishments like the *restaurants du cœur* founded by the late comedian Coluche have come to the aid of this newest group of society's dispossessed.

The following excerpts illuminate different facets of the social structure of modern France. In the first selection a journalist relates her attempts to live like a working-class woman.

---

[1]*Acronym for Salaire minimum interprofessionnel de croissance.*

Une journaliste du magazine L'Express, *Élisabeth Schemla, a décidé de vivre, pendant trois semaines, la vie d'une vendeuse dans un Prisunic° parisien.*

Vendeuses

J'aimerais bien savoir à quoi on va m'employer. J'ai passé des tests, été em-
bauchée°; ce matin, l'employée m'accueille,° voilà trois quarts d'heure que nous
sommes ensemble. Et que m'a-t-elle dit? Que j'allais gagner 1.050 Francs brut°
par mois, que j'étais «engagée comme vendeuse, mais que je serais caissière,° tout
5   en étant, pour l'instant, à la vente»!

Nous arrivons au rayon° boulangerie-pâtisserie.

«Madame Simon! Cette demoiselle est engagée comme caissière, mais elle
va aider Maria pendant les trois jours de promotion.° Elle commencera lundi
seulement, avec Mme Taffoureaux.»

Prisunic *m = magasins populaires et bon marché qui se trouvent partout en France*   /
embauché hired   /   **l'employée m'accueille** the personnel clerk greets me   /   **brut** gross (of
money)   /   **la caissière** cashier   /   **le rayon** department (in a store)   /   **les trois jours de
promotion** the three-day sale

10   La jeune femme du service du personnel m'abandonne. Pendant les trois semaines qui suivront, chaque fois que je la croiserai,° elle ne me jettera pas un regard ni ne m'adressera un sourire....

Attirée par les appels de l'animateur° qui annonce une vente spéciale de gros «éclairs», une cliente s'approche :

15   «Madame?

—C'est vraiment 1 Franc, ces gros éclairs?»

—Oui Madame.

Hésitation dans le for intérieur° de la dame : «Évidemment, certains sont cassés,° ce n'est pas très présentable. D'un autre côté...1 Franc... Ils font de

20 l'effet.°»

Enfin : «Mettez-m'en dix.»

Outre° le pain et les autres pâtisseries, nous avons ainsi vendu près de 5.000 éclairs géants en trois jours, Maria et moi. Du coup,° une grande complicité s'est installée entre nous. Pensez! Soixante-douze heures de crème pâtissière°! Car on

25 en a rêvé toutes les deux pendant trois nuits, de ces satanés° éclairs. Sans compter les affreuses courbatures°—les frigos° sont à hauteur de genou—et les maux de crâne° à cause de ce haut-parleur° situé juste au-dessus de nos têtes et par lequel l'animateur nous fait savoir dix, vingt, trente fois par jour qu'«au rayon pâtisserie, exceptionnellement, Prisunic est heureux...»

30   Je n'ai pas eu le temps de connaître Maria : pendant les «journées de promotion», nous avons travaillé vingt-quatre heures ensemble, et nous avons à peine eu une demi-heure de répit.° En tout. Sur trois jours.

Je sais donc seulement que c'est une Portugaise de 25 ans, qu'elle travaillait dans une fabrique de matelas.° «Toute la journée à genoux, par terre,» et qu'à

35 tout prendre° elle «préfère encore être vendeuse, bien que ça ne soit pas toujours rose° avec les clients.»

Les clients... Quand on travaille en usine,° on se dit que ça doit être agréable de voir du monde.° Le fameux «contact humain», vous savez. Et puis, quand on est enfin en contact avec ces humains, alors, là...

40   Le dernier jour «éclairs géants», Maria était aphone.° Arrive une «chère cliente» qui réclame° une demi-baguette° : 35 centimes.

«Un papier pour mettre autour.

—Madame, on n'est pas chez Fauchon.°

---

croiser = *rencontrer* / **l'animateur** *m* announcer / **dans le for intérieur** deep down inside / **cassé** broken / **faire de l'effet** = *produire une bonne impression* / **Outre** Besides / **Du coup** All at once / **la crème pâtissière** pastry cream / **satané** darn / **la courbature** muscle ache / **le frigo** = *le réfrigérateur* / **les maux de crâne** *m* headaches / **le haut-parleur** loudspeaker / **le répit** rest, break / **la fabrique de matelas** mattress factory / **à tout prendre** considering everything / **pas toujours rose** = *pas toujours facile* / **en usine** *f* in a factory / **du monde** *m* = *des gens* / **était aphone** = *n'avait plus de voix* / **réclamer** to call out for / **la baguette** narrow stick of French bread / **Fauchon** a gourmet food store in Paris

—Mademoiselle, il y a un arrêté préfectoral° qui...»

45   Oh là là! Je fais signe à Maria de donner au manteau d'astrakan° son morceau de papier. Elle s'exécute de mauvaise grâce.

«Oh, ne le prenez pas sur ce ton,° hein? Qu'est-ce que vous ferez quand Prisunic n'aura plus de clients? Le trottoir°! D'ailleurs, vous n'êtes bonne qu'à ça!»

50   Scheim...—Ça, c'est moi. J'ai eu beau répéter° que Scheim n'était pas mon nom, quelle importance? Caisse° 2. Je déteste la «2» : elle est juste à côté des surgelés.°

Chaque matin, en arrivant, on consulte ainsi la liste affichée au-dessus du tableau de pointage.°

55   Ensuite, il faut descendre au vestiaire° : un étage plus les quatre marches.° Une fois en tenue,° on revient pointer° à l'entrée du service : les quatre marches plus l'étage. Après, encore un étage pour aller chercher sa caisse au guichet.° Enfin, redescendre jusqu'au sous-sol° pour rejoindre l'Alimentation.°

Cette petite gymnastique, quatre fois par jour, les jeunes la supportent allé-
60   grement.° Pas les autres. J'en croise souvent qui se sont arrêtées, essoufflées° et rouges, la main sur la poitrine.°

Toutes, nous aimons les cinq minutes qui précèdent l'ouverture du magasin. Le silence, les allées° désertes ont un charme certain.

«Salut, bien dormi?

65   —Comme une masse.° Je suis «tombée» à 9 heures. J'ai même pas eu le courage de regarder la télé.»

Nous savons qu'aux portes se bousculent° déjà les premiers clients. Ceux qui font le poireau° avant l'ouverture «pour avoir moins de monde».°

—Dis-moi, Claude, combien fait-on de réduction sur les achats qu'on fait dans
70   ce magasin?

—On n'a aucune réduction sur rien. Le seul avantage qu'on a, c'est de pouvoir aller une fois par mois au Printemps-Nation° où ils font un rabais° de 15% pour les employés de Prisunic. Parce que Printemps et Prisunic, c'est la même boîte.°»

Pendant la pause, les vendeuses font connaissance en se reposant. Elles parlent
75   de leurs problèmes. Celle-ci se plaint de son mari, celle-là de ses enfants, des

---

l'arrêté préfectoral *m* city ordinance / **le manteau d'astrakan** lambskin coat / **ne le prenez pas sur ce ton** don't be so fresh / **le trottoir** sidewalk; **faire le trottoir** : to be a streetwalker / **avoir beau répéter** = *répéter en vain* / **la caisse** cash register / **les surgelés** *m* frozen foods / **le tableau de pointage** the board where employee timecards are kept / **le vestiaire** cloakroom / **la marche** step / **en tenue** = *en uniforme* / **pointer** to punch in / **le guichet** window / **le sous-sol** basement / **l'alimentation** *f* = *le rayon d'alimentation* : food department / **allégrement** lightly / **essoufflé** out of breath / **la poitrine** chest / **l'allée** *f* aisle / **comme une masse** like a log / **se bousculer** to jostle one another / **faire le poireau** *(fam)* = *attendre* / **pour avoir moins de monde** to avoid the crowd / **le Printemps-Nation** a chain of department stores / **le rabais** discount / **la même boîte** *(fam)* the same outfit (i.e., owned by the same management)

vaisselles, une autre, à 36 ans voudrait enfin être enceinte, une jeune femme seule confie à sa compagne :

—Et alors, elles ne sont pas les seules à avoir des problèmes. Moi, j'ai fait une connerie° en venant ici... J'habitais à Mantes-la-Jolie. J'ai quitté l'école à la ren-
80 trée.° Je voulais monter à Paris. Et, une fois à Paris, je ne savais rien faire. Dans ces cas-là, tu n'as plus qu'à° devenir vendeuse.»

Elle va pleurer.

«Tu restes déjeuner ici, le midi?

—Non, je mange à la cantine de mon foyer.° Ça me coûte moins cher.»
85 La pause est finie. Je me lève.

—Hé! Tu pourrais venir déjeuner avec moi, un jour, au foyer.

Enfin... Si tu veux.»

Ces travailleuses sont-elles organisées pour défendre leurs intérêts?

«Carottes, 2F10. Café, 5F12...Voilà votre monnaie, monsieur, merci, mon-
90 sieur, au revoir, monsieur...»

L'autre jour, sur le panneau réservé à l'affichage,° on nous a annoncé une réunion syndicale° pour le soir à 7 heures.

«Claude, tu viens à la réunion?

—Non. Il ne faut pas y aller.
95 —Pourquoi?

les soldes *f* sale / **la fourrure** fur

une connerie *(fam)* = *quelque chose de stupide* / **la rentrée** = *la rentrée des classes :* the start of the term / **tu n'as plus qu'à** you can only / **la cantine de mon foyer** cafeteria of my boarding house / **le panneau réservé à l'affichage** bulletin board / **la réunion syndicale** union meeting

—Parce qu'ils n'arrêtent pas de te demander de l'argent.

—Ça ne tient pas debout,° ce que tu dis. Le syndicat te demande une cotisation° annuelle. Et c'est tout.

—Non, non, je t'assure : c'est 20 Francs par-ci, 30 Francs par-là.

100   —Mais enfin, qui raconte ça?

—Ben,° le directeur...»

Élisabeth Schemla, «Trois semaines à Prisunic», *L'Express*

Qu'en pensez-vous?

Êtes-vous d'accord ou non avec les déclarations suivantes? Justifiez votre réponse.

1. La journaliste a été embauchée comme caissière dans une boulangerie-pâtisserie.
2. Dans ce magasin, il y a des contacts très chaleureux entre les différentes catégories de personnel.
3. Elle a vendu avec Maria 5 000 éclairs par jour.
4. Elle aime tellement les éclairs qu'elle en rêve la nuit.
5. Ces trois jours de promotion ont été très agréables et très reposants.
6. Elle a eu le temps de bien connaître Maria pendant les nombreuses pauses-cafés.
7. Cela fait 25 ans que Maria travaille à Prisunic.
8. Dans le métier de vendeuse, le contact avec les clients n'est pas toujours rose.
9. Les caissières doivent faire chaque matin une «petite gymnastique» pour bien commencer la journée.
10. Après leur journée de travail, les vendeuses sont abruties de fatigue.
11. Elles achètent tout ce dont elles ont besoin à Prisunic parce qu'on leur fait d'importantes réductions sur leurs achats.
12. La plupart des jeunes femmes qui travaillent à Prisunic font ce métier parce qu'elles n'ont pas assez de qualification pour faire autre chose.
13. La majorité des employées de Prisunic se méfient des syndicats.

Nouveau contexte

Complétez le passage suivant à l'aide des mots et expressions ci-dessous qui vous sont donnés par ordre alphabétique.

Noms et expressions : caisse *f,* contact *m,* courbatures *f,* haut-parleur *m,* magasin *m,* maux de tête *m,* promotion *f,* rayon *m,* réductions *f,* répit *m,* vendeur *m*
Verbes et expressions verbales : avais gagné, pointer, tombais de sommeil
Adjectif : embauché

L'été dernier, j'ai travaillé comme _____ 1 dans un grand _____ 2. J'étais dans le _____ 3 chaussures pour hommes. J'étais très content d'avoir été _____ 4 parce

---

Ça ne tient pas debout = *Ça n'a pas de sens* / **la cotisation** dues / **ben** = *eh bien* (well)

que je suis très sociable et je pensais que j'aimerais le _____ _5_ avec les clients. Maintenant que cette expérience est terminée, je n'en suis plus si sûr!

Le matin, je devais arriver à 8h 30 et _____ _6_ à l'entrée. Dans la journée, je n'avais qu'une demi-heure de _____ _7_ pour aller manger. J'étais toujours debout à porter des boîtes de chaussures. Il fallait avoir beaucoup de patience avec certains clients très indécis et très difficiles. Ils voulaient essayer (*to try on*) des dizaines de paires de chaussures avant de se décider! Le soir, j'avais des _____ _8_ terribles.

La première semaine où j'ai travaillé, il y a eu une _____ _9_ sur les chaussures de tennis. Le _____ _10_ qui annonçait les _____ _11_ importantes, se trouvait juste au-dessus de la _____ _12_ et cela m'a donné d'affreux _____ _13_.

· Je pensais que je pourrais sortir le soir avec mes copains et mes copines, mais j'étais tellement fatigué que je _____ _14_ juste après le dîner. À la fin du mois, j' _____ _15_ pas mal d'argent et j'étais satisfait.

Maintenant, quand je vais dans un magasin, je me souviens de cette expérience et je suis particulièrement aimable avec les vendeurs et les vendeuses!

Vocabulaire satellite

la **conscience de classe** class consciousness

les **inégalités sociales** *f* social inequities

les **classes privilégiées** *f* privileged classes

les **classes défavorisées** *f* underprivileged classes

le **patron (la patronne)** boss

l' **ouvrier** *m*, **l'ouvrière** *f* worker

un **O.S. =** *Ouvrier Spécialisé* (in fact, designates an *un*skilled laborer)

le **travail manuel** manual labor

l' **employé(e)** *m,f* white-collar worker, employee

les **membres** *m* **des professions libérales** professionals

l' **homme (la femme) d'affaires** businessman (woman)

l' **entreprise** *f* business, firm

la **consommation** consumption

le **consommateur** consumer

le **métier** craft, trade, occupation

embaucher to hire

congédier, licencier to fire

gagner le SMIC to earn the minimum wage

le **syndicat** labor union

le **travail (fatigant, abrutissant, monotone, exigeant, intéressant, stimulant)** (exhausting, stupefying, monotonous, demanding, interesting, stimulating) work

Pratique de la langue

1. Complétez les énoncés suivants en vous aidant du texte :
   a. «Au rayon pâtisserie, exceptionnellement pendant trois jours, Prisunic est heureux de vous annoncer _____ .»
   b. «Je préfère encore être vendeuse, bien que ça ne soit pas toujours rose avec les clients parce que, tu sais, avant je _____ .»

c. «Tu viens à la réunion syndicale, ce soir?

Oh, non, je ne peux pas parce que _____ .»

2. Improvisez les dialogues suivants :

a. Une cliente difficile se fâche contre une vendeuse qu'elle ne trouve pas suffisamment aimable.

b. Vous voulez échanger un pull-over que vous avez acheté il y a 6 mois. La vendeuse vous dit que ce n'est plus possible. Vous vous mettez en colère et demandez à parler au chef de rayon.

c. Deux vendeuses se retrouvent au café après une longue journée de travail. Elles parlent de leur métier et de leurs activités pendant le week-end.

d. Vous cherchez un travail pour l'été.

— Sélectionnez une des annonces suivantes :

Pâtisserie confiserie à Maisons-Alfort recherche **VENDEUSE QUALIFIÉE** Bonne présentation, références exigées. Appelez de 10 h. à midi et de 14 h. à 17 h. 30 43.78.77.41	Grande librairie 5e arrondissement recherche **4 VENDEURS, VENDEUSES** même débutants, 18 ans minimum bon salaire, promotion tél. 43.65.91.18

— Téléphonez au patron (à la patronne) du magasin. Présentez-vous et prenez rendez-vous avec lui (elle) pour un court entretien (*interview*).

— Jouez cet entretien par groupes de 2.

3. Qu'est-ce qui est le plus important pour vous dans le travail que vous faites ou que vous aimeriez faire plus tard? (les chances de promotion, le contact humain, l'intérêt du travail, le lieu de travail, la possibilité de rencontrer des gens intéressants, la possibilité de voyager, le prestige, le salaire, etc.) Mettez-vous en groupe et posez-vous ces questions mutuellement.

4. Imaginez une réunion syndicale au Prisunic où travaille temporairement la journaliste. Élaborez une liste de revendications (*demands*) que vous aimeriez soumettre à la direction. Quelles pourraient être les réponses du directeur?

La bourgeoisie

The bourgeoisie is not defined by occupation, except negatively in the sense that manual workers would not be viewed (or view themselves) as bourgeois. The bourgeois may be in business (*les affaires*) or trade (*le commerce*), or may live on an income (*vivre de ses rentes*) or belong to one of the *professions libérales*. Today they are likely to be *cadres supérieurs* or *moyens*[c]—that is, senior or middle-management executives—although many of the younger technocrats who affect a "swinging" life-style would bristle at the thought of being labeled "bourgeois," a name they associate with a slower-moving, more traditional society.

More than what they do, it is the tradition that the bourgeois inherit or perpetuate that assigns them their rank in the *bourgeoisie,* a segment of society that, though more restricted than the American "middle class," is nevertheless substantial. Between *le grand bourgeois,* established for generations in influential positions and often linked by marriage to the nobility, and the white-collar *petit bourgeois* living on a fixed income, who is fortunate if he owns his house or apartment, there is room for bourgeois of all shades: *le bourgeois intellectuel, le bourgeois aisé,* and even *le gros bourgeois.* Levels and sources of income may vary, as well as educational background (some have attended the university, or better yet a *Grande École*°), but a common denominator remains: the typical bourgeois sense of security. The bourgeois system of values includes a professed work ethic combined with the cultivation of leisure (though not necessarily conspicuous consumption), and a strong belief in the virtue of saving (*l'épargne*) and in the family. To maintain a certain life-style, affluence is necessary; balancing the expenses of one's *train de vie* against the need for saving is the bourgeoisie's perennial dilemma.

L'auteur, Thierry Mantoux, a étudié les comportements° et le système de valeurs des BCBG : ces bourgeois «bon chic bon genre». Les vrais BCBG sont généralement de grands bourgeois ou des bourgeois aisés, mais il y a beaucoup d'imitateurs. Les BCBG sont facilement reconnaissables par leurs vêtements, leur langage, leur lieu de résidence, leurs attitudes. Peu innovateurs, ils ne cherchent qu'à perpétuer les avantages et le mode de vie dont ils ont hérité.

Ce deuxième extrait nous présente, d'une façon humoristique, quelque-unes de leurs caractéristiques.

Portraits de BCBG-type : Charles-Henri et Isabelle

La naissance :

Les plus hautes autorités religieuses, morales et civiques semblent le penser : l'enfant est BCBG dès° sa conception. La naissance est une fête même si c'est une fille... surtout après 3 garçons, car les familles BCBG sont nombreuses.°

5 *L'éducation :*

Dès que° possible, entre 2 et 3 ans de préférence, Charles-Henri et Isabelle commenceront leur apprentissage de la vie sociale au jardin d'enfants,° choisi

---

le comportement behavior / **dès** = *depuis* / **la famille nombreuse** = *avec beaucoup d'enfants* / **dès que** as soon as / **le jardin d'enfants** = *l'école maternelle* (kindergarten)

avec soin° par leurs parents. Une école privée aura la préférence, à la rigueur,° une classe maternelle dans une école publique «pilote».° Mais les études des
10 enfants sont une chose trop sérieuse pour s'embarrasser° de principes embarrassants. Partisans de l'école libre,° les BCBG sont parfaitement capables de s'ériger en° défenseurs de l'enseignement public, lorsque cela les arrange.° Qualité d'abord; le palmarès° des meilleurs pourcentages de réussite au bac[c] influence avant tout leur décision.
15   ...Les enfants «doivent» avoir des activités, sortir et pratiquer un sport. Ce sont, les mercredis et les samedis après-midi, leçons de piano ou de danse, initiation au tennis, leçons de poney. Avez-vous essayé de joindre une mère BCBG un mercredi?[1] C'est impossible. Transformée en chauffeur de taxi, son emploi du temps est minuté.°
20   Afin d'éviter toute perméabilité° aux influences extérieures, le scoutisme° mettra la touche finale à l'éducation des BCBG. C'est le rempart efficace° contre les dessins animés,° les jeans, le chewing-gum, la télévision, les mauvaises manières et le laisser-aller.°
    Mais, en matière d'éducation, le but de tout BCBG sensé° est d'entrer dans
25 une Grande École d'Ingénieur ou de Commerce.[c] Ancien élève de l'École Polytechnique ou diplômé de l'École Supérieure de Commerce de Paris sont la garantie d'un avenir brillant, d'une situation en vue° et font tellement bien sur un faire-part de mariage.°

Les fiançailles et le mariage :
30   La vie de Charles-Henri et d'Isabelle consiste, jusqu'à leurs fiançailles, à rencontrer des gens bien, à ne sortir qu'avec quelqu'un de bien pour épouser (ouf!) quelqu'un de très bien, ce quelqu'un étant le frère d'un ami proche ou la sœur de sa meilleure amie.
    Juste avant le mariage, parmi la multitude des problèmes futiles à résoudre,
35 il en est d'essentiels :
    —le pedigree du futur°
    —l'annonce officielle

---

avec soin with care / **à la rigueur** if need be / **l'école pilote** *f = une école qui a une pédagogie innovatrice* / **s'embarrasser** = *se préoccuper* / **l'école** *f* **libre** = *l'école privée* / **s'ériger en** = *se présenter comme* / **les arrange** suits them / **le palmarès** = *la liste* / **son emploi du temps est minuté** her schedule is tight / **la perméabilité** = *la pénétration* / **le scoutisme** = *le mouvement scout* / **le rempart efficace** efficient protection / **les dessins animés** cartoons / **le laisser-aller** = *l'absence de discipline* / **sensé** = *raisonnable* / **en vue** = *très importante* / **le faire-part de mariage** = *l'annonce officielle du mariage* / **le futur, la future** the bridegroom-to-be, the bride-to-be

[1]Il n'y a pas de classe le mercredi l'après-midi dans les écoles en France.

—la cérémonie et la réception
—l'appartement

40   Le pedigree est, comme pour la gent° canine, de la plus haute importance. Un beau nom (comprenez avec une particule[1]) est souhaitable, un beau diplôme aussi. Il est bon sur le faire-part de pouvoir exhiber quelques Légions d'Honneur°, médailles militaires (au moins pour un grand-père), un titre de noblesse véritable ou d'amiral, ou de général, et bien sûr, le diplôme du futur (et pourquoi pas de

45 la future—si, cela se fait maintenant).

L'annonce n'est officielle que dans le Carnet du Jour° du *Figaro.*° On évitera pratiquement tous les autres quotidiens,° sauf, à rajouter,° le cas échéant,° *Le Monde,* pour des raisons professionnelles. *Le Figaro* est une obligation.

---

la gent = *la race* / **le Carnet du Jour** social announcements / **Le Figaro** = *le journal préféré des BCBG, orienté politiquement à droite* / **le quotidien** = *journal qui paraît tous les jours* / **rajouter** to add / **le cas échéant** = *si l'occasion se présente*

[1]**la particule** : préposition *de* devant le nom de famille qui indique l'appartenance à la noblesse

L'appartement :

50   C'est à Paris que le BCBG se rencontre le plus souvent, le centralisme monar-
chique a contribué à cela. Le Pouvoir, l'Art, le Luxe, l'Argent sont à Paris. Le
BCBG le mieux enraciné° se rencontre plutôt vers l'Ouest de Paris, dans les VIe,
VIIe, VIIIe, XVIe arrondissements°, mais déborde° bien sûr vers Neuilly, St-
Cloud, Versailles. L'adresse ou le style d'habitation sont importants. Seuls quel-
55   ques modernes tenteront l'aventure°—presque une croisade°—d'habiter ailleurs.°

Le style BCBG :

Les vêtements BCBG sont un uniforme. Ils ne reflètent pas la personnalité de
celui qui les porte et ne suivent pas la mode : c'est la règle.°
60   Charles-Henri est toujours habillé comme il faut° : au bureau, en costume
prince de Galles,° à la campagne, en pantalon de velours,° en «pingouin»° pour
le mariage de son frère, en chasseur° ou en tennisman.

Isabelle est toujours soignée,° coiffée,° maquillée° et classique, quoi qu'il arrive°
et quelle que soit l'heure de la journée° ; le laisser-aller n'est pas plus toléré dans
65   sa tenue° que dans sa maison. Vous pouvez sonner° chez elle à toute heure, elle
est prête à vous recevoir.

La culture BCBG :

Elle est classique. Entendez par là que c'est une culture de classe—celle des
autres BCBG. Sans avoir lu ni Homère, ni Shakespeare, ni Dante, ni Goethe, le
70   BCBG doit pouvoir en parler : dire «c'est kafkaïen», «c'est proustien», ou «c'est
dantesque» n'oblige nullement° à lire ces auteurs; en règle générale sachez que
ce genre d'épithète n'a pas grand rapport avec l'œuvre citée.° La culture BCBG
est un accessoire comme les autres, c'est un mot de passe, un signe de reconnaissance,° un insigne° commun aux «members only».

Extrait de *BCBG : Le Guide du bon chic bon genre,* Thierry Mantoux

Qu'en pensez-vous?

Êtes-vous d'accord ou non avec les déclarations suivantes? Justifiez votre réponse.

1. On ne naît pas BCBG, on le devient.
2. Pour ne pas diviser la fortune familiale, les BCBG n'ont pas beaucoup d'enfants.

enraciné implanted / **déborde** overflows / **tenter l'aventure** = *essayer* / **la
croisade** crusade / **ailleurs** elsewhere / **la règle** the rule / **habillé comme il faut** = *bien
habillé* / **prince de Galles** *m* glen plaid (material) / **le velours** corduroy / **le pingouin** tails
(tuxedo) / **le chasseur** hunter / **soignée** = *impeccable* / **coiffée** her hair well done /
maquillée made up / **quoi qu'il arrive** whatever may happen / **quelle que soit l'heure de la
journée** whatever the time of the day may be / **la tenue** = *les vêtements* / **sonner** to ring the
bell / **nullement** = *pas du tout* / **l'oeuvre citée** quoted work / **la reconnaissance**
recognition / **l'insigne** *m* badge

3. Les enfants BCBG vont à l'école maternelle de leur quartier.

4. Les parents BCBG prennent les études de leurs enfants très au sérieux.

5. Le mercredi après-midi, les écoliers français ne vont pas à l'école. C'est le moment où ils font du sport.

6. Le football, la course à pied, la boxe sont des sports très BCBG.

7. Les parents de Charles-Henri souhaitent que leur fils fasse du scoutisme essentiellement pour des raisons morales.

8. Le but de tout BCBG est de devenir médecin ou avocat.

9. Les BCBG ont l'occasion de rencontrer des gens de tous les milieux sociaux avant leur mariage.

10. L'alliance avec la noblesse est encore très recherchée chez les bourgeois bon chic bon genre.

11. Dans ce milieu, on encourage les filles autant que les garçons à poursuivre des études supérieures.

12. *Le Figaro* est le journal que lisent le plus fréquemment les BCBG.

13. Les bourgeois BCBG aiment habiter en grande banlieue.

14. Charles-Henri et Isabelle sont toujours habillés à la dernière mode et recherchent avant tout l'originalité.

15. Les BCBG sont, bien sûr, des gens très cultivés.

Nouveau contexte

Complétez le passage suivant à l'aide des mots et expressions ci-dessous qui vous sont donnés par ordre alphabétique.

Noms : activité *f,* argent *m,* avenir *m,* aventure *f,* but *m,* faire-part *m,* fête *f,* laisser-aller *m,* luxe *m,* particule *f,* polytechnicien *m,* règle *f*

Verbe : éviter

Adjectifs et expressions : comme il faut, diplômé, embarrassant, futur, mauvaises, sensé

Quand j'ai reçu le _____ *1* de mariage de ma cousine Marie-Chantal, j'ai compris l'enthousiasme de ma tante. C'est le mariage dont elle a toujours rêvé pour sa fille. Il faut vous dire que mon _____ *2* cousin, Gonzague, est quelqu'un de très bien. D'abord, parce qu'il a un nom à _____ *3*; de plus, il est _____ *4* d'une Grande École de Commerce, son père est _____ *5* et son grand-père a la Légion d'honneur. Il a, par conséquent, un _____ *6* brillant devant lui. Heureusement, car Marie-Chantal ne déteste ni l' _____ *7* ni le _____ *8*.

Bien que je fasse partie de la famille, je ne suis pas du tout _____ *9* et Marie-Chantal a toujours essayé de m' _____ *10*. Ni elle ni sa mère n'ont jamais aimé mes jeans, mon _____ *11*, mes _____ *12* manières. Je suis artiste, vous comprenez, ce n'est pas une _____ *13* très souhaitable. Mon _____ *14* dans la vie n'a jamais été d'entrer dans une Grande École comme les autres cousins, cousines. J'ai choisi l' _____ *15*. Bien sûr, ce n'est pas _____ *16*; mais, dans les familles comme la nôtre, on tolère assez bien quelqu'un d'un peu _____ *17* comme moi.

Malgré cela, je participerai à la _____ *18*. Je m'habillerai en «pingouin» parce que c'est la _____ *19* et j'irai féliciter Marie-Chantal d'avoir si bien terminé sa course aux maris.

Vocabulaire satellite

le **niveau de vie**   standard of living
le **milieu social**   social environment
le **revenu**   income
dépenser   to spend
gagner   to earn
les **dépenses** *f*   expenses
épargner, économiser   to save
être aisé   to be affluent
recevoir   to entertain
réussir   to succeed
faire partie de   to belong to
hériter de   to inherit

un **fils à papa**   rich man's son
le, la **snob**   snob
avoir bon genre, mauvais genre   to be distinguished, vulgar
l' **arriviste** *m, f*   social climber
gravir les échelons de la hiérarchie sociale   to move up the social ladder
avoir de la classe   to have class
comme il faut   proper

Pratique de la langue

1. Dans le «nouveau contexte», Marie-Chantal, a fait un «beau» mariage. Imaginez la situation inverse : un mariage «désastreux». Décrivez le jeune homme que Marie-Chantal veut épouser.

Le Général (c.r.) André Bertagnolio,

Officier de la Légion d'Honneur et Madame André Bertagnolio

ont l'honneur de vous faire part du mariage de leur fille, Cécile Bertagnolio,

avec Monsieur Vincent Courtoulou.

Et vous prient d'assister ou de vous unir d'intention à la Cérémonie du Mariage qui aura lieu le Samedi 9 Avril 1988, à 15 heures, en l'Église Saint-Vincent de Ciboure (Pyrénées Atlantiques).

Le consentement des époux sera reçu par Monsieur l'abbé Belhagorry, curé de Ciboure.

2. Connaissez-vous des gens autour de vous qui ressemblent à Charles-Henri et Isabelle? Essayez d'indiquer ce qu'ils ont en commun avec eux et ce qui les différencie. Parlez en détail de leur famille, de leur éducation, des vêtements qu'ils portent, de leurs distractions favorites, etc.

3. Improvisez les dialogues suivants :
   a. Charles-Henri et Isabelle ont maintenant un fils de 2 ans et demi qui va bientôt entrer en classe maternelle. Charles-Henri voudrait qu'il aille dans une école privée, particulièrement dans l'école où il a lui-même été, mais elle est assez éloignée de leur domicile. Isabelle préférerait l'école maternelle publique qui se trouve dans leur rue. Imaginez leur discussion.
   b. Le petit-frère de Charles-Henri ne veut plus aller à ses réunions de scout parce qu'il adore regarder la télévision les mercredis et samedis après-midi. Son grand-frère et ses parents essayent de lui expliquer pourquoi il a tort.
   c. Michèle et Anne-Sophie ont toutes les deux 15 ans. Elles viennent de milieux socio-économiques très différents. La mère de Michèle est vendeuse dans un Prisunic; celle d'Anne-Sophie ne travaille pas à l'extérieur, mais s'occupe de ses 4 enfants et de son grand appartement. Les deux adolescentes parlent des vacances qu'elles viennent de passer en famille.

Dans la société sans en être : les travailleurs immigrés

Throughout the 1970s France encouraged the immigration of foreign laborers—especially from former North African colonies—to perform the arduous, low-paying jobs that Frenchmen increasingly avoided. French employers were glad to hire this cheap unskilled labor, but with the onset of the recession due to the oil crisis and the rise of unemployment, many French workers came to see these migrant laborers (many of whom had worked their way up into skilled or semiskilled positions) as a threat to their own job security and wage demands. Meanwhile, taxpayers have complained that these aliens benefit from France's liberal social legislation and special government-sponsored educational programs—forgetting, of course, that the aliens are also taxpayers.

Antagonism toward Arab immigrants has been further heightened by repercussions from the international oil crisis, and by the bitterness of the *Pied Noir*[c] community—Frenchmen whose families had settled, sometimes for generations, in Algeria, and who had to return to France when, after 132 years of French rule, that country became independent in 1962.

The largest number of North African immigrants are found in the industrial areas of northern France and the Paris region (in the automobile industry, for instance), and in the south, where they work in construction and winegrowing. Violent incidents have occurred in some working-class suburbs of Paris and Lyon, as well as in Marseille and Toulon, where entire sections of the city are Arab. It is in these areas where the immigrant population is large that Jean-Marie Le Pen, the leader of the Front National, a nationalistic ultra-conservative party, has found most of his supporters. Jean-Marie Le Pen's racist and demagogic speeches appeal to "*petits blancs*" (poor whites) who live in close contact with immigrant worker families and yet strain to distinguish themselves from them.

To counter the popularity of Le Pen and denounce racial discrimination, a large popular youth movement, "S.O.S.-Racisme," was founded in 1985 by Harlem Désir and a group of friends. It now includes thousands of French citizens who are concerned about anti-immigrant feelings. It spread its pacifist message through a lapel pin, shaped like an open hand, bearing the inscription "Touche pas à mon pote" (Hands off my buddy). About two million pins have been sold or given away all over Europe.

The Mitterrand administration resisted pressures from the Far Right for the wholesale repatriation of resident aliens, moving instead to regularize the status of some 130,000 illegal aliens. Although French authorities have tightened the control of illegal entrants, they have also taken steps to improve the lot of those foreign workers who reside in France legally, notably by providing better educational facilities for them and their children.

Le récit qui suit, écrit il y a une dizaine d'années, est un exemple de la condition des Nord-Africains en France. Dans une interview avec un journaliste français, Abderhaman, un Arabe, raconte sa difficile initiation à la vie de travailleur immigré.

Histoire d'un travailleur immigré

Alors, j'ai commencé à envisager de partir. Plusieurs de mes amis étaient déjà en France et j'étais émerveillé° de voir qu'ils pouvaient y vivre tout en envoyant chaque mois à leur famille restée en Algérie plus que je gagnais ici.

J'ai fait les formalités. En quinze jours tout était réglé.° Je sentais bien que
5 l'Administration algérienne n'avait qu'un souci° : vider le plus possible le pays, se débarrasser° des gens coûte que coûte.° Il n'y a pas un fonctionnaire° qui n'ait pas tourné la loi ou accepté des pots de vin° pour favoriser le départ d'un Algérien vers la France.

J'ai pris le bateau tout seul. Ma femme et mes gosses devaient venir me
10 rejoindre quand j'aurais trouvé du travail et un logement. J'étais heureux. Je

---

émerveillé amazed / **réglé** = *arrangé* / **le souci** = *la préoccupation* / **se débarrasser de** to get rid of / **coûte que coûte** at any cost / **le fonctionnaire** civil servant / **le pot de vin** bribe

croyais m'embarquer vers une vie de rêve. Je me disais «dans un an, tu auras un
beau petit appartement, avec une machine à laver et un frigidaire. Dans deux
ans, la télé et la voiture. Tu iras au cinéma, tu auras des vacances, tu visiteras
Paris...»

15　Je suis descendu de bateau à Marseille. J'avais 700 F en poche, une seule
adresse en France, celle d'un ami, ancien docker° à Alger, mais il habitait Paris.
J'étais parti sous le soleil et la chaleur, je suis arrivé sous la pluie et dans le froid.

À la douane,° la police a examiné mes papiers. Elle me les a rendus en
disant : «Tu¹ tiens° vraiment à venir crever° chez nous avec tes copains, alors
20　vas-y!»

Le lendemain matin, à 6 h 30, je faisais la queue au bureau d'embauche° du
port de Marseille. Mais je sais que certains Arabes, effarouchés° ou timides,
tournent pendant plusieurs jours à l'aveuglette° sans oser demander le moindre
renseignement.° En attendant mon tour au bureau d'embauche, j'ai été accosté
25　par un vieil Arabe, bien habillé, propre, qui m'a pris à part et m'a dit : «Si tu
me donnes 100 F, je te dis où tu pourras trouver du travail. Et si tu me donnes
200 F de plus, je te trouve une chambre pour dormir».

J'ai accepté. Trois autres compatriotes l'ont suivi aussi. Pour nous c'était le
début de la grande aventure. L'espoir, quoi! Il nous a emmenés dans une vieille
30　Dauphine° rafistolée,° après avoir empoché° notre argent. Il était sept heures
quand nous avons pénétré sur un grand chantier.° Une vingtaine de types faisaient déjà la queue devant un bureau où trônait° un gros bonhomme° aux
cheveux luisant de brillantine.° Il nous tutoyait° et nous parlait durement. Il
regardait les gars de la tête aux pieds, et tranchait° : «Pas toi, t'es trop maigre.
35　Allez, du vent°!» Au suivant... «Ça pourra aller, 4,50 F de l'heure et 10 heures
par jour. Et si ça te plaît pas tu déguerpis°; il y en a d'autres qui apprécieront...»

J'ai dit oui. Du matin au soir, je déchargeais° des camions de briques, de ciment
ou de barres métalliques. À la fin de la première journée, j'avais les mains en
sang. J'ai demandé au contremaître° s'il était possible de prendre une douche.
40　«Et quoi encore, m'a-t-il répondu, tu ne veux pas non plus un bain parfumé et
une Japonaise pour te savonner°!»

---

le docker longshoreman / **la douane** customs / **tenir à** to insist on / **crever** *(argot)* =
mourir / **le bureau d'embauche** hiring hall, employment office / **effarouché** = *qui a peur* /
à l'aveuglette blindly / **le renseignement** information / **Dauphine** *f* an old model car
produced by Renault / **rafistolé** patched up / **empocher** = *mettre dans sa poche* / **le
chantier** worksite / **trôner** to sit proudly / **un gros bonhomme** a heavy guy / **luisant de
brillantine** shining with hair oil / **tutoyer** = *employer la forme «tu»* / **trancher** to say
bluntly / **du vent!** take off, clear out / **déguerpir** to clear out, to get lost / **décharger** to
unload / **le contremaître** foreman / **savonner** to soap, to wash

¹L'employé des douanes emploie la forme «tu» alors qu'il ne le connaît pas, ce qui
est insultant.

Le vieil Arabe m'attendait. Il m'a conduit avec les trois autres à quelques kilomètres du chantier, dans une vieille maison de deux étages qui semblait abandonnée.
Il nous a montré une chambre avec des lits superposés° : 8 places en tout. «Vous
45 coucherez là, a-t-il dit. Mais vous partagerez cette chambre avec des types qui travaillent la nuit. Alors, à 7 heures du matin, je ne veux plus vous voir ici. La location°
est de 150 F par mois. Vous devez me les payer tout de suite, avec en plus un mois
de caution.° Et si la police vient, vous ne me connaissez pas...»
    Il y avait souvent des bagarres° dans la maison, parce que les types n'avaient
50 rien à faire et qu'ils se soûlaient.° Ou bien, c'était pour une fille. Ils se battaient
au couteau ou à coups de barre de fer. Un jour, il y a eu un mort. Une heure
après, le vieux était là. Il nous a dit de nous taire, sinon nous serions tous renvoyés
en Algérie. Il a chargé le cadavre dans sa voiture et nous n'en avons plus jamais
entendu parler. Tous les mois, je parvenais à° envoyer entre 500 et 600 F à ma
55 femme. Pendant des mois je n'ai pas mangé un seul morceau de viande. D'autres
se débrouillaient° mieux : on les voyait souvent revenir avec des lapins° ou des
poulets.° Je pense qu'ils devaient les voler dans les fermes voisines...

les lits superposés bunk beds / **la location** rent / **la caution** security deposit / **la
bagarre** scuffle, brawl / **se soûler** to get drunk / **parvenir à** = *réussir à* / **se débrouiller** to
manage / **le lapin** rabbit / **le poulet** chicken

Un jour j'ai été dans un bal, à Marignane. J'ai réussi à «emballer°» une jeune Française. Elle m'a emmené chez elle, une petite chambre sous les toits. Nous
60 avons fait l'amour et puis elle m'a dit : «Rentre chez toi, maintenant. Vous les Arabes, vous n'êtes bons qu'à une chose : ...!» Je l'ai giflée° et je suis parti... C'est à cette époque que j'ai décidé de faire venir ma femme. L'an dernier. Je ne l'avais pas vue, ni mes gosses, depuis plus de deux ans. Elle savait à peine écrire.

Après deux mois de recherches, j'ai trouvé une chambre à Marseille, dans le
65 quartier arabe. 20m²° pour 200 F par mois. Ma femme est venue, avec les gosses. Au début, nous couchions à même le sol.° L'hiver nous grelottions° de froid. L'été, la chaleur était insoutenable.° Comble de malchance,° ma femme s'est trouvée enceinte° à nouveau. Il n'était pas question pour nous d'avoir un enfant. Il a fallu réunir 500 F pour payer une vieille femme algérienne, dont la spécialité
70 était l'avortement°... Ma femme a souffert cinq jours durant. Mais le gosse est passé.

Aujourd'hui je travaille à Fos : 956 F environ par mois. Ma femme a trouvé un emploi de bobineuse,° 850 F. Nous avons pu louer deux petites pièces dans le même quartier. Matériellement, notre vie est peut-être moins dure maintenant,
75 avec deux salaires. Mais, moralement,° notre vie en France est quelque chose de terrible. À l'école, mes enfants sont du matin au soir traités de «sales Arabes», de «bicots°». L'autre jour, en rentrant à la maison après avoir été jouer au football° avec cinq autres camarades, ils ont été poursuivis dans les rues par des garçons d'une vingtaine d'années. Mon fils a pu s'échapper. Mais un de ses amis a eu
80 l'arcade sourcilière° ouverte et un autre trois dents cassées. En partant, les types leur ont dit : «Dites à vos chiens de parents que, maintenant, c'est la guerre. Ils ont deux solutions : rentrer chez eux ou s'acheter une concession° au cimetière de Marseille...»

Jérôme Duhamel, «Abderhaman, Voici mon histoire», Paris-Match

Qu'en pensez-vous?

Êtes-vous d'accord ou non avec les déclarations suivantes? Justifiez votre réponse.

1. Abderhaman a décidé d'aller en France pour gagner plus d'argent.
2. Il a eu beaucoup de difficultés à faire les formalités et à obtenir les papiers nécessaires de l'Administration algérienne.
3. Sa femme et ses gosses devaient le rejoindre un mois après son départ.

---

emballer (*fam*) to pick up (someone) / **gifler** to slap / M^2 = *mètres carrés* / **à même le sol** = *par terre* / **grelotter** to shiver / **insoutenable** unbearable / **comble de malchance** to crown our bad luck / **enceinte** pregnant / **l'avortement** *m* abortion / **la bobineuse** textile worker / **moralement** as far as morale is concerned / **le bicot** insulting word to designate an Arab (from *la bique* : goat) / **le football** soccer / **l'arcade sourcilière** *f* ridge of the eyebrow / **la concession** plot

4. Quand il est parti en France, il était très heureux parce qu'il pensait qu'il aurait une vie meilleure.
5. L'arrivée à Marseille a été un choc.
6. À la douane, les policiers l'ont bien accueilli et l'ont aidé.
7. Il a eu de la chance d'être aidé par un compatriote pour trouver du travail et un logement.
8. Il est humilié et exploité par le patron qui l'embauche.
9. Sur le chantier, il devait faire un travail manuel très dur.
10. Il aime bien rester dans sa chambre qu'il considère comme un refuge contre le monde extérieur.
11. Parce qu'ils ont une vie difficile, les types qui habitent avec lui s'aident et se soutiennent mutuellement.
12. Avec ce qu'il gagne, il peut bien vivre et, en plus, économiser de l'argent qu'il envoie à sa femme.
13. Ses contacts avec les Français et les Françaises ont toujours été agréables.
14. Quand sa femme et ses enfants sont venus en France, ils se sont installés dans une H.L.M.ᶜ confortable.
15. Sa femme a trouvé un emploi dans une usine.
16. Ils sont pauvres mais ils sont heureux.
17. Leurs enfants n'ont pas de problèmes et sont bien intégrés dans la société française.
18. Depuis qu'il est en France, Abderhaman a vu son rêve se réaliser.

Nouveau contexte

Complétez le passage suivant à l'aide des mots et expressions ci-dessous qui vous sont donnés par ordre alphabétique.

Noms : bagarres *f,* camions *m,* chantier *m,* gosses *m,f*
Verbes et expressions verbales : se débrouiller, être embauché, envoyer, ai... gagné, louer, partage, me soucie, se soûlent, tutoie

Extrait d'une lettre qu'Abderhaman a écrite à sa femme peu après son arrivée en France :
...Tout va bien mais je préfère que toi et les _____ 1 ne viennent pas tout de suite. J'ai trouvé un travail sur un _____ 2 grâce à un vieil homme de chez nous. Ce n'est pas facile de _____ 3 tout seul et j'ai eu de la chance d' _____ 4 si vite. Le travail est dur; je décharge des _____ 5 de briques et de ciment mais je n' _____ 6 jamais _____ 6 autant d'argent et, bientôt, je pourrai t'en _____ 7 . Je n'aime pas le contremaître qui nous _____ 8 et nous traite de «bicots». J'essaye de ne pas faire attention à ce qu'il dit.

Pour l'instant, je _____ 9 une maison avec d'autres compatriotes. Certains sont là depuis longtemps et semblent avoir oublié les préceptes de notre religion. Ils boivent du vin et quand ils _____ 10, ils sont violents et il y a des _____ 11. J'espère que bientôt, je pourrai _____ 12 une chambre en ville. Je _____ 13 de toi et des enfants mais je sais que tu n'es pas seule et que la famille et les gens du village s'occupent de vous. Qu'Allah te protège...

Vocabulaire satellite

les **conditions** *f* **de vie (dures, faciles)** (hard, easy) living conditions

la **misère** poverty

mépriser to scorn

se **sentir isolé** to feel isolated

avoir des préjugés to have prejudices, to be prejudiced

l' **insulte** *f* **raciste** racist slur

être expulsé to be deported

être exploité to be exploited

être déchiré entre deux cultures to be torn between two cultures

faire une fugue to run away from home

se **révolter** to rebel

se **suicider** to commit suicide

l' **immigré** *m* **clandestin** illegal immigrant

la **carte de séjour** permanent resident card

être intégré to be integrated

favoriser l'insertion, l'intégration to encourage integration

le **mariage mixte** interracial marriage

le **Maghreb** North African countries (Algeria, Morocco, Tunisia)

le **Maghrébin,** la **Maghrébine** North African

le **Beur** 2nd generation Arab

musulman Muslim

Pratique de la langue

1. Improvisez les situations suivantes :
   a. Abderhaman rentre en Algérie pour une courte visite et parle de son expérience de travailleur immigré à des amis qui envisagent de chercher du travail en France.
   b. Dans l'école des enfants d'Abderhaman à Marseille, la majorité des élèves sont d'origine maghrébine. L'école fonctionne assez bien. Interrogez le directeur pour lui demander comment il résoud les problèmes.
   c. Un jeune Beur est tombé amoureux d'une Française. Ses parents sont opposés à ce mariage. Imaginez la discussion entre les parents et le jeune homme.
   d. Vous êtes assistante sociale (*social worker*) et vous parlez avec une jeune fille Beur qui vient de faire une fugue parce que ses parents voulaient la marier à quelqu'un qu'elle ne connaît pas. Elle exprime son déchirement (*how she is torn*) entre les deux cultures et son impossibilité de faire un choix.
2. Étudiez les documents ci-dessous qui illustrent deux attitudes possibles face aux problèmes de l'immigration. Organisez un débat qui présente et essaie de justifier ces deux points de vue. N'oubliez pas de mentionner le chômage, l'insécurité mais aussi l'apport culturel des travailleurs immigrés et leur participation démographique et économique à la croissance (*growth*) du pays qui les accueille.

FACE AUX PROBLÈMES DES TRAVAILLEURS IMMIGRÉS

DEUX RÉACTIONS

A. La solidarité, l'intégration

RESTOS° DU CŒUR

L'hiver dernier, l'association a offert 22 140 000 repas sur toute la France, dont plus de deux millions dans la vingtaine de restaurants qu'elle a ouverts en Ile-de-France. Pour contribuer à la multiplication de ces restos, il vous suffit d'envoyer de l'argent, un argent qui sera automatiquement réinvesti pour les paniers-repas.° Les bénévoles° sont les bienvenus.°

Pour les dons,° écrire à : *Crédit Agricole, Restos du Cœur, 75515 Cedex 15. Tél. : 42-40-43-45.*

restos = *restaurants* / **les paniers-repas** lunch bags / **les bénévoles** volunteers / **bienvenu** welcome / **dons** = *cadeaux*

B. L'exclusion

VOTEZ JEAN-MARIE LE PEN

IMMIGRATION

le retour chez eux des immigrés du tiers° monde

Pour la défense de l'identité nationale par la réduction du nombre des immigrés du tiers monde présents en France et la réforme du Code de la nationalité dans un sens restrictif parce qu'«être Français cela s'hérite° ou cela se mérite».[1]

tiers third / **s'hériter** to be inherited

[1]Extrait du programme de Jean-Marie le Pen pour l'élection présidentielle

Sujets de discussion et de composition

1. À débattre : Pensez-vous qu'il soit important d'épouser quelqu'un qui est de la même classe sociale que la sienne?
2. La jeune vendeuse du Prisunic qui a quitté l'école pour monter à Paris écrit à une amie de classe. Elle décrit sa vie de vendeuse qui ne correspond pas à ce à quoi elle avait rêvé.
3. Récrivez l'histoire du travailleur immigré du point de vue de sa femme.

3ème PARTIE

Institutions et influences

6

La France politique et économique

La Cinquième République

Electing a president is a relatively new experience for the French. The republican form of government itself, though long-established by European standards, did not come into its own in France until the last quarter of the 19th century with the consolidation of the Third Republic (1875). The two previous attempts had been short-lived: the First Republic, proclaimed in 1792, soon fell under Napoleon's autocratic sway, while the Second Republic was no more than a brief interlude between the 1848 revolution and the seizure of power by Napoleon III in 1851.

Under the Third and Fourth Republics, France practiced a parliamentary system similar to those still prevailing in most Western European countries. Voters elected members of the legislature, while the government, headed by a Prime Minister (officially known as the *Président du Conseil des Ministres*), stayed in office by maintaining the support of a congressional majority. The President of the Republic, by contrast, was essentially a figurehead whose largely ceremonial role was similar to that of the Queen of England and other European parliamentary monarchs. Unlike Great Britain, however, France never evolved a two-party system; the fragmentation of political forces contributed to a sense of governmental instability and discontinuity that was perhaps more apparent than real.

In 1958, at the height of the Algerian crisis, French politicians, partly under military pressure, turned to General Charles de Gaulle[c] as the only person capable of restoring law and order in a country divided between those who sought to maintain French rule in Algeria at all costs and those who wanted to end France's entanglement in colonial wars. De Gaulle's terms for accepting the offer were the creation of a presidential system of government that would give him far-reaching executive powers. The result was the 1958 Constitution of the Fifth Republic which, on paper at least, gives the French president more powers than his American counterpart. Tailor-made for de Gaulle's charismatic personality, the system nevertheless requires a smooth collaboration between the executive and legislative branches of the government—a condition that, given France's fragmented party system, cannot automatically be taken for granted.

De Gaulle's ability to inspire a relatively cohesive "Gaullist" movement ensured the system's stability until his retirement in 1969. Over the next twelve years his successors were able to preserve the coalition of Gaullists and right-wing "independents" on which the system had been resting, but it remained to be seen whether the Fifth Republic could survive the coming to power of the leftist opposition.

This occurred in 1981 with the election of François Mitterrand[c] to the presidency, followed by a decisive victory of his Socialist Party[c], which gained an absolute majority in the National Assembly (Assemblée Nationale[c]). In 1986

François Mitterrand

the system was put to the test when a conservative coalition defeated the Socialists in parliamentary elections, gaining the edge in the legislature but having to work with the Socialist President. For the first time in the Fifth Republic, France found itself with "cohabitation," a hybrid form of government approved by most Frenchmen, according to polls.

Mitterrand was reelected in 1988 on a very different platform than in 1981. There was no alliance with the now discredited Communist[c] Party but instead a new significant move toward the center. Voters wanting to express discontent turned to Jean-Marie Le Pen and his National Front, which won 14.4% of the vote in the first round. According to sociologist Emmanuel Todd, "this is an ephemeral phenomenon created by rapid social decomposition." While it represents an important constituency, the new coalition is an estranged minority (including Communists, royalists, and right-wing fanatics) that does not threaten the centrist consensus.

Quelle société civile François Mitterrand se prépare-t-il à diriger° au seuil de° ce nouveau septennat°? L'Express a demandé à Gérard Demuth, journaliste, de dresser un bilan° sociopolitique de ces 7 années.

Les Sept Découvertes d'un septennat

En gros, les Français en 7 ans ont fait 7 grandes découvertes. Les voici :

1. La complexité

Au début du septennat, on veut du neuf, tout de suite. On rêve de libérer les énergies et la créativité, d'instaurer° de nouveaux modes de relation avec le
5 pouvoir,° les pouvoirs et l'argent. Bref,° il s'agit de «changer la vie».

En 1988, on n'attend pas tellement° du futur gouvernement qu'il mette en chantier° de grandes réformes mais qu'il sache prendre les bonnes orientations. On n'imagine guère qu'il réduira le chômage° d'un coup de baguette magique.° On ne croit plus aux remèdes miracles.

10 *2. La réunion des Français*

En 1981, Mitterrand démarre° sur le clivage° des Français en 2 camps, gauche contre droite. Mais l'évidence de leur rapprochement dans un large groupe central s'impose progressivement.° Derrière les mots à la mode : consensus, cohabitation, coexistence, une réalité profonde : l'évolution des mentalités réduit
15 les distances psychologiques entre les gens. On est moins déterminé qu'autrefois par son étiquette° socio-professionnelle. Il n'y a plus un mode de penser prolétaire, un mode de penser fonctionnaire,° un mode de penser patronal,° etc...

3. L'entreprise°

Dans les premières années du septennat, on nationalise (7 groupes° et 39
20 banques). On parle d'économie mixte.° Le syndicalisme° traditionnel décline doucement. On privatise° (39 entreprises). Le nombre d'actionnaires° directs triple en 7 ans. Toutes ces turbulences ont une conséquence commune : l'opinion

---

diriger to rule / **au seuil de** = *au commencement de* / **le septennat** = *durée de 7 ans de la fonction de Président de la République* / **dresser un bilan** to give an assessment / **instaurer** = *établir* / **le pouvoir** = *le gouvernement* / **bref** in short / **tellement** so much / **mettre en chantier** = *entreprendre, commencer* / **le chômage** unemployment / **un coup de baguette magique** a touch of a magic wand / **démarre** = *commence son septennat* / **le clivage** = *la séparation* / **s'impose progressivement** is gradually becoming obvious / **l'étiquette** *f* label / **le fonctionnaire** civil servant / **patronal** = *des patrons* / **l'entreprise** *f* business / **les groupes** = *groupements d'entreprises* / **l'économie mixte** *f* = *où il existe côte à côte un secteur privé et un secteur public* / **le syndicalisme** trade unionism / **privatiser** = *le contraire de nationaliser* / **l'actionnaire** *m,f* shareholder

s'intéresse de plus en plus à l'économie. Le septennat est marqué par une fantastique revalorisation° de l'entreprise. Plus que dans tout autre pays européen, les
25 Français ont envie de fonder° leur propre entreprise.

4. La solidarité

«Moi-je°» pensaient les Français au début des années 80. «Moi-nous» n'hésitent-ils pas à dire aujourd'hui : un nouveau sens du collectif° qui se manifeste par une sensibilisation° accrue° aux autres et à la convivialité. D'où° le succès du
30 slogan de SOS-Racisme «Touche pas à mon pote»,° des restaurants du cœur fondés par le comédien° Coluche pour aider les nouveaux pauvres, de l'Association «Médecins sans frontières». Le comble° du malheur en 1988? La solitude.

5. La dimension mondiale

Le début des années Mitterrand est marqué par un «cocorico»° idéaliste et
35 flou.° On est fier du modèle socialiste à la française, on se réjouit de° vivre en France. Mais la réalité fait vite redescendre les Français de leur petit nuage.° Ils découvrent que leur pays fonctionne moins bien que d'autres, singulièrement sur le plan économique. La France n'est plus qu'une puissance moyenne.° Parallèlement, l'Europe se met en marche.° Les Français se rendent compte qu'ils sont
40 très dépendants de la vie européenne, du pouls° international. Plus que tous les discours, ce sont les événements qui implantent l'idée européenne dans les esprits (par exemple, en 1986 Tchernobyl et le Krach boursier° de 1987).

6. L'existence des valeurs°

Lorsqu'on demande aux Français ce qu'ils aimeraient le plus léguer° à leurs
45 enfants, la majorité d'entre eux ont cette réponse surprenante. «J'aimerais transmettre à mes enfants une morale et de la débrouillardise».° Dans les années 60 et 70, il paraissait plus urgent de s'épanouir° que de faire son devoir. Depuis, on a découvert que, finalement, le bien, le mal... ça existe, ce sont des repères°; mais, entre les deux, il y a désormais une large zone de flou.° Adoptons-nous aux
50 circonstances, bref, débrouillons-nous°! Mais pas à n'importe quel prix. L'incivisme,° en France, est une valeur en baisse.°

---

la revalorisation revaluation / **fonder** = *créer* / **Moi-je** me, myself, and I / **le sens du collectif** = *le sens de la collectivité* / **la sensibilisation** sensitivity / **accru** increased / **d'où** hence / **le pote** buddy / **le comédien** actor / **le comble** the height / **le cocorico** = *le chant du coq; ici, le chauvinisme (le coq = le symbole national)* / **flou** = *vague* / **se rejouit de** = *est bien content de* / **de leur petit nuage** = *ici, de leur rêve* / **la puissance moyenne** medium-sized power / **se met en marche** = *avance* / **le pouls** pulse / **le Krach boursier** stock market crash / **la valeur** value / **léguer** = *transmettre* / **la débrouillardise** resourcefulness / **s'épanouir** to fulfill oneself / **le repère** = *la référence* / **le flou** vagueness / **débrouillons-nous** let's be resourceful / **l'incivisme** *m* = *le fait de ne pas avoir le sens de ses responsabilités de citoyen* (citizens) / **en baisse** = *en déclin*

7. La politique

En 1987, les Français sont à la fois sérieux et désabusés° face à la politique. On attend de moins en moins du pouvoir. L'élection présidentielle n'a pas levé
55 d'espoirs démesurés° : 62% des Français estimaient° que les résultats ne changeraient pas grand-chose.

Il a suffi d'une absence d'enjeu° et d'une campagne morne° pour que le vote Le Pen fasse boomerang.° Les 14.4% de Jean-Marie Le Pen ne sont pas l'expression d'une véritable force politique; ils vont plutôt contre l'air du temps,°
60 et mêlent des composantes vouées à éclater,° comme on l'a vu au second tour.°¹

Gérard Demuth, *L'Express*

Qu'en pensez vous?

Êtes-vous d'accord ou non avec les déclarations suivantes? Justifiez votre réponse.

1. En 1988, on pense que le nouveau gouvernement va changer la vie et réduire le chômage.
2. Au début du septennat de Mitterrand, les Français étaient divisés en deux camps : la gauche contre la droite.
3. En 88, ces deux camps se sont rapprochés en un large groupe central.
4. Actuellement, les différentes catégories socio-professionnelles ont leurs propres modes de penser très différents les uns des autres.
5. Les syndicats traditionnels ont pris de plus en plus d'importance.
6. Beaucoup de Français rêvent de devenir entrepreneurs.
7. Les Français sont restés très individualistes.
8. «Touche pas à mon pote» est le slogan de l'Association «Médecins sans frontières».
9. En 81, de nombreux Français étaient fiers de leur nouveau système politique.
10. La France fait partie des super-puissances.
11. L'horizon des Français devient de plus en plus européen.
12. Les Français n'ont plus de sens civique.
13. Les Français considèrent qu'il est important de savoir se débrouiller et de s'adapter aux circonstances.
14. La politique est au centre des préoccupations des Français et suscite beaucoup d'enthousiasme et d'espoir.
15. Les 14.4% de votes recueillis par Le Pen reflètent la naissance d'une force politique unifiée et solide.

---

désabusés = *sans illusion* / **démesurés** = *exagérés* / **estimaient** = *considéraient* / **l'enjeu** *m* stake, issue / **morne** = *monotone, insipide* / **fasse boomerang** = *prenne une importance dangereuse* / **l'air** *m* **du temps** = *les idées qui sont dans l'air* / **mêlent des composantes vouées à éclater** = *contiennent des éléments qui vont se disperser* / **au second tour** second round of balloting

¹Le président de la République est élu au scrutin (*balloting*) à 2 tours. Au 1ᵉʳ tour, tous les partis (petits et grands) sont représentés. Au 2ᵉ tour, il y a des alliances pour obtenir un scrutin majoritaire (*election by absolute majority*).

Nouveau contexte

Complétez le passage suivant à l'aide des expressions ci-dessous qui vous sont donnés par ordre alphabétique.

Noms : citoyens *m,* clivage *m,* cohabitation *f,* énergies *f,* mentalités *f,* puissance *f,* rapprochement *m,* septennat *m*
Verbes et expressions verbales : changer la vie, dressons le bilan, s'implanter, léguer, a mis en chantier, s'est mise en marche, réduire, se réjouissent
Adjectif : accrue

Pour la ré-élection de François Mitterrand
comme Président de la République

François Mitterrand vient d'annoncer publiquement qu'il était candidat à l'élection présidentielle. Tous ceux qui ont approuvé sa politique _____*1* de cette décision. Si nous _____*2* de ces 7 dernières années, nous voyons qu'il est largement positif.

Sur le plan extérieur, la place de la France dans le monde en tant que _____*3* moyenne, sa sécurité et son ouverture ont été aux premiers rangs des préoccupations du Président. Pendant son _____*4*, la construction de l'Europe _____*5*. Elle doit mobiliser toutes les _____*6* pour affronter en 1992 la concurrence d'un grand marché ouvert où pourront _____*7* des entreprises dynamiques et innovatrices qui créeront des emplois et contribueront ainsi à _____*8* le chômage.

Sur le plan intérieur, il _____*9* de grandes réformes qui ont contribué à _____*10* des Français. Il a montré sa capacité à faire évoluer les _____*11* et la sensibilité des Françaises et des Français. Le _____*12* entre la droite et la gauche s'est considérablement atténué. Il s'est fait le champion d'une France généreuse, soucieuse des droits et des aspirations de tous les _____*13* et il a, de ce fait, contribué au _____*14* des Français. De l'expérience du gouvernement de _____*15*, les institutions de la République sortent renforcées et l'influence du Président se voit _____*16*.

Montrons que nous sommes fiers du travail accompli et prêts à le poursuivre ensemble pour construire la France que nous voulons _____*17* aux générations futures.

Vocabulaire satellite

l' **État** *m*   government, state
les **élections** *f* elections (**municipales, législatives, présidentielles**) (local, legislative, presidential)
l' **électorat** *m*   electorate
le **droit de vote**   right to vote
le **mode de scrutin**   poll, ballot
être élu   to be elected
poser sa candidature   to run for office
se **lancer dans la politique**   to go into politics

un **homme** (une **femme) politique**   politician
un **programme électoral**   platform
s' **engager**   to get involved, to become committed
militer dans un parti politique   to be active in a political party
le **citoyen,** la **citoyenne**   citizen
les **droits** *m* **de l'Homme**   civil rights
le **député**   legislator (member of the National Assembly)
le **maire**   mayor

Pratique de la langue

1. Faites une liste des principales préoccupations des Français, d'après le texte de G. Demuth. Y a-t-il des problèmes similaires dans votre pays?
2. Faites un sondage sur la popularité de certains hommes ou femmes politiques dans votre pays et sur le plan international. Demandez à vos camarades quels sont les hommes politiques qu'ils préfèrent et pourquoi. Dressez une liste des cinq noms les plus fréquemment cités et des raisons de ce choix.
3. Jouez les situations suivantes :
   a. Deux étudiant(e)s discutent des prochaines élections (municipales ou présidentielles). L'un(e) ne s'intéresse pas du tout à la politique et n'a pas l'intention de voter; l'autre essaie de le (la) persuader d'accomplir son devoir électoral.
   b. Mettez-vous en groupes de 3 ou 4. Vous êtes candidat(e) à la Présidence de la République. Vous avez chacun(e) des orientations politiques très différentes. Exposez votre programme en détail et répondez aux questions que vous poseront des journalistes (le reste de la classe) sur des «questions brûlantes» d'actualité.
4. En vous inspirant du nouveau contexte, élaborez un tract politique pour inciter à voter pour un candidat de votre choix.

La centralisation administrative

The tradition of centralization in France has its roots in the administrative system developed by the Ancien Régime monarchs, but owes its modern form to the rationalizing reforms of the French Revolution and particularly to the Napoleonic design of a central, authoritarian administration organized along quasi-military lines. In each of France's 90 *départements*[c] (101 today), a body of trained officials—the *préfets*[c] and *sous-préfets*[c]—were entrusted with the task of maintaining law and order, representing the central government, controlling local government bodies, and (more covertly) acting as electoral agents and gathering political intelligence on behalf of the incumbent regime.

The nature of the *préfet's* role gradually changed with the democratization of the French political system, but to this day political expediency still presides over their posting and promotion. Following the reforms enacted since 1981 by the Mitterrand administration, however, the *préfets* have surrendered many of their executive powers to local authorities.

The tradition of centralization, which recent reforms have only begun to shake, explains why the French bureaucracy tends to be top-heavy and why most of the decisions affecting the country continue to originate in Paris. Beginning in the 1960s, efforts were made to decentralize the decision-making process, notably with regard to economic activities, which were concentrated around the capital, thus stifling regional development (see Chapter IV: *Villes et campagnes*). The *Délégation à l'Aménagement du Territoire et à l'Action Régionale* (DATAR), a public agency created in 1963, promotes a more balanced development of the national territory. Though only an advisory body, it can recommend financial incentives for firms willing to locate in economically depressed areas.

But the role of the French state is not limited to administrative functions. In a variety of activities that Americans are accustomed to seeing in private hands, millions of French men and women—one wage earner out of five—are employed directly or indirectly by government agencies and thus acquire, to varying degrees, some form of civil service status. It has already been noted (see Chapter II, *Les Jeunes*) that the French educational system is run almost totally by the government. In the social field the government controls the national system of Social Security, which covers medical and dental care, pharmaceutical prescriptions, unemployment insurance, and old-age pensions, as well as various forms of family assistance such as aid for dependent children (*allocations familiales*ᶜ) and housing support (see Chapter II: *La Famille*). In addition, the French state has been increasingly involved, through government-related agencies, in direct economic production. The great thrust of nationalization, affecting a number of banking and industrial establishments, occurred immediately after World War II, but as early as 1937 the railroads had been nationalized and reorganized into the *Société Nationale des Chemins de Fer Français* (S.N.C.F.)ᶜ. Later came the energy sector (coal, electricity, gas and oil) and the communications system (telephone, radio, television). In addition, the sale of tobacco products and matches has been a government monopoly since the 19th century.

When the Socialist administration of François Mitterrandᶜ came to power in 1981, it extended the scope of nationalizations in the banking sector (70% of which was already state-controlled), took over five leading French multinationals and two major steel firms, and acquired majority control in those aircraft and automobile companies not already nationalized. Some of these decisions aroused mixed feelings in the French public and did not produce the economic results that were hoped for. Since 1983 there has been a completely different move toward denationalization or privatization. Interested persons were encouraged to participate in this process by becoming shareholders, as exemplified by the big investment bank Paribas, which opened its doors to small investors, thus creating a new form of popular shareholding and arousing an increased interest in stock-exchange transactions.

Recently, however, the French have become ambivalent toward federal control. "Liberalism" is the order of the day. Although many people want to maintain and expand the very progressive social legislation existing in France, they realize that the government cannot and should not do it all. In order to reduce the enormous deficit of the social security system, help finance the much needed reforms in the field of education, and give the French economy a more competitive edge, a greater intervention of the private sector is called for.

Fonctionnaires de père en fils

Emploi garanti, salaire indexé,° carrière sans périls, retraite assurée°... Sagement,° presque naturellement, nombre d'enfants de fonctionnaires, utilement conseillés,° deviennent fonctionnaires à leur tour. Cette filiation n'a pourtant rien d'exceptionnel dans un pays où aujourd'hui encore on demeure,° dans tous les
5 sens du terme, le fils de son père puisque, arrivé à l'âge adulte, on occupe à peu de chose près° une position sociale identique. Les agriculteurs sont en majorité fils d'agriculteurs, les ouvriers ont souvent un père ouvrier; même chose pour les employés,° les cadres°, les «indépendants» (petits commerçants, artisans) et les membres des professions libérales.
10   Cette fidélité familiale au métier°—entre autres facteurs—a cimenté de solides corporations.° Ainsi en a-t-il été de la profession d'égoutier° à Paris, souvent exercée° de père en fils.... Christian, qui dans son adolescence ne se sentait pas de dispositions particulières pour ce genre de besogne,° a fini, passé le service militaire, par prendre pourtant la même direction : «Je n'avais pas de qualification
15 professionnelle, je voyais déjà beaucoup de chômage autour de moi, alors je me suis décidé, j'ai fait ma demande° à la voirie».° Il se félicite, avec le recul,° d'«avoir fait le bon choix» guidé par l'exemple paternel.
     Cet exemple permet de comprendre ces «vocations» plus ou moins précoces. On ne se met pas au service de la collectivité° par pure déférence filiale mais bien
20 parce qu'à un moment donné on a pu mesurer l'intérêt, les avantages d'une carrière qu'on a pu observer depuis l'enfance. L'hérédité professionnelle résulte aussi de choix parfaitement conscients. Les enfants des hauts fonctionnaires qui se sont installés à leur tour sur les plus hautes marches° de l'appareil de l'État,° en sont l'éclatante° démonstration. Au fil des générations° se sont constituées des
25 familles de professeurs d'université, de magistrats et de membres des grands corps de l'État[1]. Les «fils de... » peuplent° le *Who's Who*, le Bottin mondain° et les annuaires administratifs.°
     Polytechnique et l'É.N.A., ces deux grandes écoles^c prestigieuses entre toutes, passages obligés vers un destin, sinon nécessairement glorieux, du moins confor-

---

indexé indexed (adjusted to the cost of living) / **retraite assurée** guaranteed pension /
sagement wisely / **conseillés** advised / **on demeure** = *on reste* / **à peu de chose près** =
presque toujours / **l'employé** = *le col blanc* / **le cadre**^c middle or top executive / **le métier** =
la profession / **les corporations** *f* guilds / **l'égoutier** *m* sewer worker / **exercé** practiced /
la besogne = *le travail, l'occupation* / **faire sa demande** to apply / **la voirie** road and sewer
maintenance office / **avec le recul** in retrospect / **la collectivité** community, public sector /
les marches *f* rungs, steps / **l'appareil de l'État** *m* state bureaucracy / **éclatante** = *manifeste,*
frappante / **au fil des générations** = *de génération en génération* / **peuplent** populate / **le**
Bottin mondain Social Register / **les annuaires administratifs** *m* civil service directories

[1]Hauts fonctionnaires dans les services publics et dans la justice.

Carrières
En France, 24,7 % de la population
active est composée de fonctionnaires
(18,2 % aux Etats-Unis et
7,8 % au Japon).

30 table, continuent de recruter pour une large part dans les milieux aisés° de la
capitale. «On naît polytechnicien plus qu'on ne le devient», écrit J.A. Kosciusko-
Morizet sur la «maffia polytechnique».

On pourrait en dire autant des énarques.° On n'aurait pas beaucoup de mal
à trouver parmi les récentes promotions° d'élèves de l'ÉNA des fils et des filles

35 d'inspecteurs des finances, de membres du Conseil d'État^c ou des cabinets minis-
tériels. Brillant, Hubert l'est assurément : agrégé en lettres,° il rêvait en 68 sur
les bancs° de la Sorbonne d'un destin universitaire mais il est rentré dans sa
caste en préparant l'ÉNA. «Brusquement, dit-il, j'ai retrouvé tous les réflexes
familiaux. Pourquoi négliger en effet une voie toute tracée° et qui était loin d'être

40 médiocre?»

«J'ai toujours eu le sentiment d'être sur le rail°» avoue Michèle, vingt-six ans,
sortie de Polytechnique et dont le père était lui-même du corps des Ponts et
Chaussées.° C'est tout naturellement qu'au sortir de l'École elle a choisi un minis-
tère° plutôt que d'entrer dans le privé.° «En France, le système d'éducation pousse

45 en fait les plus brillants vers la fonction publique», ajoute Michèle. «C'est une
attitude qu'on observe dès les classes préparatoires aux grandes écoles^c. Une
majorité de taupins° et de khâgneux° n'ont en fait qu'une seule ambition : dé-
crocher° un poste de fonctionnaire».

Dans la période actuelle de fort chômage, le fonctionnariat° apparaît à une

50 proportion croissante° de Français comme un refuge très désirable : il y a quelques
mois, un sondage ne révélait-il pas que 52% de Français souhaiteraient voir leurs
enfants choisir le public plutôt que le privé?...

---

aisé = *qui a de l'argent* / **l'énarque** *m,f* = *diplôme de l'É.N.A.* / **les promotions** *f* graduating
classes / **l'agrégé en lettres** *m,f* student who passed the highest competitive examination for
teachers or professors (here, in literature) / **les bancs** *m* benches (in a lecture hall) / **une
voie toute tracée** a marked-out track, a natural path to follow / **sur le rail** on track / **les
Ponts et Chaussées** lit., Bridges and Roads, a section of the Public Works department / **le
ministère** ministry / **le privé** private sector / **les taupins, les khâgneux** *m* = *étudiants des
classes préparatoires aux Grandes Écoles scientifiques (taupins) ou littéraires (khâgneux).* / **décrocher** =
obtenir / **le fonctionnariat** = *l'état d'être fonctionnaire* / **croissante** = *montante*

Thierry, dix-sept ans, s'est tourné comme sa mère vers la S.N.C.F.°, autant par «goût pour le chemin de fer» que par souci° de trouver une place stable : «Je ne
55   me suis pas mal débrouillé,° quand je vois des copains qui traînent° au café sans boulot».°

Même souci de sécurité chez ces fils et ces filles de gendarmes. Roger, dont le père était gendarme, raconte : «Mon père m'a dit : ‹Mon gars,° ce qu'il te faut, c'est un bon boulot, bien sûr.°› Il m'a aidé pour les examens en me donnant le
60   programme des épreuves,° et voilà... ». Le métier, Roger le trouve interessant, passionnant° même. Quant au salaire, auquel s'ajoutent des primes,° il n'est pas négligeable. «J'ai un voisin qui travaille en usine, il est loin de faire ce que je fais par mois. Pas étonnant que les gens se reportent° en masse sur les administra-tions!»...

65   Mêmes conclusions pour Gérard. Après un passage chez Michelin, quitté sur un «coup de colère,°» il prépare le concours° d'ouvrier imprimeur° à la Banque

---

la S.N.C.F.ᶜ = *Société Nationale des Chemins de Fer Français* / **le souci** = *le désir* / **je ne me suis pas mal débrouillé** = *j'ai assez bien réussi* / **traînent** hang around / **le boulot** *(fam)* = *le travail* / **mon gars** *(fam)* my lad / **sûr** secure / **les épreuves** *f* tests / **passionnant** = *extrêmement intéressant* / **la prime** bonus / **se reportent** transfer, shift / **sur un coup de colère** in a fit of anger / **le concours** highly selective entrance examination / **l'imprimeur** *m* printer

de France où son père travaillait depuis 1936. «La direction préfère jouer la sécurité° : à dossier égal,° on fera plutôt confiance à un fils d'agent,° c'est humain! Dans mon service, sur soixante personnes, il y a bien une douzaine qui sont dans
70 mon cas», ajoute Gérard.

Michel Heurteaux, «Fonctionnaires de père en fils», *Le Monde*

Qu'en pensez-vous?

Êtes-vous d'accord ou non avec les déclarations suivantes? Justifiez votre réponse.

1. Beaucoup d'enfants de fonctionnaires deviennent fonctionnaires à leur tour par goût du risque.
2. Il y a une grande mobilité sociale en France.
3. Il existe encore des sortes de corporations dans certains métiers manuels.
4. C'est quand Christian était adolescent qu'il a voulu devenir égoutier.
5. On trouve beaucoup de fils d'ouvriers et d'agriculteurs parmi les Polytechniciens et les Énarques.
6. En France, les étudiants les plus brillants choisissent de travailler dans la fonction publique.
7. Beaucoup d'hommes et de femmes politiques français sortent de l'ÉNA.
8. Les fonctionnaires sont en général mécontents de leur sort et souhaitent un autre avenir pour leurs enfants.
9. De nombreux jeunes se tournent vers le secteur public parce qu'ils ont peur du chômage.
10. Quand on est fonctionnaire, on a un salaire moins élevé que dans le privé mais aucune sécurité d'emploi et peu d'avantages.
11. La France est un pays où la transmission héréditaire des privilèges sociaux n'existe plus.

Nouveau contexte

Complétez le passage suivant à l'aide des mots et expressions ci-dessous qui vous sont donnés par ordre alphabétique.

Noms : boulots *m*, caste *f*, collectivité *f*, concours *m*, dispositions *f*, fidélité *f*, métier *m*, privilèges *m*, profession *f*, recul *m*, refuge *m*, salaires *m*, voie *f*
Verbes et expressions verbales : me suis débrouillé, exercer la profession, félicite, ai joué la sécurité, mesurer, occupait

«Tu seras avocat, mon fils»

Depuis trois générations, on est avocat de père en fils dans la famille de François Brossard. Si on ne l'a jamais forcé à _____1 d'avocat, il l'est pourtant devenu après quelques détours. Aujourd'hui, il s'en _____2. Nous lui avons demandé comment une _____3 se transmet sur plusieurs générations dans une famille.

«Mon grand-père a créé un cabinet d'avocats (*law firm*) à Dijon. Son fils aîné, mon père, devenu avocat à son tour, s'est installé avec lui. Dans l'esprit de mon père, il était évident

---

jouer la sécurité play it safe / **à dossier égal** the résumés being equal / **l'agent** *m = ici, un employé dans un service public*

que je suivrais la même _____4 que lui. C'était une sorte de dogme familial, même pas exprimé.

Pendant toute mon adolescence, j'ai résisté au projet que mon père avait pour moi. Je ne me sentais pas de _____5 particulières pour cette profession. Je voulais vaguement faire du théâtre. Je ne savais pas bien quelles études choisir. J'ai commencé des études de Lettres mais j'ai échoué au _____6 d'entrée à l'École Normale Supérieure. Je suis parti à l'étranger et là, je _____7 en faisant plusieurs _____8 pas très passionnants et en gagnant des _____9 de misère.

Quand je suis revenu en France, j'avais changé. Je pouvais _____10 l'intérêt et les avantages de la profession qu' _____11 mon père.

J' _____12 et je me suis orienté vers le Droit. Rentrer dans la _____13 a été comme un _____14, mais j'avais aussi envie de travailler pour la _____15. Avec le _____16, je ne regrette rien, je ne me sens pas malheureux dans mon _____17, je m'y sens finalement très bien. Je n'ai pas choisi cette carrière par _____18 familiale ou pour conserver des _____19 mais pour son intérêt et pour les valeurs qu'elle représente.

Vocabulaire satellite

l' **État-Providence** *m* Welfare State
intervenir to intervene
la **sécurité d'emploi** job security
être subventionné par l'État to be subsidized by the State
la **bureaucratie** bureaucracy
les **prestations** *f* **sociales** national insurance benefits
bénéficier de to benefit from

les **services** *m* **publics** public services
la **Bourse** stock exchange
le **revenu** income
avoir du piston to be well-backed, to have pull
les **relations** *f* connections
être partisan de, en faveur de to support
le **goût** taste
la **santé** health

Pratique de la langue

1. Aimeriez-vous exercer la même profession que celle de votre père ou celle de votre mère? Pourquoi ou pourquoi pas?
2. Improvisez les dialogues suivants :
   a. Deux amis de lycée se retrouvent 10 ans plus tard. L'un est fonctionnaire, l'autre travaille dans le secteur privé. Ils ont tous les deux très bien réussi et sont passionnés par leur travail. Ils parlent de l'intérêt et des avantages de leur profession.
   b. Vous êtes fils (fille) unique et votre père souhaite que vous preniez sa succession, que vous suiviez la voie qu'il vous a tracée. Vous lui avouez que vous ne vous sentez aucune disposition particulière pour la profession qu'il exerce et que vous aimeriez travailler dans un tout autre domaine.
3. Est-ce que la bureaucratie vous irrite souvent? Avez-vous eu des expériences désagréables avec l'aspect bureaucratique de notre société? Racontez.

4. Étudiez l'annonce publicitaire ci-dessous. Est-ce qu'il s'agit d'une demande ou d'une offre d'emploi? Quelles sont les caractéristiques des candidats? Imitez cette annonce en proposant vos services aux entreprises et aux services publics de votre région.

OFFREZ-VOUS UN ÉNARQUE

Nous sommes 25.

Nous avons entre 24 et 35 ans.

Nous sortons de l'ENA au mois de mai.

Nous ne voulons pas limiter notre choix à la fonction publique.

Tous, nous avons acquis à l'ENA un solide esprit d'organisation, une bonne maîtrise des techniques de gestion et une expérience concrète de la décision.

Chacun de nous a également reçu une formation antérieure dans des écoles à vocation générale (IEP), scientifique (X, Centrale, TPE) ou commerciale (HEC, ESSEC).

ENTREPRISES OU COLLECTIVITÉS LOCALES, SI VOUS RECHERCHEZ DES HOMMES ET DES FEMMES PRÊTS À RÉUSSIR AVEC VOUS, CONTACTEZ-NOUS.

ECRIRE SOUS N° 3.126 *LE MONDE* PUB., SERVICE ANNONCES CLASSÉES,
5, RUE DES ITALIENS, 75009 PARIS.

la gestion management

L'économie de la France

France clearly belongs in the middle range of "advanced industrial states". In 1982, for example, it accounted for 7.5% of the combined output of the capitalist industrial powers that make up the Organization of Economic Cooperation and Development (OECD), as compared with 6.5% for Great Britain, 9% for West Germany, 14.8% for Japan and 38.5% for the United States. Though the range of its performance varies, the French economy is highly competitive in certain sectors.

France is the world's third agricultural power (after the United States and the USSR) and the second largest exporter of food and agricultural products. France is also the world's third nuclear power—far behind the two superpowers in military capabilities, but ahead of both in the share of energy needs derived from nuclear reactors. French technology occupies a leading position in fields such as armaments and transportation equipment, but lags behind Japan and the United States in the development of robots, computers and microprocessors.

In practice, economic goals and political considerations can seldom be divorced, especially in a country like France where the government's share of the industrial sector has grown in recent years. Indeed, large sectors of the

French economy, whether public or private, depend to some degree on direct or indirect government subsidies.

When the Socialist administration took office in 1981, many anticipated catastrophe. In fact, the economy did not fall apart, but neither did the recovery predicted by the Left materialize. Unemployment remained high despite the introduction of early retirement schemes and the extension of paid vacations from four to five weeks. France's growing indebtedness and the weakness of her currency (or, to look at it another way, the soaring of the US dollar) obviously impeded economic recovery.

The wisdom of expanding the nationalized sector has been questioned, even within the Socialist Party[c]. To prevent social unrest at a time when unemployment was soaring, nationalization kept alive antiquated and doomed industries such as coal mining. Such nationalization was a burden on the economy and it did not solve the unemployment problem. Since 1983, there has been a complete change of attitude. The privatization of a big investment bank like Paribas or of a television channel like TF1 received wide media coverage and aroused great interest. The Mitterrand[c] administration, switching gradually from what critics labeled an antibusiness bias, has in fact taken to extolling the virtues of hard work, entrepreneurship, and productivity found in the private sector. Yet such qualities are unevenly distributed in the French business world. Many firms are still family-owned and run according to obsolete, no-risk principles.

Recently, however, a new breed of managers dedicated to new methods and techniques has emerged, ensuring the success of their firms and meeting the challenges of international competition. It is significant that a man like Bernard Tapie, who made a fortune by creating new firms or buying old ones on the verge of bankruptcy, has the status of a national hero. Creating their own business has become the dream of thousands of men and women. Young people in their twenties show a keen sense of entrepreneurship and business savvy, whereas only a few years ago they would have characterized businessmen as being interested only in profits.

Chef d'entreprise° à vingt ans

«Les études m'avaient semblé trop théoriques» nous dit Thomas, diplômé de Sciences-Po.[1] «Du concret, je voulais du concret. Faire des choses tangibles, réelles. Et surtout être mon propre patron.° Je ne supportais° pas l'idée d'obéir; je suis trop indépendant pour cela.» Tous les jeunes chefs d'entreprise justifient
5 leur décision avec les mêmes arguments.

le chef d'entreprise entrepreneur / **le patron** = *le chef* / **supportais** = *tolérais*

[1]Sciences Po = L'Institut des Sciences Politiques : établissement d'enseignement supérieur qui prépare surtout aux professions dans l'Administration.

...Dure, dure est la vie de ces jeunes patrons. Ils travaillent entre dix et quatorze heures par jour, sept jours sur sept, et ne prennent jamais de vacances. Ils semblent heureux pourtant : «Les gens de notre âge ont une vie plate° et unie»,° explique l'un d'entre eux. «Nous, nous vivons pleinement, à 100 à l'heure,° en
10 risquant tout tous les jours. Ce stress, cette vie intense, riche d'émotions, j'en ai besoin.»
　Ils sont de plus en plus nombreux à choisir cette voie. En 1981, on comptait 150 000 immatriculations° d'entreprises nouvelles en France.
　En 1986, 210 000 dont 40 000 créées par des jeunes de dix-huit à vingt-cinq
15 ans. L'image de l'entreprise s'est considérablement améliorée : 3 millions de personnes, soit 12% de la population active,° déclarent avoir un projet d'entreprise. Parmi ceux-ci, un quart ont moins de vingt-cinq ans et 40% sont des femmes. Il est vrai que l'investissement financier de départ est à la portée de° davantage de bourses.° Le capital-plancher° légal d'une création d'entreprise en
20 SARL° est de 50 000 francs : une somme que l'on peut trouver, même à vingt ans, et un risque limité.
　À la base de toute création d'entreprise, on trouve une passion et le goût du jeu. Le chef d'entreprise fait souvent de son hobby son métier. Christophe, à

plate = *ennuyeuse* / **uni** = *uniforme* / **100 à l'heure** = *100 km à l'heure, très vite* /
l'immatriculation *f* registration / **active** = *qui travaille* / **est à la portée de** = *est accessible à* /
davantage de bourses more pocketbooks / **le capital-plancher** = *le capital minimal* / **la SARL**
= *la Société à Responsabilité Limitée*

vingt ans, est créateur de l'agence Microgolf, une société chargée de concevoir
25 et de réaliser des parcours de golf.° Il raconte : «Alors que j'étais encore tout
gamin,° mon père m'emmenait jouer au golf le week-end. Il adorait ça et, dès
onze ans, le virus m'a saisi.° J'ai toujours voulu faire coïncider ma vie
professionnelle et ma passion. Lorsque, avec une amie d'école, nous avons
décidé de monter° notre entreprise, il ne pouvait être question° de faire autre
30 chose que du golf.»

Quant à Julien, vingt ans, qui vient de monter, avec des amis plus âgés,
dont° son ancien professeur de mathématiques, une société de logiciels,° Hyphéa
Informatique, il travaille dans l'informatique° depuis 1981 : il avait alors 14 ans.
«Plus qu'un hobby, l'informatique a toujours été ma passion, je ne m'imagine pas
35 faire autre chose que cela.»

L'enthousiasme n'est pas le seul facteur déclenchant.° Une autre motivation
importante est de «faire un truc° avec les copains». Les jeunes créateurs sont
rarement des solitaires; ils se lancent en général à deux ou à trois. François, vingt-
six ans, un des trois associés de Play Bac, une nouvelle entreprise de jeux de
40 société,° explique : «Jérôme et moi avions des activités sportives communes,
tennis, course,° natation.° C'est en nous entraînant° pour un marathon et en
parlant du succès mondial du jeu *Trivial Pursuit* que l'idée nous est venue de
l'imiter. Nous nous sommes réunis en secret tous les jeudis soirs pendant quinze
mois pour mettre le jeu au point.° Personne ne connaissait nos projets. Ni nos
45 parents, ni nos amies : nous nous sentions l'âme de conspirateurs,° c'était sympa.°
Le fond de l'affaire,° c'est que c'est super° de bosser° avec des copains, de réaliser
des choses ensemble».

«Une association entre amis», voilà comment Sophie, vingt-trois ans, cofonda-
trice° de Café Couette° qualifie sa jeune société de location° de chambres chez
50 l'habitant,° à la manière des *Bed and Breakfast* britanniques. «Seule, je n'y serais
jamais parvenue.° Il faut être au moins deux; d'abord, ça évite le découragement,
la tentation de laisser tomber.° Et puis, nous nous complétons : l'une est pleine
d'idées mais pas très rigoureuse, l'autre est réaliste et réfléchi.°»

Et puis, comme le dit Alexandre : «Quand on n'a pas fait d'études,° il n'y a
55 pas trente-six moyens° pour réussir dans la vie. Il faut fonder sa propre ‹boîte°›.
Mais quelle satisfaction de gagner, quand les professeurs vous ont répété toute

---

le parcours de golf golf course / **le gamin** = *l'enfant* / **le virus m'a saisi** the virus (or bug)
got me / **monter** = *ici, créer* / **il ne pouvait être question** it couldn't be a question /
dont including / **le logiciel** software / **l'informatique** *f* computer science / **déclenchant**
= *déterminant* / **faire un truc** *(fam)* = *faire quelque chose* / **le jeu de société** parlor game / **la
course** running / **la natation** swimming / **s'entraîner** to train / **mettre au point** =
perfectionner / **nous nous sentions l'âme de conspirateurs** = *nous avions l'impression d'être des
conspirateurs* / **sympa** *(fam)* = *sympathique* / **le fond de l'affaire** fundamentally / **super**
(fam) = *formidable* / **bosser** *(fam)* = *travailler* / **la cofondatrice** cofounder / **la
couette** quilt / **la location** rental / **chez l'habitant** in private homes / **je n'y serais jamais
parvenue** = *je n'y aurais jamais réussi* / **laisser tomber** = *abandonner l'entreprise* /
réfléchi serious / **on n'a pas fait d'études** = *on n'est pas allé à l'université* / **36 moyens** =
d'autre façon / **la boîte** *(fam)* = *entreprise, société*

votre enfance que vous étiez nul et archinul° et que vous ne feriez jamais rien dans l'existence.»

60 Les diplômés des grandes écoles sont rares parmi les jeunes créateurs d'entreprise. Dans leurs modes de pensée, il reste plus valorisant° de s'intégrer à° une très grosse entreprise avec l'espoir d'y faire une carrière brillante. De plus, les exigences financières° des élèves des grandes écoles° ne s'accommodent guère° des salaires de début, souvent dérisoires,° que s'octroient° les jeunes PDG° qui sacrifient tout à la «boîte». «Pendant un an ou deux, être payé au SMIC°, merci,
65 très peu pour moi», nous dit un jeune centralien.°

Pourtant, selon les sondages, plus du tiers des étudiants voudraient créer leur entreprise. Les valeurs libérales à la mode—indépendance, individualisme, responsabilité—ont gagné le monde estudiantin.° Fini l'entreprise, comme symbole de la lutte des classes : celle-ci est devenue le lieu° privilégié de la réussite°
70 et de la création. La crise de l'emploi n'y est pas étrangère : quel meilleur moyen de trouver un «bon job» que de le fabriquer soi-même?

Liliane Delwasse, *Le Monde de l'éducation*

Qu'en pensez-vous?

Êtes-vous d'accord ou non avec les déclarations suivantes? Justifiez votre réponse.

1. Les jeunes chefs d'entreprise comme Thomas se sont lancés dans les affaires parce qu'ils voulaient être leur propre patron.
2. Ces jeunes patrons se disent satisfaits de la vie intense et stressante qu'ils mènent.
3. On crée de plus en plus d'entreprises en France.
4. Les nouveaux patrons sont en général des hommes d'âge moyen qui veulent se recycler dans un autre domaine.
5. Pour créer une entreprise, il faut un capital-plancher important que l'on peut rarement obtenir à vingt ans.
6. Certains chefs d'entreprise ont réussi à faire coïncider leur vie professionnelle et leur passion.
7. Julien s'intéresse à l'informatique depuis 14 ans.
8. Les jeunes créateurs sont souvent des solitaires asociaux.
9. François a mis au point son premier jeu de société en collaborant secrètement et joyeusement avec des copains.
10. Café Couette est la version française des *Bed and Breakfast* anglais.
11. Sophie pense que, quand on se lance dans les affaires, il faut être au moins deux pour se soutenir moralement et élargir ses propres compétences.

---

nul et archinul = *mauvais et très mauvais* / **il reste plus valorisant** = *c'est mieux de* / **s'intégrer à** = *e faire partie de* / **les exigences financières** *f* financial demands / **ne s'accommodent guère de** = are not at all satisifed / **dérisoires** = *insignifiants* / **s'octroient (s'octroyer)** = *se donnent* / **le PDG** = *le Président-Directeur Général* (Chief Executive Officer) / **le SMIC°** = *le salaire minimum interprofessionnel de croissance* / **le centralien** = *ancien élève de l'École Centrale (une des grandes écoles d'ingénieurs)* / **estudiantin** = *des étudiants* / **le lieu** = *l'endroit* / **la réussite** = *le succès* / **n'y est pas étrangère** is not unrelated

12. Fonder sa propre boîte, c'est la seule solution pour réussir dans la vie quand on n'a pas fait d'études.
13. Les créateurs d'entreprise ont été, en général, d'excellents élèves, encouragés par leurs professeurs.
14. Les diplômés des grandes écoles deviennent souvent des créateurs d'entreprises.
15. Les étudiants français ne se sentent pas du tout attirés par le monde des affaires.
16. C'est paradoxalement sous un gouvernement socialiste que l'image de l'entreprise s'est améliorée.
17. D'une certaine façon, la crise de l'emploi favorise la création d'entreprises.

Nouveau contexte

Complétez le passage suivant à l'aide des expressions ci-dessous qui vous sont donnés par ordre alphabétique.

Noms : boîte *f,* encouragement *m,* goût *m,* informatique *f,* logiciel *m,* PDG *m,* projet *m*
Verbes : accommode, concilier, ont conçu, a fondé, ont gagné, a... risqué, supportait
Adjectifs : déclenchant, dérisoire, indépendant, nul, tangibles

La saga d'Olivier

Olivier a toujours été mal à l'aise dans l'abstraction. Il avait besoin de faire des choses _____ 1. À l'école, ça ne marchait pas. Il ne _____ 2 pas la discipline et l'autorité; il était trop _____ 3 pour cela. Ses profs de maths lui avaient répété qu'il était _____ 4 et il le croyait.

Pourtant, il avait le _____ 5 du jeu et l' _____ 6 l'intéressait. Il passait des heures devant l'ordinateur familial. Avec d'autres copains, il_____ 7 un club informatique pour parler des jeux vidéo qu'ils utilisaient. C'est là qu'ils _____ 8 leur propre _____ 9. Ils étaient tellement passionnés par ce _____ 10 qu'ils n'en dormaient pas la nuit et qu'ils travaillaient 7 jours sur 7. Olivier, très sûr de lui, a réussi à présenter leur projet au Salon de l'Informatique et, miracle, ils _____ 11 le Grand Prix du logiciel étudiant d'un montant de 20 000 francs! Cela a été le facteur _____ 12. Grâce à cet _____ 13, ils se sont lancés dans les affaires et ont créé leur propre _____ 14 : Luditech. Maintenant Olivier peut _____ 15 sa passion et sa vie professionnelle. Il est fier d'être _____ 16 à 22 ans. Bien qu'il touche un salaire _____ 17, il s'en _____ 18. Il _____ 19 tout _____ 19 mais c'est le genre de vie, intense et riche d'émotions, qui lui plaît.

Vocabulaire satellite

le **monde des affaires** business world

se **lancer dans les affaires** to go into business

la **P.M.E.** small and medium-sized firm

la **P.M.I.** small and medium-sized industry

l' **industriel** *m* industrialist

la **gestion des affaires** business administration, management

l' **esprit** *m* **d'entreprise** entrepreneurship

s' **établir à son compte** to become
  self-employed
faire un stage to do an internship
la **concurrence** competition
lancer un nouveau produit to
  launch a new product
se **recycler** to retrain oneself

poser sa candidature to apply for
  a job
faire faillite to go bankrupt
être licencié,e to be laid off
performant performing well
la **technologie de pointe** advanced
  technology

Pratique de la langue

1. Vous voulez créer votre propre entreprise avec des copains. Dans quels secteurs vous orienterez-vous (les services, la communication, etc.)? Quel type de produit ou de service voulez-vous lancer sur le marché? Pourquoi? Quel public voulez-vous toucher? Comment allez-vous organiser votre société? Travaillez en groupe et présentez votre projet à la classe.

2. L'entreprise que vous venez de créer marche bien et vous avez besoin de recruter du personnel.
   a. Établissez le profil des personnes que vous recherchez et élaborez des annonces d'offres d'emploi sur le modèle ci-dessous.
   b. Interviewez les candidat(e)s que vous avez sélectionné(e)s.

EUROPHONE

Jeune PMI en pleine expansion
spécialisée en TÉLÉPHONIE PRIVÉE
recherche

JEUNE COLLABORATEUR
commercial (H ou F)

La personne retenue aura une grande autonomie. Basée dans l'une des capitales régionales de l'Est de la France, elle aura pour secteur Nord-Pas-de-Calais, Alsace. Formation technique Bac + 2 souhaitée. Une première expérience de deux à trois ans ainsi qu'une certaine aisance dans les contacts de haut niveau seront déterminantes. Envoyer CV et photo sous réf. 11/608 à

L'EXPRESS 14, rue Pergolèse
75116 Paris

qui transmettra

la téléphonie telephone company

Claude léger *plats cuisinés allégés*

recrute son

DIRECTEUR COMMERCIAL

- Formation type ESSEC / Sup. de Co. ou poste similaire réussi.

- Expérience positive de 5 ans minimum en Grande Distribution, Centrales et G.M.S.

Fonction : responsabilité totale du marketing de la vente et de l'équipe commerciale.

Poste basé à Paris.

Rémunération très motivante avec participation aux résultats.

Adresser dossier de candidature à : Claude LEGER
Service du Personnel 32, rue Saint-Hélier 35000 Rennes

les plats cuisinés allégés prepared diet cuisine

3. Improvisez la situation suivante : L'entreprise que vous avez créée, il y a un an, a des difficultés financières à cause de la concurrence d'une société rivale. Organisez une réunion avec les responsables des différents services pour parler de l'avenir de la société et des mesures à prendre. Votre entreprise peut être, par exemple, une agence de mannequins, un service traiteur (*catering*), un service de réparation plomberie d'urgence (*emergency plumbing repair service*), etc.

Sujets de discussion ou de composition

1. Quelle est la durée idéale du mandat présidentiel (7 ans comme en France, 4 ans comme aux États-Unis)?
2. Que pensez-vous de cette assertion : Les nouveaux entrepreneurs sont les héros de notre époque?
3. Vous voulez aller faire un stage en France. Écrivez une lettre à la banque ou à l'entreprise dans laquelle vous aimeriez travailler pour vous présenter et poser votre candidature. N'oubliez pas de joindre votre curriculum vitae.

Images de la France

Les Français vus par les Français

This chapter dealing with images of France will focus on three issues: 1) the views of some Frenchmen about themselves; 2) French fashion; 3) French cuisine.

L'extrait suivant constitue le premier chapitre d'un livre intitulé «Les Français vus par les Français»,—autoportrait donc—élaboré de la façon suivante. Douze personnes de 30 à 35 ans choisies au hasard° parmi les cadres° de l'industrie et du commerce et les professions libérales ont été réunies pendant deux journées autour d'un animateur° pour discuter de la France et du tempérament français. Le but final de ces réunions était «utilitaire». On demandait au groupe de chercher à résoudre le problème suivant : comment faire pour que les Français réussissent à mieux vendre leurs produits et à améliorer° leur image à l'étranger.

À la première réunion, la question posée était : «Quelles sont les premières choses qui vous viennent à l'esprit° à propos des Français?»

Les premières choses qui vous viennent à l'esprit...

Vous voici campé° devant le miroir et, au premier coup d'œil,° que discernez°-vous?

Pour commencer, vous êtes *supérieur.* Cette supériorité est de droit.° Elle est
assise° sur un héritage historique et culturel (de Gaulle,ᶜ la Révolution,° le savoir°
5 français), sur un palmarès° technique et industriel (Bouygues, Renault, Dassault, le Concorde, le France¹) et sur la paternité française des grandes valeurs universelles (la liberté, les droits de l'homme°).

Cette supériorité se relie° à l'image que vous avez de vous-même en tant que
guerrier° : vous possédez la bombe,° vous avez les armes, vous êtes prêt à ressortir°
10 l'uniforme de l'armée....

---

au hasard at random / **l'animateur** *m* discussion leader / **améliorer** to improve / **l'esprit**
m mind / **campé** = *placé* / **au premier coup d'oeil** at first glance / **discerner** = *remarquer,*
noter / **de droit** = *indiscutable, évident* / **elle est assise** it rests / **la Révolution** = *la*
Révolution de 1789 / **le savoir** = *la culture* / **le palmarès** honors list / **les droits** *m* **de**
l'homme human rights / **se relie** is linked / **le guerrier** warrior / **la bombe** = *la bombe*
atomique / **ressortir** to dig up

¹Francis Bouygues   industriel français (travaux publics); Renault   marque
d'automobile, 1er constructeur français, 6ᵉ rang mondial; Marcel Dassault   industriel
français (avions, armements); Le Concorde   avion supersonique; Le France   gros
bateau qui transportait des passagers, n'est plus en service.

Le Concorde

L'avantage que vous donne cette supériorité héréditaire, c'est que vous pouvez
vous installer dedans° et vous sentir bien dans votre peau,° bien dans votre vie
où vous jouissez de° tout ce qu'il vous faut : la bouffe,° le vin, les animaux
domestiques, les petites femmes, le béret et le litron,° votre accent et vos congés
15 payés,° vos pantoufles° et vos idées toutes faites,° le P.M.U.,ᶜ le pastis.°... *Casanier,*°
vous chérissez votre terroir,° qui est aussi votre basse-cour° (vous êtes le coq°...).
Chauvinisme et racisme accompagnent ce sentiment aigu° d'appartenance.
Vous êtes suffisant,° et comment ne le seriez-vous pas, vu que° vous vous suffisez
à vous-même? Quel besoin avez-vous des autres ou de vous transposer ailleurs°?
20 Vous êtes satisfait d'être comme vous êtes et où vous êtes.

Se rattachant à° votre supériorité, et constituant un de ses fondements,° est
votre côté *rationnel*, votre capacité pour l'abstrait aussi bien que votre talent pour
la précision. Rien jusqu'à présent, dans cette vision, qui ne soit° homogène.
Supérieur, guerrier, casanier et rationnel forment un seul et même massif° qu'on

---

s'installer dedans to settle in it / **vous sentir bien dans votre peau** to feel comfortable /
jouir de to enjoy / **la bouffe** *(fam) la nourriture* / **le litron** *(fam) = le litre de vin ordinaire* /
les congés payés *m* (5 weeks of) paid holidays (a year) / **les pantoufles** *f* slippers / **les idées
toutes faites** set ideas / **le pastis** anise-flavored aperitif / **casanier** homebody / **le terroir**
= *le pays* / **la basse-cour** farmyard / **le coq** = *animal qui symbolise la France* / **aigu** =
extrême / **suffisant** very sure of oneself, cocky / **vu que** = *puisque* / **ailleurs** elsewhere /
se rattachant à linked to / **le fondement** = *la base* / **rien qui ne soit** nothing which is / **le
massif** = *ici, le côté*

25 pourrait appeler le «masculin français». Mais vous vous représentez aussi comme
    frivole : doué de° fantaisie, porté sur° la galanterie,° sensible à° l'esthétique des
    choses, voire même° à leur superficialité. Là se dessinent les traits° d'un «féminin
    français» qui fait contraste avec les thèmes précédents. La représentation que
    vous vous faites de vous-même est androgyne.°
30   Maintenant examinons non plus les Français en général, mais le Français en
    particulier, vous.... Comment vous voyez-vous?
        ...On vous retrouve *la bouche en avant*—râleur,° gueulard,° bâfreur° (y a° qu'en
    France qu'on mange°) et beau parleur°—comme on vous retrouve *supérieur* : fier
    de votre pays, le plus beau, jouant un rôle dans le monde, capable de grands
35 desseins.° Mais dans la façon dont vous revendiquez° cette supériorité, l'on dis-
    cerne une ambivalence. À la fois vous y croyez et vous n'y croyez pas : on a été
    une grande nation mais on s'est endormi sur ses lauriers°...
        ...De nouveaux éléments de relief° ont surgi° :
        Vous êtes *possesseur* : vous avez la maladie de la pierre,° et notez-vous drôle-
40 ment, «un côté or°». Vous accumulez, vous conservez, détenez,° épargnez.°...La

*Le coq comme symbole
de la France*

doué de = *capable de* / **porté sur** prone to / **la galanterie** = *la politesse (surtout envers les
femmes)* / **sensible à** sensitive to / **voire même** = *et aussi* / **les traits** *m* = *les caractéristiques
f* / **androgyne** = *qui appartient aux deux sexes* / **râleur** *(fam)* = *qui n'est jamais content* /
gueulard *(fam)* = *qui parle beaucoup et très fort* / **bâfreur** *(fam)* = *qui mange avec excès* / **y a** *(fam)*
= *il n'y a* / **qu'on mange** = *qu'on mange bien* / **beau parleur** = *qui parle facilement, qui séduit en
parlant* / **le dessein** = *le projet* / **revendiquer** = *insister sur* / **s'endormir sur ses lauriers** to
rest on one's laurels / **les éléments** *m* **de relief** *m* = *les éléments distinctifs* / **surgi** = *apparu
soudainement* / **la maladie de la pierre** = *le besoin presque pathologique de posséder des pierres (une
maison)* / **un côté or** = *désir d'accumuler des pièces d'or* / **détenir** = *garder* / **épargner** to save

vulgarité de l'argent fait qu'on le met de côté plutôt qu'on ne le brasse° ou qu'on ne le laisse circuler et fructifier librement. Quiconque° amasse craint pour ses biens,° d'où votre instinct grégaire.° Dans un troupeau° on se sent protégé. Vous réclamez° que l'autorité fasse œuvre de police,° tout en vous reconnaissant

45 individualiste, indiscipliné, contradicteur : ici apparaît le thème *frondeur*°—le Français veut et ne veut pas être gouverné.

Il existe une différence, en revanche, entre frondeur et *démerdard.*° Ce dernier trait renvoie à un goût et à une aptitude pour un mode marginal de production. Pas de système mais le Système D.° Vous vous tirez d'affaire° plutôt que vous ne

50 faites des affaires,° et cela veut dire que vous agissez° dans votre coin, comme vous l'entendez° et de la façon qui vous est propre, à l'écart° des autres ou contre les autres, plutôt qu'avec les autres et en vous pliant° à une règle commune.

Tous ces traits renforcent et enrichissent le massif du masculin français. L'autre massif, celui du féminin français, n'en est pas moins présent dans le paysage°

55 puisque vous vous affirmez *raffiné-jouisseur*°—élément qui fait de vous le champion du savoir-vivre.° Vous êtes original, civilisé et versatile; vous pensez culturel, vous n'avez pas de pétrole° mais des idées. Et puis vous êtes touche-à-tout° et tout vous chatouille.°

Enfin, vous êtes *ouvert....* Ce qui veut dire franc, spontané, accueillant,° hospi-

60 talier....

Guy Nevers, *Les Français vus par les Français*

Qu'en pensez-vous?

Êtes-vous d'accord ou non avec les déclarations suivantes? Justifiez votre réponse.

1. Les Français se sentent supérieurs parce qu'ils ont un passé glorieux.
2. Le France et le Concorde sont des hôtels très connus à Paris.
3. La France possède la bombe atomique.
4. Les Français sont de grands voyageurs.
5. Le lion est l'animal qui symbolise la France.
6. Le côté rationnel et le goût pour l'abstraction caractérisent l'aspect féminin du caractère français.

---

brasser de l'argent = *manipuler de l'argent* / **quiconque** whoever / **ses biens** = *sa propriété* / **grégaire** = *sociable* / **le troupeau** herd / **réclamer** = *insister* / **faire œuvre de police** = *instaurer l'ordre* / **frondeur** = *qui critique tout le temps* / **démerdard** *(fam)* who can manage for himself / **le système D** unorthodox method to get out of difficulties (D stands for **se débrouiller** to shift for oneself) / **se tirer d'affaires** = *se débrouiller* / **faire des affaires** to do business / **agir** to act / **comme vous l'entendez** = *comme vous le voulez* / **à l'écart** = *loin* / **se plier à** = *obéir à* / **le paysage** landscape / **raffiné-jouisseur** = *qui aime le plaisir et les choses raffinées* / **le savoir-vivre** = *l'art de vivre* / **le pétrole** oil / **être touche-à-tout** = *s'intéresser à tout* / **chatouiller** to tickle / **accueillant** cordial

7. Le Français est de tempérament timide et n'aime pas critiquer.
8. Les Français pensent que la France n'est plus une très grande nation et qu'elle s'est un peu endormie sur ses lauriers.
9. Les Français sont de grands commerçants qui aiment dépenser et investir leur argent.
10. Le Français est frondeur parce qu'il aime l'autorité.
11. Utiliser le système D veut dire aimer l'ordre, la discipline et respecter les règles.
12. Les Français sont un peuple mélancolique et austère.
13. D'une façon générale, les Français valorisent tout ce qui est culturel.

Nouveau contexte

Complétez le passage suivant à l'aide des mots et expressions ci-dessous qui vous sont donnés par ordre alphabétique.

Noms : beaux parleurs *m*, Concorde *m*, congés payés *m*, idées toutes faites
Verbes et expressions verbales : brasser de l'argent, crains, épargnent, se plier à des règles
Adjectifs : accueillant, bons vivants, casanier, chauvin, hospitaliers, portés sur, râleur

Jason, qui est américain, parle de la famille française avec laquelle il vit en ce moment :
      «Comment te décrire la famille Pelot chez qui j'habite en ce moment? On m'avait dit que les Français n'étaient pas _____*1* et étaient assez froids vis-à-vis des étrangers. J'ai de la chance car (*for*), depuis mon arrivée, tout le monde a été très _____*2* avec moi. Les Pelot sont très fiers de leur pays. Ils m'ont beaucoup parlé des réalisations technologiques de la France, comme le _____*3* et le T.G.V., et des avantages sociaux dont bénéficient les Français, comme les cinq semaines de _____*4* par an. Ils me posent de nombreuses questions sur les États-Unis et sont quelquefois surpris de mes réponses parce qu'ils ont beaucoup d' _____*5* sur mon pays. C'est normal, ils n'ont presque pas voyagé. En fait, Monsieur Pelot est très _____*6*. Il se trouve bien chez lui et n'a pas envie d'aller voir autre part.
      Marc Pelot, son fils, a le même âge que moi. Il n'est pas du tout discipliné, a horreur de _____*7* et il est le champion du Système D. Il n'est pas aussi _____*8* que son père. Tout ce qui vient de l'étranger l'intéresse. Il veut voyager et se lancer dans les affaires. Il a l'esprit d'entreprise, pas comme ses parents qui ont peur de _____*9* et qui, je présume, _____*10* encore des pièces d'or qu'ils mettent dans un bas de laine (*woolen sock*) sous leur lit!
      Les Pelot sont gais, _____*11* et heureux de vivre. Ils sont très _____*12* la nourriture et adorent passer des heures à table. Pendant les repas tout le monde discute et parle à la fois. Ils sont tous _____*13* et j'ai du mal à placer un mot dans la conversation. Quand on discute de politique, M. Pelot devient critique et _____*14*. Marc aime beaucoup le contredire et quelquefois je _____*15* qu'ils ne se fâchent. Mais on m'a dit que les Français aimaient discuter avec passion, alors il faut que je m'y habitue...»

Vocabulaire satellite

la **patrie** motherland
la **liberté** freedom
le **peuple** people, nation
  être chauvin,e to be
    superpatriotic
  fier (fière) de proud
la **fierté nationale** national pride
le **chauvinisme** chauvinism,
    superpatriotism
  **comparer quelque chose à autre
    chose** to compare something to
    something else
  **discuter avec quelqu'un de
    quelque chose** to argue with
    someone about something
  critiquer to criticize
  porter un jugement sur to give
    an opinion on
  apprécier quelque chose to enjoy
    something
la **façon, la manière** way

une **façon de** a way of
l' **habitude** *f* habit
  être mal à l'aise to be ill at ease,
    uncomfortable
  avoir le mal du pays to be
    homesick
se **passer de** to do without
  manquer to miss
  faire une excursion to go on a
    short trip, on a tour
  faire un voyage to go on a trip
  amical friendly
  accueillant hospitable, cordial
  bavard talkative
  silencieux silent
  discipliné disciplined
  indiscipliné unruly
  intellectuel intellectual
  artiste *(adjectif)* artistic
  créateur, -trice creative

Pratique de la langue

1. Quelles sont les premières choses qui vous viennent à l'esprit à propos des Français? Faites une liste d'adjectifs, de noms et de verbes.
2. Travaillez en groupe et trouvez dix objets qui, à votre avis, représentent le mieux la France. Comparez et analysez vos résultats avec ceux des autres groupes. Faites le même travail sur les États-Unis et recherchez dix objets que vous considérez comme étant les plus représentatifs.
3. Improvisez les situations suivantes :
   a. Deux étrangers qui étudient en France se retrouvent dans un café. L'un a le mal du pays et beaucoup de choses familières lui manquent. L'autre, au contraire, est très content de son séjour qui lui a permis de mieux connaître la France et aussi de porter un jugement différent sur son pays. Imaginez leur discussion.
   b. Expliquez le tempérament et le comportement des Français à un homme d'affaires américain qui veut implanter une entreprise en France.
4. Aimeriez-vous vivre à l'étranger? Pourquoi? Pourquoi pas? Quel pays choisiriez-vous? Combien de temps voudriez-vous y rester? Iriez-vous en touriste? dans un but professionnel? humanitaire? etc....

Test

Testez votre connaissance de la France. Dites si les propositions ci-dessous sont vraies ou fausses, et donnez la bonne réponse si c'est nécessaire.

V   F   1. La France va entrer dans le Marché Commun en 1999.

V   F   2. La religion musulmane est la deuxième religion en France par le nombre de pratiquants.

V   F   3. Les Français ont droit à 5 semaines de congés payés par an.

V   F   4. Le T.G.V. est un avion supersonique.

V   F   5. Il y a beaucoup d'accidents de voitures en France.

V   F   6. Le plat national est le bifteck frites.

V   F   7. Il n'existe que des chaînes de télévision nationales.

V   F   8. Le parti communiste a de plus en plus de membres.

V   F   9. On entend beaucoup de chansons en anglais à la radio française.

V   F   10. Le cinéma en France a toujours été considéré comme un art.

V   F   11. Les Gauloises bleues sont des cigarettes.

V   F   12. Les femmes ne sont pas admises à courir le Tour de France.

V   F   13. Les Français sont de grands consommateurs d'eau minérale.

V   F   14. Le fromage se sert avant le dessert.

V   F   15. Le service militaire obligatoire existe toujours pour les hommes.

V   F   16. L'énergie nucléaire est très importante en France.

V   F   17. Le Français est la troisième langue internationale utilisée aux Nations Unies.

Réponses : 1. F ; 2. V ; 3. V ; 4. F ; 5. V ; 6. V ; 7. F ; 8. F ; 9. V ; 10. V ; 11. V ; 12. F ; 13. V ; 14. V ; 15. V ; 16. V ; 17. V

Mode et haute couture

La mode, c'est ce qui se démode.°
—Coco Chanel

There is no question that *la haute couture* (high fashion) caters to an exclusive clientele of wealthy women, movie stars, and crowned heads, and that most people will never set foot in a true *maison de couture*. Nonetheless, those prestigious *couturiers*—Dior, Lanvin, Nina Ricci, Pierre Cardin, Givenchy, Balmain, Ungaro, Courrèges, Guy Laroche, Yves Saint-Laurent, Christian Lacroix—not only establish fashions which the rest of the world ultimately adopts, but also have a real impact on the culture of our time (while also contributing to a healthy balance of trade for the French economy).

Traditionally presented twice a year in the famous *défilés* (showings), Paris fashions are conceived in an atmosphere of tremendous excitement and utmost secrecy. On these occasions, limousines of elegant customers line the curbs of the Faubourg Saint-Honoré or the Place Vendôme area, where the otherwise discreet *maisons de couture* are located. In a matter of weeks or even days, the outstanding features of the original designs are reproduced in the *prêt-à-porter* (ready to wear)—first in luxury versions and then, much later, in popularized, mass-produced copies.

French designers, eager to get their share of this commercial bonanza, have lately expanded their fashions for men and for a less exclusive female clientele by opening their own boutiques. These establishments sell clothes that, although not true originals, nevertheless carry their designers' prestigious labels while following a more practical style. Yves Saint-Laurent revolutionized the traditional world of *couture* in the 1970s by systematically marketing his own products, including a line of accessories bearing his name. His purpose was to attract younger customers by creating a line of stylish clothes appealing to their taste, and he promoted these clothes in his "Yves Saint-Laurent/Rive Gauche" boutique in the heart of the *Quartier Latin*. His example was followed by other designers, so that today the practice of putting designer labels on items ranging from ties to hand luggage is widespread in the fashion industry.

But *la mode* is not the exclusive concern of jet-setters and trendy buyers: we are all affected by it because its language has infiltrated our world. "Why does fashion talk about clothes at such length?" asks essayist Roland Barthes. "Why does it interject between the object and its users such a wealth of words (to say nothing of images), such a loom of meanings? The reason is, as we know, economic. Being of a calculating nature, industrial societies are condemned to breed consumers who will not calculate. If both the producers and the buyers of clothes shared an identical consciousness, clothing would

se démoder = *n'être plus à la mode*

Coco Chanel

be bought (and produced) only at the slow pace of its wear. . . . The commercial roots of our collective image-system (dominated by fashion, far beyond the realm of clothing) should therefore not be a mystery to anyone...What is remarkable about this image-system, organized around the goal of desire, is that its substance is essentially in the mind: it is not the object but the name which triggers desire; it is not the dream but the meaning which causes the sale."[1]

The relationship between a social phenomenon and the inventiveness of an individual designer is best illustrated by Chanel. Gabrielle ("Coco") Chanel[2] (1883–1971), precursor of the modern woman, designed clothes that gave women freedom of movement at a time when most of them were still in corsets and frilly dresses. With a style inspired by men's clothing, yet fluid and supple, Chanel created a line of feminine outfits which still stand at the top of fashion today. Now almost a generic term, *"un Chanel"* has been used for over fifty years to designate a tailored suit of high-quality flannel or tweed, with a waist-length, collarless jacket generally trimmed with silk braid. And of course her perfume—the famous Chanel No. 5, the financial backbone of her empire—has for years been, to most foreigners, the epitome of French perfume.

[1]*Système de la mode*, pp. 9–10
[2]As a child, she was nicknamed "Coco" by her father. She was also called "la grande Mademoiselle" because of her great sense of chic and her personality.

La notoriété de Chanel était telle que, de son vivant,° sa biographie devait servir de sujet à un «Broadway musical». Chanel visitait fréquemment les États-Unis car les femmes américaines, plus émancipées que les Européennes, sur ce point, avaient tout de suite adopté ses vêtements. Elle fut l'amie des plus grands créateurs de son époque : Picasso, Stravinsky, Diaghilev, Dali, Cocteau, etc. Son style était sobre, fonctionnel, intelligent avec une pointe d'ironie. On retrouve ces qualités dans sa façon d'écrire qui ne manque pas, elle non plus, d'élégance.

Elle disait...

Je suis contre une mode qui ne dure° pas. C'est mon côté masculin. Je ne peux envisager que l'on jette ses vêtements parce que c'est le printemps.

Je n'aime que les vieux vêtements. Je ne sors jamais avec une robe neuve. J'ai trop peur que quelque chose craque.°

5   Les vieux vêtements sont de vieux amis.

J'aime les vêtements comme les livres, pour les toucher, pour les tripoter.°

Les femmes veulent changer. Elles se trompent. Moi je suis pour le bonheur. Le bonheur ça n'est pas de changer.

L'élégance ne consiste pas à mettre une robe neuve. On est élégant parce qu'on

10 est élégant, la robe neuve n'y fait rien.° On peut être élégant avec une jupe et un tricot°[1] bien choisis. Ce serait malheureux s'il fallait s'habiller chez Chanel pour être élégant. Et tellement limité!

Autrefois, chaque maison de couture avait son style. J'ai fait le mien. Je ne peux pas en sortir.

15 Je ne peux pas me mettre sur le dos° quelque chose que je ne fabriquerais pas. Et je ne fabriquerais rien que je ne puisse mettre sur mon dos.

Il n'y a plus de mode. On la faisait pour quelques centaines de personnes. Je fais un style pour le monde entier. On voit dans les magasins : «style Chanel». On ne voit rien de pareil pour les autres.

20 Je suis l'esclave de mon style.

Chanel ne se démode pas. Un style ne se démode pas aussi longtemps qu'il s'adapte à son époque. Lorsqu'il y a incompatibilité entre la mode et un certain état d'esprit, ce n'est jamais la mode qui gagne.

Je me trouve très limitée dans ce que je fais. Donc il faut que ce soit soigné,°

25 que l'étoffe° soit belle. Autant que possible, il faut que je montre un peu de goût et que je ne change pas trop. On dirait que je ne fais plus mes robes.

---

de son vivant = *pendant sa vie* / **durer** to last / **craquer** to split at the seams / **tripoter** to finger, to handle / **n'y fait rien** has nothing to do with it / **le tricot** sweater / **me mettre sur le dos** = *porter (un vêtement)* / **soigné** = *fait avec soin, très bien fait* / **l'étoffe** *f* fabric

[1]C'est Chanel qui a lancé la mode des pull-overs perlés *(beaded)* dans les années 50.

Qu'est-ce que ça veut dire, une mode jeune? Que l'on s'habille en° petite fille? Je ne connais rien qui vieillisse davantage.

La nouveauté! On ne peut pas faire tout le temps de la nouveauté. Je veux
30 faire classique. J'ai un sac que l'on vend régulièrement. On me pousse à en lancer un autre. Pourquoi? J'ai le même depuis vingt ans, je le connais, je sais où placer mon argent et le reste.

En matière de° mode aussi, il n'y a que les imbéciles qui ne changent pas d'avis. La couleur? Celle qui vous va.
35   Pour être irremplaçable, il faut rester différente.

Rien n'est laid° du moment que° c'est vivant. Des femmes me disent : «J'ai des jambes un peu grosses... » Je leur demande : «Elles vous portent°? C'est l'essentiel. Les jambes vous portent, on ne les porte pas. N'y pensez plus, ce n'est pas cela qui rend heureux.»

Marcel Haedrich, *Coco Chanel secrète*

Qu'en pensez-vous?

Êtes-vous d'accord ou non avec les déclarations suivantes? Justifiez votre réponse.

1. Chanel aimait le côté éphémère de la mode.
2. Elle portait une robe neuve chaque fois qu'elle sortait.
3. Elle entretenait avec ses vêtements des rapports affectifs.
4. On ne peut pas être élégant(e) si on ne s'habille pas chez un grand couturier.
5. Le style «Chanel» est connu dans le monde entier.
6. La mode reflète l'état d'esprit d'une époque.
7. Coco Chanel ne faisait pas très attention aux étoffes qu'elle employait.
8. Il n'y a rien qui vieillisse plus que de s'habiller en petite fille quand on en a passé l'âge.
9. Chanel essayait de renouveler constamment son style.
10. Elle écoutait les conseils qu'on lui donnait pour lancer de nouveaux accessoires.
11. Chanel pensait que, pour être heureux, il fallait se sentir bien dans sa peau et s'accepter tel que l'on est.
12. Dans ce passage, elle fait preuve de bon sens, d'humour et d'optimisme.

Nouveau contexte

Complétez le passage suivant à l'aide des mots et expressions ci-dessous qui vous sont donnés par ordre alphabétique.

Noms : collection *f*, élégance *f*, étoffes *f*, goût *m*, jupes *f*, maisons de couture *f*, nouveauté *f*, robes *f*, vêtements *m*
Verbes et expressions verbales : s'adapter à, m'allait, se démodent, dure, me mettre sur le dos, rendent, toucher
Adjectifs : irremplaçables, soigné, vivants

---

en = *comme une* / **en matière de** = *en ce qui concerne* / **laid** = *pas beau* / **du moment que** as long as / **porter** to carry

La mode, les modes? Voyons ce qu'en pense une jeune créatrice de mode :

«Je m'intéresse à la mode depuis toujours. Quand j'étais petite j'adorais _____ _1_ les vieilles _____ _2_ de ma grand-mère. J'aimais les _____ _3_, les tripoter. Je savais instinctivement ce qui _____ _4_. Je changeais de _____ _5_ plusieurs fois par jour, pour le plaisir.

Mes parents avaient une boutique de prêt-à-porter et des relations dans les _____ _6_. C'est grâce à eux que je suis entrée chez Chanel comme apprentie. J'avais 17 ans. Là, j'ai appris à construire un vêtement dans ses grandes lignes et, d'une manière générale, les bases du métier. Je lui dois beaucoup. Son style classique et _____ _7_, son _____ _8_ très sûr, son sens inné de l' _____ _9_ m'ont beaucoup influencée.

Ensuite, comme j'avais surtout envie de dessiner et de créer des modèles, je suis entrée chez Chloé en présentant un dossier, surtout des petites robes noires, des _____ _10_ et des tricots : ce qui constitue les pièces _____ _11_ de la garde-robe (*wardrobe*) de chaque femme. On a montré ma première _____ _12_ cet automne. Elle se veut classique parce que je n'aime pas les vêtements spectaculaires qui _____ _13_ tout de suite. Je préfère travailler pour les clientes qui savent reconnaître les belles _____ _14_ et une bonne coupe.

J'aime les vêtements _____ _15_ qui bougent sur le corps et qui vous _____ _16_ heureux. Faire toujours de la _____ _17_, c'est bien difficile. Je suis pour une mode qui _____ _18_ plusieurs années mais qui sait aussi _____ _19_ l'air du temps.»

Vocabulaire satellite

la **haute couture** high fashion
le **couturier** fashion designer
le **créateur**, la **créatrice de mode** stylist
le **prêt-à-porter** ready-made clothes
le **mannequin** fashion model
porter des vêtements to wear clothes
être à la mode to be fashionable, to follow fashion
dans le vent very up-to-date, "in"
essayer des vêtements to try on clothes
la **cabine d'essayage** fitting room
ce qui me (vous) va what fits me (you), what looks good on me (you)
bien (mal) habillé,e well (poorly) dressed

négligé carelessly done, unkempt
le **tailleur** (woman's) suit
le **chemisier** blouse
la **jupe** skirt
le **collant** tights
le **costume trois-pièces** (man's) three-piece suit
la **veste** jacket
le **pantalon** trousers
la **cravate** tie
le **nœud-papillon** bow-tie
la **taille** size
la **pointure** shoe size
le **Marché aux Puces** flea market
les **vêtements** *m* **d'occasion** second-hand clothes
en solde on sale

Pratique de la langue

1. Quelle est votre attitude vis-à-vis de la mode? La suivez-vous de près? Dites pourquoi ou pourquoi pas. Est-il vraiment possible de ne pas suivre la mode?

2. Faites une enquête dans la classe pour connaître les types de vêtements qui sont à la mode en ce moment sur le campus de votre université. Quelle est la signification de ces différents styles? Reflètent-ils la personnalité ou l'absence de personnalité de ceux qui les portent? Indiquent-ils l'appartenance à un groupe particulier?

3. La femme d'affaires américaine est souvent représentée en tailleur assez strict et chemisier à cravate : vêtements neutres qui indiquent le professionnalisme et le sens des responsabilités. Pensez-vous qu'elle soit obligée d'adopter ce style pour être prise au sérieux dans un monde où domine l'idéologie masculine?

4. Que pensez-vous de la mode masculine? La trouvez-vous originale, trop limitée, trop fantaisiste, raisonnable, conventionnelle, triste, etc... ? Que proposeriez-vous pour la changer?

5. Improvisez les dialogues suivants :

   a. Une vendeuse dans une boutique à la mode essaie de convaincre une cliente, conservatrice et peu sûre d'elle, d'acheter une robe très à la mode et excentrique.

   b. Deux étudiant(e)s qui partagent la même chambre à l'université ont des goûts très différents pour s'habiller. L'un(e) aime les vieux vêtements d'occasion achetés aux Puces. L'autre est à la pointe de la mode. Ils(elles) essaient de se persuader mutuellement de changer de «look» et d'adopter un autre style.

6. Transformez la classe en boutique de troc (*barter*). Faites des échanges de vêtements, chaussures, chapeaux, accessoires, etc... entre vous. Essayez de marchander (*to bargain*).

Boulangerie

Cuisine et gastronomie

Dis-moi ce que tu manges, je te dirai qui tu es.
—Brillat-Savarin

Despite its worldwide reputation, French cooking as practiced outside its
native habitat represents only a segment of the whole range of French culinary
experience. "True" French cooking, many Frenchmen insist, can be savored
only in a French home. But then, French family fare varies enormously, not
only between rich and poor households but also, and far more significantly,
from one region to another: there is virtually no similarity between the home
cooking in Alsace, Normandy, Provence, or Périgord except that each is, in its
own way, delectable.

   And what about "French cuisine" as practiced in hundreds of high-priced
restaurants from Oslo to Hong Kong, not to mention France itself? It too, of
course, is "French"—more French, in a sense, than any local or family
specialty, because it represents the distillation of techniques and recipes
accumulated over generations by specialists. Much of it, however, has become

standardized only since the nineteenth century, and was developed for a rarefied clientele of wealthy patrons, including a glittering international assortment of leisured aristocrats bent on experiencing *la vie parisienne* in the grand manner.

The traditions of *la haute* (or *grande*) *cuisine* go back to the Ancien Régime and were handed down through generations of prestigious chefs such as Vatel (d. 1671), Carême (1784–1833), and Escoffier (1847–1935). But today, despite the survival of traditional *haute cuisine*, it would be impossible to identify any particular style as the quintessence of French gastronomy. There was a time when the glory of French cuisine was associated with the infinite variety of its complex and sophisticated sauces, each developed to accompany a specific preparation of meat, fish, poultry, or vegetables. Nowadays, however, the fashionable advocates of *la nouvelle cuisine* recoil from such elaborate traditions, developing in their place a new style of sophisticated simplicity based on the idea that "less is more".

One tradition that has remained virtually intact, however, is the typically French view that any culinary style worthy of the name warrants analysis, criticism, or celebration in that unique French genre : the literature of gastronomy. At the root of this phenomenon is the fact that food—or rather the ways of preparing it—is an ever popular subject of discussion, whether among connoisseurs (of whom, it is said, France numbers fifty million!), or within the more select circle of professional gastronomes. From Brillat-Savarin (1755–1826) to Raymond Oliver, the former owner of France's oldest first-class restaurant Le Grand Véfour, talking or writing about food, wine, and cooking in France has been an exercise as specialized as literary criticism.

If cuisine merits intellectual discussion, it follows that its most distinguished practitioners are not seen merely as businessmen (which, strictly speaking, they are) but as creative artists deserving of national recognition. Already in the days of Louis XV the order of the Cordon Bleu was awarded to the best cooks. Today they may receive the Légion d'Honneur[c]; in 1975 Paul Bocuse, one of the pioneers of *la nouvelle cuisine*, received that honor from the hand of the President of the Republic himself.

The masters of *la nouvelle cuisine* staged their quiet revolution by shifting emphasis from what accompanies or seasons the food to the foods themselves. Chefs such as Bocuse, Michel Guérard, the brothers Troisgros, Raymond Thuillier, and many others have settled away from Paris, often in small out-of-the-way towns, in order to have access to abundant garden vegetables, fresh fish, or poultry in their natural environment. Their cuisine aims at rediscovering the unadulterated taste of food and borrows some of its techniques from the Orient. They also cater to the modern diner's preoccupation with fitness and calories, hence the name of *cuisine minceur*, a common synonym for *nouvelle cuisine*.

Perhaps one of the most characteristic features of French cooking is the way in which the food is consumed. In France, breakfast does not count; only the *déjeuner* and the *dîner* or *souper* call for refinement, substance, and creativity. The traditional structure of these meals includes at least three courses—five for a *dîner*, seven or more for a *souper fin* or a banquet. The menu of a meal will usually include an *hors-d'oeuvre*[1] or a soup, an *entrée*[2] (often a seafood), a *plat de résistance* (meat course), *fromages*, and *entremets* or *dessert*. Salad, if served at all, will come after the main course.

Courses are supposed to contrast in taste, appearance, and consistency according to a certain dialectic whose guiding rules are found in innumerable *livres de cuisine* or *livres de recettes*. "Never serve red meat twice during the same meal" recommends Mapie de Toulouse-Lautrec,[3] "nor two dishes with pastry: quiches, tartes, bouchées (*flaky pastry shells filled with meat or fish*)".

Needless to say, gastronomy requires that appropriate wines complement a fine meal. The art of matching food and wines is not as mysterious as it sometimes appears to foreigners, but it does have some rules, and demands at the very least a knowledge of basic types of wine. As Raymond Oliver observes: "A proper education in both subjects (food and wine) can greatly enhance the pleasures they have to offer, and even prove a revelation."

---

[1]In France, *hors-d'oeuvre* are light dishes served at the start of the meal. What Americans call hors d'oeuvres are small appetizers served with *apéritifs*; these are called *amuse-gueule* in France.

[2]*Entrée* in France does not mean a main course, as it does in the United States, but a course that precedes the meat course. In many average French restaurants entrées now appear only in the *menus gastronomiques* or must be ordered *à la carte*.

[3]A member of the same aristocratic family that produced the famous painter, she is the author of several cookbooks intended for the modern housewife.

Peut-on éduquer le goût avec de l'encre° et du papier? Peut-on l'expliquer? C'est un
peu ce que tente Jean-François Revel dans un essai sur la sensibilité gastronomique de
l'Antiquité à nos jours dont on trouvera ci-dessous des extraits.

Il est à noter que Revel est surtout connu comme ancien rédacteur en chef de
L'Express *et comme auteur d'essais politiques (dont plusieurs ont été traduits en*
anglais), ce qui ne l'empêche pas, en bon Français qu'il est, d'aimer la cuisine et de
trouver plaisir à en parler.

Parlons cuisine

La cuisine procède de deux sources : une source populaire et une source savante,°
celle-ci nécessairement située dans les classes riches de toutes les époques. Il existe
au fil de° l'histoire une cuisine paysanne (ou marinière°) et une cuisine de cour°;
une cuisine plébéienne et une cuisine familiale exécutée par la mère de famille—
5 ou l'humble cuisinière domestique—et une cuisine de professionnels que seuls
des chefs, entièrement voués° à la pratique, ont le temps et la science d'exécuter.

La première cuisine a pour elle d'être liée au terroir,° d'exploiter les produits
des régions et des saisons, en étroit accord° avec la nature. Elle repose sur un
savoir-faire ancestral, transmis par les voies° inconscientes de l'imitation et de
10 l'habitude, et elle applique des procédès de cuisson° patiemment mis à l'épreuve°
et associés à certains instruments et récipients de cuisine bien fixés par la tradition.
C'est de cette cuisine qu'on peut dire qu'elle ne voyage pas. La seconde cuisine,
la cuisine savante, repose, elle, sur l'invention, le renouvellement, l'expérimenta-
tion. Nous voyons se produire, de l'Antiquité à nos jours, en Europe et ailleurs,
15 un certain nombre de révolutions gastronomiques, dont les deux plus importantes, du moins pour la cuisine européenne, ont eu lieu, l'une au début du
XVIIIème siècle, l'autre au début du XIXème. Nous voyons même que certaines
d'entre elles représentent, sans qu'on le sache parfois, un retour en arrière° :
c'est ainsi que l'alliance du salé° et du sucré, de la viande et du fruit (canard aux
20 pêches, etc.) qui passe depuis quelques années pour un signe d'excentricité dans
quelques restaurants, était la règle au Moyen Age et jusqu'à la fin du XVIIème
siècle : presque toutes les recettes° de viande y comportent° du sucre. Mais si la
cuisine savante, elle, innove, crée, imagine, elle risque parfois de tomber dans la
complication inutile, dans un baroque° dangereux, ce qui incite les amateurs à
25 revenir périodiquement à la cuisine de terroir. J'ajoute qu'un chef qui perd tout
contact avec la cuisine populaire réussit rarement à combiner quelque chose de

---

l'encre *f* ink / **savant** professional / **au fil de** throughout the course of / **marinier**
(adj) seafood / **de cour** of the court / **voué** dedicated / **liée au terroir** linked to the
soil / **en étroit accord** in close relationship / **la voie** way / **le procédé de cuisson** cooking
procedure / **mis à l'épreuve** tested / **le retour en arrière** = *le retour au passé* / **le salé** =
avec du sel / **la recette** recipe / **comporter** to include / **le baroque** = *style compliqué, bizarre*

vraiment fin, et c'est d'ailleurs un fait frappant° que la grande cuisine savante surgit° principalement dans les pays où il existe déjà une cuisine traditionnelle savoureuse et variée, qui lui sert comme de socle.°... J'ai voulu indiquer par ces
30 observations que la grande cuisine n'est pas seulement une cuisine de privilégiés. Les peuples riches, les classes riches ne sont pas obligatoirement ceux où l'on mange le mieux...

La cuisine «bourgeoise°» a été codifiée en de nombreux traités,° et retient la solidité et les arômes° de la cuisine paysanne tout en y introduisant la nervosité°
35 et la «race» de la haute gastronomie, par exemple dans les sauces. Si la cuisine régionale et paysanne a des qualités de fond° et de sérieux qui permettent de la comparer au cheval de trait et de labour,° si la haute gastronomie a les vertus élégantes et la fragilité du pur-sang,° la cuisine bourgeoise est ce que les éleveurs° de chevaux appellent un demi-sang : elle trotte mais ne galope pas.... La cuisine
40 bourgeoise n'exclut pas l'invention—contrairement à la cuisine strictement tradi- tionnelle qui se transmet avec la fixité° d'un patrimoine° génétique. Tout «cordon- bleu» introduit volontiers dans une recette ses variantes personnelles, et chacun de nous a vu dans les familles ces livres de «cuisine bourgeoise» truffés de feuillets manuscrits° un peu jaunis, précieux témoignages d'un enseignement oral venu
45 d'une aïeule,° ou petit secret supplémentaire de trouvaille récente.° L'histoire de la gastronomie est précisément une suite° d'échanges, de conflits et de réconcilia- tions entre cuisine courante et art de la cuisine. L'art est création personnelle, mais cette création est impossible sans une base artisanale.°

Jean-François Revel, Un Festin en paroles

Qu'en pensez-vous?

Êtes-vous d'accord ou non avec les déclarations suivantes? Justifiez votre réponse.

1. Il y a toujours eu, côte à côte, deux types de cuisine, l'une populaire, l'autre savante.
2. Les mères de famille font de la haute cuisine quotidiennement (*on a daily basis*).
3. La cuisine courante n'utilise pas les mêmes produits selon les saisons et les régions.
4. Les recettes de cuisine familiale sont transmises dans des cours de cuisine.
5. La cuisine populaire se renouvelle sans cesse.
6. Il y a eu plusieurs révolutions gastronomiques.
7. Certains chefs professionnels mélangent maintenant le salé et le sucré, ce qui constitue un phenomène nouveau.
8. Dans la grande cuisine, il peut être dangereux d'innover à l'excès et de perdre le contact avec la cuisine populaire.

---

un fait frappant a striking fact / **surgir** to emerge / **comme de socle** as a foundation / **la cuisine «bourgeoise»** middle-class family cooking / **le traité** treatise / **l'arôme** *m* flavor / **la nervosité** zest / **la qualité de fond** basic quality / **le cheval de trait...de labour** workhorse, plow horse / **le pur-sang** thoroughbred / **l'éleveur** *m* breeder / **la fixité** consistency / **le patrimoine** heritage / **truffés de feuillets manuscrits** crammed with scribbled sheets / **une aïeule** = *une grand-mère* / **de trouvaille récente** of recent find / **la suite** = *la série* / **une base artisanale** a knowledge of basic skills

9. Il existe rarement une cuisine savante dans les pays où il n'y a pas déjà une cuisine traditionnelle réputée.
10. Ce sont les peuples riches qui mangent le mieux.
11. La cuisine bourgeoise se situe entre la cuisine courante et la grande cuisine.
12. On peut introduire des variantes personnelles et improviser avec les recettes de cuisine bourgeoise.
13. La cuisine est un art qui se développe à partir d'une base artisanale.

Nouveau contexte

Complétez le passage suivant à l'aide des mots et expressions ci-dessous qui vous sont donnés par ordre alphabétique.

Noms : cordon bleu *m*, cuisinière *f*, cuisson *f*, habitude *f*, imitation *f*, produits *m*, recette *f*, salé *m*, savoir-faire *m*, trouvailles *f*
Verbe : innover
Adjectifs : familiale, fine, paysanne, savoureux

Comment avez-vous appris à faire la cuisine? C'est la question que nous avons posée à un jeune restaurateur qui vient d'ouvrir «Le bistro de la gare», devenu en peu de temps un rendez-vous parisien très sympathique.

«Je ne sais pas trop, c'est une tradition *de famille* __1__. J'ai appris par *imitation* __2__. On m'a transmis cette science, ce *savoir-faire* __3__, et j'en ai fait mon métier.

Ma grand-mère était une excellente *cuisinière* __4__. Je me souviens avec délices des plats *savoureux* __5__ et variés qu'elle préparait en utilisant les *produits* __6__ de son jardin ou les ressources du marché local. Elle faisait surtout une cuisine simple et *fine* __7__. Elle était incapable d'écrire une *recette* __8__ avec précision ou de donner le temps exact de *cuisson* __9__. Elle faisait ça par *habitude* __10__. Quelquefois, quand il lui manquait un ingrédient, elle introduisait autre chose et c'était toujours délicieux.

Ma mère était un vrai __11__. Elle faisait une cuisine plus __12__, plus savante surtout pour les jours de fête et les anniversaires. Elle aimait créer, __13__, faire des mélanges inattendus, allier le sucré et le __14__. Quand c'était réussi, elle était très fière de ses __15__.

Alors, voilà, je continue à cuisiner, je perpétue cet héritage, par plaisir surtout!»

Vocabulaire satellite

la **nourriture** food
les **crudités** *f* raw vegetables served as hors d'oeuvres
le **pâté** pâté
le **poisson** fish (la **sole**, le **cabillaud** sole, fresh cod)
les **crustacés** *m* shellfish (les **moules** *f*, les **huîtres** *f* mussels, oysters)

la **viande** meat (le **bœuf**, le **porc**, le **mouton**, le **veau** beef, pork, mutton, veal)
les **légumes** *m* vegetables (les **épinards** *m*, les **haricots verts** *m* spinach, green beans)
la **crème caramel** caramel custard
la **tarte aux pommes** apple pie

la **casserole**   saucepan
la **cocotte**   casserole
le **moule**   mold
la **poêle**   frying-pan
le **four**   oven
le **plat**   dish, course (of meal)
　cuisiner, faire cuire   to cook
　faire de la pâtisserie   to bake
　mélanger   to mix
　ajouter   to add
　assaisonner   to season

se **régaler (de)**   to feast (on)
les **aliments frais** *m*   fresh food
les **conserves** *f*   canned food
les **surgelés**   frozen food
　être au régime   to be on a diet
le **menu**   menu; combination of dishes making up a full meal
l' **addition** *f*   bill, check (in a restaurant or café)
le **pourboire**   tip

Pratique de la langue

1. Dans ce texte, l'auteur emploie des mots différents pour désigner la cuisine populaire et la cuisine savante. Trouvez au moins quatre synonymes pour chaque catégorie.
2. Quels récipients de cuisine (la casserole, la cocotte, le moule, la poêle) utilise-t-on pour :

—faire une tarte
—faire chauffer de la soupe
—faire une quiche
—faire cuire des œufs au plat
—faire un pot-au-feu (de la viande et des légumes)
—faire cuire un bifteck
—faire cuire des spaghettis

3. Sachez expliquer à la classe comment faire chauffer le poisson à la Bordelaise surgelé dans un four traditionnel et dans un four à micro-ondes *(microwave)*.

Poisson à la
Bordelaise *surgelé*

Des filets de cabillaud sans arête°, nappés°d'une sauce persillée°, légèrement citronnée et parsemée de chapelure°pour bien gratiner au four.

PRÉPARATION

Pour cette recette, nous vous conseillons la préparation au four traditionnel qui donne un meilleur résultat.

Au four traditionnel.
● Préchauffez votre four à 250°C (th. 8)°pendant environ 15 minutes.
● Retirez le couvercle de la barquette°et placez-la encore gelée°sur une plaque°à mi-hauteur du four.
● Laissez cuire 30 à 35 minutes à 250°C.

Au four à micro-ondes.
● Retirez le produit encore gelé de la barquette et déposez-le dans un plat (non métallique) adapté au micro-ondes. Couvrez. Faites cuire 10 minutes environ sur puissance maximum. Passez ensuite le plat découvert 2 minutes sous le gril d'un four traditionnel.

l'arête *f* fish bone / **nappés** covered with / **persillée** with parsley / **parsemée de chapelure** sprinkled with bread crumbs / **th. 8** thermostat 8 / **le couvercle de la barquette** the lid of the tray / **gelée** frozen / **la plaque** oven rack

4. Mangez-vous beaucoup de produits surgelés ou préférez-vous acheter des produits frais? Dans quelles circonstances achetez-vous les uns ou les autres?
5. Aimez-vous faire la cuisine? Quels plats aimez-vous préparer? Communiquez à la classe votre recette favorite.
6. Les amateurs de la nouvelle cuisine pensent que pour faire de la bonne cuisine il faut aller le matin au marché et, d'après ce que l'on y a trouvé, établir son menu. En suivant ces préceptes, établissez un menu d'été.
7. Quels régimes conseilleriez-vous à :
   a. la mère d'un enfant de deux ans très difficile qui n'aime rien
   b. une adolescente qui a tendance à grossir
   c. un(e) étudiant(e) pendant la période des examens
   d. un(e) grand(e) sportif (sportive)
8. Imaginez que vous êtes garçon ou serveuse dans un restaurant français. Improvisez des dialogues avec les clients suivants :
   a. Une dame un peu grosse qui est au régime
   b. Un(e) végétarien(ne) qui se méfie de tous les aliments traités avec des produits chimiques
   c. Un(e) étudiant(e) qui a peur de ne pas avoir assez d'argent pour payer l'addition
   d. Un jeune homme qui cherche à impressionner la jeune fille qu'il a invitée à dîner.

Sujets de discussion ou de composition

1. Écrivez une carte postale à un(e) de vos ami(e)s à l'occasion d'un voyage en France. Mentionnez des détails sur la nourriture, la mode et le tempérament français en général.
2. «Les vieux vêtements sont de vieux amis». Vous avez 80 ans, dans une malle (*trunk*) vous retrouvez des vêtements des saisons passées. Qu'est-ce qu'ils vous disent?
3. À débattre : Êtes-vous d'accord avec cette réflexion d'Yves Saint-Laurent : «La femme devient belle là où l'artifice (*wiles*) commence.»[1]
4. Une silhouette, un vêtement, un air de musique dessinent une époque avec ses obsessions et ses fantasmes. Comment représenteriez-vous le temps présent sur une affiche, par exemple? Quelle silhouette, quel vêtement, etc. choisiriez-vous?
5. Paul Bocuse dans l'introduction d'un de ses livres, *La Cuisine du marché*, écrivait : «On ne cuisine bien qu'avec amour, dans la mesure où il s'agit par-dessus tout d'instaurer (*to set up*) autour d'une table l'amitié et la fraternité entre les hommes.» Pensez-vous que ce soit encore possible dans notre société de gens pressés?
6. Écrivez un court article pour un magazine spécialisé (comme *Le Magazine des Gourmets*) décrivant un repas (délicieux ou très mauvais) dans un restaurant de votre choix.

[1]Citée par Theodore Zeldin, dans *Les Français*, chap. 18, p. 293.

La francophonie

«*Si vous voulez me faire plaisir, présentez-moi comme un artisan de la francophonie.*»

François Mitterrand, président de la République

Le monde francophone

Today the total population of those countries where French is spoken daily numbers over 200 million. The French-speaking area in Western Europe includes portions of Belgium, Luxembourg, and Switzerland. The expansion of the French language overseas resulted from imperial adventures pursued over four centuries. Scattered remnants of France's once vast colonial empire still survive: French Guiana in South America; Martinique and Guadeloupe in the Caribbean; Saint-Pierre-et-Miquelon off Canada; Réunion in the Indian Ocean; Tahiti and New Caledonia in the Pacific. In addition, French continues to be spoken in many other countries that ceased to be French as far back as the eighteenth century (Canada) or as recently as the 1970s (the Comoro Islands).[1]

France's modern colonial empire was acquired between 1830, when France invaded Algeria, and the end of World War I. It came to an end between 1941, when Syria and Lebanon were promised independence, and 1962, when French rule ended in Algeria. The decolonization process was sometimes violent—as in Indochina and Algeria—but often resulted from a peaceful negotiated settlement. All the former French territories in sub-Saharan Africa have maintained close economic and cultural ties with France. Most of them still belong to the currency zone of the franc.

To a greater or lesser extent, France followed a policy of assimilation in its overseas possessions. Before their nations won independence, the presidents of several African states—Senghor of Senegal, Houphouët-Boigny of the Ivory Coast, Sékou Touré of Guinea—were members of the French National Assembly[c]. Education was usually conducted in French at all levels; a hand-picked elite was systematically sent to France to complete its education.

A small number of overseas possessions and a number of former dependencies are incorporated into the French Republic as overseas departments in much the same way as Hawaii and Alaska became the forty-ninth and fiftieth states of the Union. There are five such *départements d'outre-mer*[c] : Martinique, Guadeloupe, French Guiana in the Caribbean basin, Saint-Pierre-et-Miquelon in the North Atlantic, and the Indian Ocean island of La Réunion. Their inhabitants are French citizens, and they vote in legislative and presidential elections just like other Frenchmen.

[1]For the use of French throughout the world, see the map on pp. 146–147.

The French presence in the Caribbean dates back to the seventeenth century—Martinique came under French control in 1635—and has left many traces. Haiti fought a successful revolution against France and became independent in 1804, but remains a French-speaking state today. The majority of the population of the overseas departments are of non-European stock; most are of African descent, but those in Guiana include Amerindians, and those of La Réunion absorbed immigrants from almost every land bordering on the Indian Ocean. As a result, each of these territories has developed a distinctive but decidedly hybrid culture. In Martinique and Guadeloupe, for example, standard French has long been the official language, but it exists side by side with Créole, which includes obsolete and distorted French words along with African words and syntax. Créole is also the folk idiom of Haiti and even survives in a number of West Indian islands that have long ceased to be French. In recent years, its use has been advocated by some as a vehicle for the affirmation of cultural autonomy.

The French West Indies have produced their share of politicians, civil servants, scholars, and artists. Several artists—among them Aimé Césaire, the poet and politician who first coined the word *négritude*, and Frantz Fanon— have achieved worldwide celebrity.

Born in 1925 at Fort-de-France, Martinique, Frantz Fanon was trained as a physician and psychiatrist. His first book, *Peau noire, masques blancs*, was published in 1952. Assigned to a hospital in Algeria, Fanon soon became a sympathizer, then an active participant, in the Algerian liberation struggle. *Les Damnés de la Terre* (*The Wretched of the Earth*), which has been called "the Bible of Third World revolutionaries," first appeared in 1961, one year before Fanon's death at the age of thirty-seven.

In *Peau noire, masques blancs*, from which the following excerpt is taken, Fanon analyzes the plight of the "peripheral Frenchman." He writes with corrosive irony and a colorful, vigorous style.

Gloire et ignominie du débarqué°

Le Noir qui entre en France change parce que pour lui la métropole° représente le Tabernacle°; il change non seulement parce que c'est de là que lui sont venus Montesquieu, Rousseau et Voltaire, mais parce que c'est de là que lui viennent les médecins, les chefs de service,° les innombrables petits potentats—depuis le
5   sergent-chef° «quinze ans de service» jusqu'au gendarme originaire de Panissières.° Il y a une sorte d'envoûtement à distance,° et celui qui part dans une

---

le débarqué the returnee / **la métropole** mother country; here, France / **le Tabernacle** the holy of holies / **le chef de service** department head / **le sergent-chef** master sergeant / **originaire de Panissières** from Panissières (a small town in central France) / **un envoûtement à distance** a long-distance spell

1. l'Algérie
2. les Antilles
   (la Guadeloupe,
   la Martinique,
   Saint Martin)
3. la Belgique
4. le Bénin
5. le Cambodge, le Laos, le Viêtnam

6. le Cameroun
7. le Canada (le Québec,
   les Provinces Maritimes)
8. les Comores
9. le Congo
10. la Corse
11. la Côte-d'Ivoire
12. Djibouti

13. les États-Unis
    (la Louisiane,
    la Nouvelle Angleterre)
14. la France
15. le Gabon
16. la Guinée
17. la Guyane
18. Haïti

19. la Haute-Volta
20. le Luxembourg
21. la République Malgache
22. le Mali
23. le Maroc
24. l'Île Maurice
25. la Mauritanie
26. le Niger

27. la Nouvelle-Calédonie
28. la Polynésie
29. la République Centrafricaine
30. la Réunion
31. Saint-Pierre-et-Miquelon
32. le Sénégal
33. les Seychelles
34. la Suisse

35. le Tchad
36. le Togo
37. la Tunisie
38. Wallis et Futuna
39. le Zaïre

semaine à destination de la métropole crée autour de lui un cercle magique où
les mots Paris, Marseille, la Sorbonne, Pigalle représentent les clés de voûte.° Il
part et l'amputation de son être° disparaît à mesure que le profil du paquebot
10 se précise.° Il lit sa puissance, sa mutation, dans les yeux de ceux qui l'ont
accompagné.°

Maintenant que nous l'avons conduit au port, laissons-le voguer,° nous le
retrouverons. Pour l'instant, allons à la rencontre de l'un d'entre eux qui revient.
Le «débarqué», dès son premier contact, s'affirme°; il ne répond qu'en français
15 et souvent ne comprend plus le créole. À ce propos, le folklore nous fournit une
illustration. Après quelques mois passés en France, un paysan retourne près des
siens.° Apercevant un instrument aratoire,° il interroge son père, vieux campagnard à-qui-on-ne-la-fait-pas° : «Comment s'appelle cet engin°?» Pour toute réponse, son père le lui lâche sur les pieds,° et l'amnésie disparaît. Singulière
20 thérapeutique.

Voici donc un débarqué. Il n'entend plus° le patois,° parle de l'Opéra, qu'il n'a
peut-être aperçu que de loin, mais surtout adopte une attitude critique à l'égard
de ses compatriotes. En présence du moindre événement, il se comporte° en
original.° Il est celui qui sait. Il se révèle par son langage. À la Savane,° où se
25 réunissent les jeunes gens de Fort-de-France, le spectacle est significatif : la
parole° est tout de suite donnée au débarqué. Dès la sortie du lycée et des écoles,
ils se réunissent sur la Savane. Il paraît qu'il y a une poésie de cette Savane.
Imaginez un espace de deux cents mètres de long sur quarante de large, limité
latéralement par des tamariniers vermoulus,° en haut l'immense monument aux
30 morts, la patrie reconnaissante à ses enfants, en bas, le Central-Hôtel; un espace
de pavés inégaux,° des cailloux° qui roulent sous les pieds, et, enfermés dans tout
cela, montant et descendant, trois ou quatre cents jeunes gens qui s'accostent,° se
quittent.

—Ça va?
35 —Ça va. Et toi?
—Ça va.

Et l'on va comme ça pendant cinquante ans. Oui, cette ville est lamentablement
échouée.° Cette vie aussi.

---

la clé de voûte keystone / **l'amputation** ƒ **de son être** the truncation of his personality / **à
mesure que... se précise** as the steamer's outline comes into focus / **accompagner** to see
(someone) off / **voguer** to sail / **s'affirmer** = *montre qu'il est différent* / **près des siens** =
dans sa famille / **l'instrument** m **aratoire** farming tool / **à-qui-on-ne-la-fait-pas** not easily
taken in / **l'engin** m **device, tool** / **le lui lâche sur les pieds** drops it on his feet / **il
n'entend plus** = *il ne comprend plus* / **le patois** regional dialect / **se comporter** to behave /
en original so as to attract attention / **la Savane** (*terme antillais*) an open square / **la
parole** the chance to speak / **les tamariniers vermoulus** m decayed tamarind trees / **les
pavés inégaux** m uneven paving stones / **les cailloux** m pebbles / **s'accoster** to meet up
with each other / **lamentablement échouée** a miserable wreck

Ils se retrouvent et parlent. Et si le débarqué obtient rapidement la parole, c'est
40 qu'on l'attend.° D'abord dans la forme : la moindre faute est saisie, dépouillée,° et
en moins de quarante-huit heures tout Fort-de-France la connaît. On ne pardonne pas, à celui qui affiche° une supériorité, de faillir au devoir.° Qu'il dise,
par exemple : «Il ne m'a pas été donné de voir en France des gendarmes à
chevaux»,° et le voilà perdu. Il ne lui reste qu'une alternative : se débarrasser de
45 son parisianisme° ou mourir au pilori. Car on n'oubliera point; marié, sa femme
saura qu'elle épouse une histoire,° et ses enfants auront une anecdote à affronter
et à vaincre.°

Frantz Fanon, Peau noire, masques blancs

Qu'en pensez-vous?

Êtes-vous d'accord ou non avec les déclarations suivantes? Justifiez votre réponse.

1. Le Martiniquais qui se prépare à partir en métropole devient une autre personne.
2. Il lit sa transformation dans les yeux de ceux qui viennent lui dire au revoir.
3. Pour lui, la France représente le savoir (*knowledge*) et la puissance.
4. De nombreux fonctionnaires français travaillent dans les départements français d'outre-mer^c.
5. Quand il retrouve son pays, le débarqué a une attitude critique à l'égard de la France.
6. Il semble avoir oublié la langue et les coutumes de son pays natal.
7. Les jeunes gens qui se réunissent à la Savane ne font pas attention aux nouveaux débarqués.
8. Si le débarqué fait une faute, on lui pardonne aisément.

Nouveau contexte

Complétez le passage suivant à l'aide des mots et expressions ci-dessous qui vous sont donnés par ordre alphabétique.

Noms : débarqué *m*, être *m*, gendarme *m*, métropole *f*, paquebot *m*, parole *f*
Verbes et expressions verbales : affichait, faillir au devoir, m'affirme, me débarrasser de, voguais
Adjectifs : créoles, magiques, originaire

Tandis que je _____¹ sur le _____² qui me ramenait à Fort-de-France après un séjour de quatre ans en _____³, je pensais à ce que j'allais dire à ma famille et à mes amis. Je savais qu'il fallait que je _____⁴, que je prenne la _____⁵. Je ne voulais pas _____⁶. Après tout, j'étais le _____⁷, celui qui sait, celui que l'on attend.

c'est qu'on l'attend it is because they are waiting for him (to trip) / **dépouillé** laid bare,
exposed / **afficher** to make a show of / **faillir au devoir** to fail to live up to expectations /
à chevaux error for *à cheval* / **le parisianisme** Parisian way of speaking / **elle épouse une
histoire** she is marrying a man with a history / **vaincre** to overcome

Mais comment leur dire que je ne savais plus rien.... Tous ces mots _____<u>8</u> : Paris, Marseille, la Sorbonne, Pigalle, avaient une autre signification pour moi maintenant. Ils avaient été le cadre (*the setting*) de ma dure expérience d'exilé. J'avais l'impression d'avoir été à jamais amputé de mon _____<u>9</u>. J'avais été obligé de _____<u>10</u> mon accent et des expressions _____<u>11</u> qui m'étaient chères. J'avais adopté d'autres coutumes.

Je souriais en pensant au _____<u>12</u> de notre petit village qui nous impressionnait tant parce qu'il venait de France. Pourtant, lui aussi était _____<u>13</u> d'un petit village, pas très différent du nôtre. Il _____<u>14</u> une supériorité qui me semblait si peu justifiée maintenant.

C'est en pensant à tout cela que j'ai aperçu la côte et j'ai compris tout à coup où j'appartenais vraiment.

Vocabulaire satellite

la **patrie** homeland
la **patrie d'adoption** adopted homeland
le **Tiers-Monde** third world
un **pays en voie de développement** a developing country
un **pays industrialisé** an industrialized country
l' **impérialisme** *m* **culturel** cultural imperialism
l' **esprit** *m* **de clocher** parochialism
l' **esclavage** *m* slavery
le **sous-emploi** underemployment
la **nostalgie** nostalgia
les **Antilles** *f* the Caribbean, the West Indies
l' **Antillais,e** West Indian, person from the Caribbean
le **petit fonctionnaire** low-ranking civil servant, minor official
souffrir d'un complexe d'infériorité to suffer from an inferiority complex

manquer de confiance en soi to lack self-confidence
se **sentir étranger à** to feel alien to
s' **expatrier** to emigrate, to become an expatriate
rester au pays to stay home (in one's native land)
être économiquement sous-développé to be economically underdeveloped
être traité de (+ *epithet*) to be called a
être traité comme (+ *nom*) to be treated as
dépaysé out of one's element, not at home
déraciné uprooted
instruit educated
paternaliste paternalistic
condescendant condescending

Pratique de la langue

1. Montrez l'attitude ambivalente des Martiniquais vis-à-vis de ceux qui ont été en France. Comment se manifeste-t-elle?
2. Par des citations précises, montrez comment Fanon traite avec ironie les différents snobismes que l'on rencontre à la Martinique.

3. Donnez des extraits du journal d'un(e) jeune Martiniquais(e), la première semaine de son arrivée en France. Pour lui(elle), le pays est «exotique» et le comportement des Français surprenant et bizarre.

4. Avez-vous déjà voyagé dans un pays étranger ou dans un état très différent de l'état dans lequel vous habitez? Vous êtes-vous senti(e) dépaysé(e), déraciné(e)? Comment avez-vous réagi? (*react*)

5. Dans votre université, y a-t-il des étudiants qui viennent d'états ou de pays éloignés? Comment se comportent-ils (*behave*)? Ont-ils tendance à se regrouper ou, au contraire, essayent-ils de se mêler le plus possible aux autres?

6. Improvisez les situations suivantes :

   a. Vous venez d'obtenir une bourse (*scholarship*) pour aller étudier en France. Vos parents, très inquiets de vous voir partir si loin, vous font leurs dernières recommandations avant le départ. Vous essayez de les rassurer le mieux possible. Jouez cette scène.

   b. Imaginez une discussion entre deux habitants d'un département français d'outre-mer au sujet de leur relation vis-à-vis de la France. L'un milite dans un mouvement séparatiste et désire la décolonisation et l'indépendance. L'autre souhaite que la coopération avec la France sur le plan administratif, économique et culturel continue. Exposez clairement les arguments de chacun d'eux.

7. Décrivez sur un mode parodique, l'attitude, à votre avis snob et superficielle, d'un(e) jeune Américain(e) qui vient de passer trois ans en France et qui a adopté beaucoup de manières, d'habitudes et de façons de penser françaises.

8. Est-ce que l'Amérique de nos jours souffre d'un complexe d'infériorité vis-à-vis de l'Europe? Si oui, à quels égards? Si non, en a-t-elle jamais souffert dans le passé? Discutez.

Écrivains algériens d'expression française

After their army captured the capital city, Algiers, in 1830, the French settled in Algeria. For generations afterwards, French colonists controlled this Moslem country administratively, economically and culturally. Though they continued to maintain strong ties with France, they considered Algeria to be their country. This helps to explain the complexity of the Algerian problem of the 1950s, when Arab nationalist movements were formed to fight for independence from France. Following a brutal, hard-fought war, the repercussions of which are still felt today, independence was ultimately achieved in 1962. At great cost to themselves, the French settlers or Pieds Noirs[c] had to leave Algeria. The majority of them resettled in France, particularly in the Midi. Most of them have become integrated into French society while maintaining their own traditions and a close sense of community.

Upon attaining independence, the new Algerian government wanted to eradicate French influence at every level, and education was no longer conducted in French. Many intellectuals who had been educated in French and did not express themselves well in Arabic were confronted with the following dilemma: should they represent their own people and write in Arabic or should they continue to write for a small group in French?

Assia Djebar, born in 1936 in Algeria, is an Algerian writer who, like her compatriots Rachid Boudjedra, Mohammed Dib, Nabile Fares and Yacine Kateb, writes in French. The struggle against colonialism left its mark on these writers and constitutes a major theme in their works. They express the cultural alienation caused by this struggle, which forced them to speak two languages, one expressing the dominant culture, the other the culture of the colonists. In the following excerpt, Djebar takes up this theme as well as the alienation of women caused by their total subjugation to men.

Mon père écrit à ma mère

Ma mère, comme toutes les femmes de sa ville, ne désignait jamais mon père autrement que par le pronom personnel arabe correspondant à «lui». Ainsi, chacune de ses phrases, où le verbe, conjugué à la troisième personne du masculin singulier, ne comportait° pas de sujet nommément désigné,° se rapportait-elle°
5 naturellement à l'époux. Ce discours caractérisait toute femme mariée de quinze à soixante ans...

Très tôt, petits et grands, et plus particulièrement fillettes et femmes, puisque les conversations importantes étaient féminines, s'adaptaient à cette règle de la double omission nominale° des conjoints.°
10 Après quelques années de mariage, ma mère apprit progressivement le français. Propos° hésitants avec les épouses des collègues de mon père; ces couples pour la plupart étaient venus de France et habitaient, comme nous, le petit immeuble° réservé aux enseignants° du village.

Je ne sais exactement quand ma mère se mit à° dire : «Mon mari est venu,
15 est parti... Je demanderai à mon mari», etc... Je retrouve aisément le ton, la contrainte° de la voix maternelle. Je sens combien il a dû coûter à sa pudeur° de désigner, ainsi directement, mon père. Une écluse° s'ouvrit en elle, peut-être dans ses relations conjugales... Des années passèrent. Au fur et à mesure que° le discours maternel évoluait, l'évidence m'apparaissait à moi, fillette de dix
20 ou douze ans déjà : mes parents devant le peuple° des femmes, formaient un couple, réalité extraordinaire!

---

comporter to include / **nommément désigné** = *désigné par un nom* / **se rapportait à** = *désignait* / **nominale** = *du nom* / **les conjoints** = *le mari et la femme* / **le propos** = *la parole* / **l'immeuble** *m* apartment building / **l'enseignant,e** = *l'instituteur (l'institutrice), le professeur* / **se mit à** *(passé simple)* = *se mettre à, commencer à* / **la contrainte** restraint / **combien il a dû coûter à sa pudeur** how it must have wounded her modesty / **l'écluse** *f* floodgate / **au fur et à mesure que** as / **le peuple** = *l'ensemble*

*Souk (marché) en
Afrique du Nord*

...Un jour, mon père, au cours d'un voyage exceptionnellement lointain (d'un département à l'autre, je crois), mon père donc écrivit à ma mère—oui à ma mère! Il envoya une carte postale avec, en diagonale, de sa longue écriture
25 appliquée,° une formule brève, du genre° «meilleur souvenir de cette région lointaine», ou bien «je fais un beau voyage et je découvre une région pour moi inconnue», etc., et il ajouta, en signature, simplement son prénom.° Mais, sur la moitié de la carte réservée à l'adresse du destinataire,° il avait écrit «Madame», suivi du nom d'état civil,° avec en ajout°—mais je n'en suis pas sûre—«et ses
30 enfants», c'est-à-dire nous trois, dont moi l'aînée,° âgée de dix ans environ...
    La révolution était manifeste : mon père, de sa propre écriture, et sur une carte qui allait voyager de ville en ville, qui allait passer sous tant et tant° de regards masculins, y compris° pour finir celui du facteur° de notre village, un facteur musulman° de surcroît,° mon père donc avait osé° écrire le nom de sa

---

l'écriture appliquée painstaking handwriting / **du genre** like / **le prénom** first name / **le destinataire** addressee / **le nom d'état civil** = *le nom de famille* / **en ajout** = *en addition* / **l'aîné,e** = *le, la plus âgé(e)* / **tant et tant** so many / **y compris** including / **le facteur** mailman / **musulman** Muslim / **de surcroît** furthermore / **oser** to dare

35   femme qu'il avait désignée à la manière occidentale : «Madame Untel°... »; or,°
tout autochtone,° pauvre ou riche, n'évoquait femme et enfants que par le biais°
de cette vague périphrase : «la maison».

Ainsi mon père avait «écrit» à ma mère. Celle-ci, revenue dans la tribu, parla
de cette carte postale avec un ton et des mots très simples certes.° Mais les femmes
40   s'étaient écriées° devant la réalité nouvelle, le détail presque incroyable :
—Il t'a écrit à toi?
—Il a mis le nom de sa femme et le facteur a dû ainsi le lire?
Honte°!...
—Il aurait pu adresser tout de même la carte à ton fils, pour le principe, même
45   si ton fils n'a que sept ou huit ans!
Ma mère se tut.° Sans doute satisfaite, flattée, mais ne disant rien. Peut-être
soudain gênée,° ou rosie° de confusion; oui, son mari lui avait écrit à elle en personne!... L'aînée des enfants, la seule qui aurait pu lire la carte, c'était sa fille : alors
fille ou épouse, quant au nom du destinataire, où se trouve la différence?
50   —Je vous rappelle que j'ai appris à lire le français maintenant!
C'était, de fait,° la plus audacieuse des manifestations d'amour...
J'ai été effleurée,° fillette aux yeux attentifs, par ces bruissements° de femmes
reléguées.° Alors s'ébaucha,° me semble-t-il, ma première intuition du bonheur
possible, du mystère, qui lie° un homme et une femme.
55   Mon père avait osé «écrire» à ma mère. L'un et l'autre, mon père par l'écrit,
ma mère dans ses nouvelles conversations où elle citait désormais° sans fausse
honte° son époux, se nommaient réciproquement, autant dire° s'aimaient, ouvertement.

Assia Djebar, *L'amour, la fantasia*

Qu'en pensez-vous?

Êtes-vous d'accord ou non avec les déclarations suivantes? Justifiez votre réponse.

1. La mère de l'auteur ne désignait jamais son mari par son prénom.
2. Elle agissait ainsi parce qu'elle n'aimait pas son mari.
3. Le père de l'auteur était probablement enseignant.
4. Sa mère avait appris le français avant son mariage.
5. À travers la langue française, sa mère a appris à nommer son mari.
6. Cela a changé leurs relations conjugales.
7. Un jour, le père a écrit une très longue lettre à ses enfants.
8. L'adresse sur la carte postale a une très grande importance symbolique.

Madame Untel Mrs. So and So / **or** now however / **autochtone** native / **par le biais** = *à
travers* / **certes** = *certainement* / **s'écrier** = *s'exclamer* / **honte!** *f* shame on you! / **se tut** =
se taire (passé simple) / **gêné** embarrassed / **rosi** flushed / **de fait** actually / **effleuré** =
touché, influencé / **le bruissement** rustling / **relégué** = *exilé, confiné* / **s'ébaucher** =
commencer / **lier** = *joindre* / **désormais** = *à partir de maintenant* / **sans fausse honte** without
any self-consciousness / **autant dire** = *c'est-à-dire*

9. Le facteur était un fonctionnaire français.
10. Les autres femmes de la tribu pensent qu'il est honteux que le père n'ait pas adressé la carte à son fils.
11. Le fils était l'aîné des enfants.
12. Cette communication dans une autre langue a permis aux parents de l'auteur d'exprimer ouvertement leur amour.

Nouveau contexte

Complétez le passage suivant à l'aide des mots et expressions ci-dessous qui vous sont donnés par ordre alphabétique.

Noms : cartes postales *f*, couple *m*, destinataire *m*, épouse *f*, facteur *m*, nom d'état-civil *m*, prénom *m*, propos *m*, pudeur *f*
Verbes et expressions verbales : avait honte, me mis à, osait, rapportait
Adjectifs : gênée, reléguée

Souvenir d'enfance

«Quand j'étais petite fille en Algérie, j'étais _____ *1* avec ma mère et mes jeunes frères à la maison. J'aidais ma mère à faire les travaux ménagers. Je voyais très peu mon père. Ma mère était une _____ *2* soumise mais heureuse. Sa gaîté nous charmait tous. Je crois que, bien qu'ils ne se soient jamais vus avant leur mariage, mes parents formaient un vrai _____ *3*.

J'allais à l'école et j'adorais cela. J'étais passionnée par l'étude du français et je sentais bien que mon avenir en dépendait. Ma mère ne pouvait pas nous aider à faire nos devoirs et cela la rendait triste. Je comprenais que par _____ *4*, elle n' _____ *5* rien demander. Alors, un jour, je _____ *6* lui apprendre le français. Au début, elle _____ *7* de répéter ces mots étranges et elle était _____ *8*. Mais bientôt, elle fut capable d'échanger des _____ *9* et de converser avec nous. Je lui appris à écrire son _____ *10* et son _____ *11*. Elle se mit alors à écrire de nombreuses _____ *12* dans lesquelles elle _____ *13* les petits événements de notre vie. Personne ne connaissait l'existence de cette correspondance. Ses cartes n'avaient pas de _____ *14*. Le _____ *15* ne les avait jamais vues. Ma mère écrivait pour le plaisir et c'était un merveilleux secret entre nous.»

Vocabulaire satellite

la **colonie** colony
le **colon** colonist, settler
l' **indigène** native (of any country)
les **mœurs** *f* habits, customs
la **coutume** customs
l' **aculturation** *f* the state of being without a culture
être déchiré to be torn apart

s' **aliéner** to become estranged from
renoncer à to renounce
être dépendant de to be dependent on
la **femme voilée** veiled woman
perdre son identité to lose one's identity
déraciné uprooted

Pratique de la langue

1. Discutez les deux points de vue suivants : D'après vous, en adoptant le français, est-ce que cette femme renonce à sa culture et à ses coutumes et s'aliène des autres femmes? Ou pensez-vous, au contraire, qu'elle se «désaliène», qu'elle acquiert une identité aux yeux des autres et, en particulier, de son mari qui la traite alors différemment?
2. Improvisez les situations suivantes :
   a. Le facteur parle au père et mentionne avec étonnement la carte postale que ce dernier a envoyée à sa femme. Le père s'explique et se justifie.
   b. Deux écrivains maghrébins, l'un qui écrit en arabe, l'autre qui écrit en français, discutent et défendent les raisons pour lesquelles ils utilisent l'une ou l'autre langue.
3. Écrivez quelques pages de la correspondance de la mère dans laquelle elle exprime sa difficulté à penser en français, son déchirement et sa fierté.
4. Change-t-on de personnalité quand on apprend une autre langue? Avez-vous fait cette expérience? A-t-elle été positive ou négative pour vous?

Les Canadiens français

In 1763, in the peace settlement following the Seven Years War, Louis XV lightheartedly surrendered all French claims to Canada and the Mississippi Valley in order to recover Martinique and Guadeloupe. That choice did not seem absurd at the time: Voltaire had remarked that it was hardly worthwhile for England and France to fight over "a few acres of snow," while Madame de Pompadour valued Canada only as the source of her furs. So the French aristocrats and senior officials went home, leaving behind their poorer compatriots.

Over the next two centuries, immigrants—including many American Loyalists—poured into Canada, but few were absorbed into the French Canadian community, which expanded almost exclusively because of its own demographic vitality. From an initial population of some 65,000, the French Canadians have grown to over six million, or about 30 percent of the total population of Canada. Taking into account the thousands of French Canadians

Francophonie

Les rencontres de Québec :
rendez‑vous de la francophonie internationale

Québec en hiver

who migrated to New England in the nineteenth century, this means that this vigorous community virtually doubled its numbers over each successive generation. In recent times, however, that trend has been reversed. French Canadians now have one of the lowest birth rates in the Western World, which poses a threat to their very existence.

The bulk of the French Canadian population lives in Canada's largest province, Québec. The Québécois have had their own government—comparable to that of an American state—for over one hundred years, but they regard themselves as a nation because they have preserved a common language, a common culture, and a sense of their collective identity. Many of them also view Québec as an oppressed nation, although Canada's most durable Prime Minister, Pierre Trudeau, was a French Canadian. The roots of this feeling are largely economic: despite some equalization, French Canadians still have a lower average income and a higher unemployment rate than the rest of the country. In a city like Montréal the more affluent sections are predominantly English-speaking, but the labor force is almost exclusively French. Until very recently, learning English was an absolute precondition of upward social mobility for the French Canadians.

The notion of an independent Québec is not exactly new, but during the mid-1960s it acquired an unprecedented vehemence attended by occasional terrorism. Emotions ran high when General de Gaulle^c visited Canada in 1967 and ended his prepared speech in Montréal with the provocative cry, "Vive le Québec libre!" Separatist movements combined in the 1970s to form the Parti Québécois (PQ), which gained control of the provincial government in 1976 under the leadership of René Lévesque. The new government took steps to establish French as the official language of Québec and to generalize its use throughout the educational system. In June 1980, however, Lévesque's plan to make Québec a sovereign state freely associated with the rest of Canada was rejected by 59% of the province's electorate. Despite this setback the PQ strengthened its hold on the provincial government by winning a decisive victory in the 1981 elections to the Legislative Assembly, and Lévesque made it clear at that time that the issue of Québec's relationship with the rest of the country would be resubmitted to the voters at some future point. The subsequent death of René Lévesque, however, has considerably slowed the impetus of separatist movements and in fact has made it very difficult to predict the future orientation of *la belle province.*

La biographie de Pierre Vallières, Nègres blancs d'Amérique, *est considérée comme le manifeste du nationalisme québécois dont il représente l'expression la plus dramatique.*

La révolte

—Quelqu'un ne devient-il pas «capable» parce qu'il a de «l'instruction»? Et cette instruction, qu'il a acquise à l'université, ne l'a-t-il pas payée très cher? Avec quel argent? Où son père a-t-il pris cet argent? Comment se fait-il que son père ait des revenus supérieurs à ceux de la moyenne° des gens? Comment a-t-il pu
5 devenir médecin ou industriel? Où le père de son père a-t-il pris l'argent nécessaire pour faire instruire son fils? Et où le père du père de son père... » se demande Un Autre.

«Et puis, pourquoi mon père, à moi, n'a pas pu me faire instruire, m'envoyer à l'université? Pourquoi mon père à moi et le père de mon père ont-ils toujours
10 «tiré le diable par la queue°»? Et pourquoi les écoles des quartiers ouvriers sont-elles sales, mal équipées, humides, comme si elles avaient été construites pour vous dégoûter° des études? Et pourquoi les salaires des travailleurs sont-ils si bas, et le coût de la vie tellement élevé qu'à quatorze ou seize ans il faut, comme son père, chercher un emploi,° vendre à l'heure ou à la semaine sa force de travail,
15 et accepter, comme des dons° du Ciel, les travaux les plus pénibles,° parce qu'ils

la moyenne average / **tirer le diable par la queue** to be hard up / **dégoûter** to disgust (here, to turn away from) / **l'emploi** *m* = *le travail* / **le don** = *le cadeau* / **pénible** = *fatigant, difficile*

vous font gagner quelques piastres°... que vous dépenserez aussitôt à la mercerie,° à l'épicerie du coin, au cinéma, chez le médecin... et à la taverne° quand, au bout de six mois de cette vie de chien, vous irez y noyer° les rêves de votre jeunesse dans la bière et le bruit? Pouvez-vous m'expliquer comment il se fait qu'il y ait
20 tant de tavernes à Montréal et tant d'ivrognes° dedans°? Pouvez-vous m'expliquer pourquoi on y rencontre surtout des ouvriers,° des «pas instruits,» et des chômeurs°? Et pourquoi ces tavernes sont plus nombreuses dans l'Est français que dans l'Ouest anglais?... »

—Il doit y avoir une explication à tout cela, se dit et se redit Joe. C'est impossible
25 que tous nous autres, de l'est de la ville, de Saint-Henri et de la Pointe Saint-Charles, on ne soit qu'une bande d'«arriérés°». Et que tous ces maudits° riches de Westmount, d'Outremont, et de Ville-Mont-Royal, soient plus intelligents que nous autres. Tenez, par exemple, mon «boss» : il ne sait même pas que Cartier faisait de la politique pour le compte des compagnies de chemins de fer.[1] Il ignore
30 l'histoire de son pays et prend des contes de fées° pour des événements réels. L'autre jour, bien sérieux, il m'a dit que son père connaissait bien Ringuet,° «l'auteur de *Maria Chapdelaine»,*° qu'il m'a dit! Comment ces maudits bornés°-là peuvent-ils s'enrichir si rapidement, tandis que moi, qui prends encore des cours du soir et qui m'intéresse à tout ce qui se passe et à tout ce qui s'écrit, j'en suis
35 encore à rembourser° mes dettes? Ma femme, en plein° XXe siècle, est obligée d'aller «faire des ménages» pour payer les études de mon plus vieux° que je ne suis même pas certain de pouvoir envoyer au collège,° l'an prochain. Et pendant que nous autres, on crève,° ces écœurants°-là nous disent de nous instruire! Je suis fatigué de les entendre nous faire la morale.° Si ça continue, je vais expédier°
40 l'un de ces bourgeois-là dans l'autre monde. Si je ne l'ai pas déjà fait, c'est que, voyez-vous, je ne suis pas sûr que cela serve à grand-chose.° Il faudrait s'y mettre à plusieurs° et leur régler leur compte,° une fois pour toutes, à toute cette «gang» de maudits sans-cœurs d'exploiteurs de... Il y a assez de dynamite au Québec

---

la piastre (French Canadian) dollar / **la mercerie** notions store / **à la taverne** = *au café* / **noyer** to drown / **l'ivrogne** *m* drunk / **dedans** inside / **l'ouvrier** *m* workman / **le chômeur** unemployed / **arriéré** mentally retarded / **maudit** damned / **le conte de fées** fairy tale / **Ringuet** = *romancier québécois* / **Maria Chapdelaine** = *roman de l'auteur français Louis Hémon (1880–1913)* / **le borné** person of limited views / **rembourser** to pay back / **en plein** = *au milieu de* / **mon plus vieux** my oldest child / **au collège** (anglicisme) = *à l'université* / **crever** *(fam)* = *mourir* / **l'écœurant** *m* bastard *(expression canadienne)* / **faire la morale** to moralize / **expédier** = *envoyer* / **que cela serve à grand-chose** that it would help much / **Il faudrait s'y mettre à plusieurs** We ought to set about it, a bunch of us / **régler leur compte** to settle their account

[1]Sir George Cartier (1814–1873), homme d'état Canadien français et défenseur de la confédération canadienne. Gros actionnaire (*shareholder*) d'une compagnie de chemins de fer, il fit voter des subventions (*subsidies*) gouvernementales pour les chemins de fer en difficultés financières.

pour tous les faire sauter° en même temps. Mais les gars° ont peur. Quand je me
45 fâche au syndicat, le président me coupe la parole, car il ne veut pas que les gars
fassent des bêtises, qu'il dit. Et les gars s'en laissent imposer,° parce que monsieur
le président est le grand ami de l'agent d'affaires! On est écœurés° d'être traités
comme des enfants par les patrons et par le syndicat. À partir de maintenant, ils
vont nous écouter ou bien on va leur casser la gueule°! J'espère que les gars vont
50 se tenir les coudes.° Il est mauditement° temps qu'on prenne nos responsabilités
et qu'on arrête de faire nos révolutions dans les tavernes pour les faire dans nos
usines. J'ai hâte° qu'un jour, au Parc Lafontaine, un gars de chez nous, un
débardeur,° tiens... ou un bûcheron,° oui, un bûcheron, un gars solide, se place
devant nous autres, des milliers de travailleurs rassemblés là et qu'il entonne° la
55 Marseillaise^c ou le Chant des Partisans,° parce qu'icitte° on n'a pas encore de
chants comme ceux-là, et puis que ce bûcheron-là nous crie : «Aux armes,
Québécois!» Et que tous ensemble, comme un seul homme, nous répétions :
«Aux armes, Québécois!»

Pierre Vallières, *Nègres blancs d'Amérique*

Qu'en pensez-vous?

Êtes-vous d'accord ou non avec les déclarations suivantes? Justifiez votre réponse.

1. Pierre Vallières se demande où son père a trouvé l'argent nécessaire pour l'envoyer à l'université.
2. Il est difficile d'étudier dans les écoles des quartiers ouvriers.
3. Quand on commence à travailler à 14 ou 16 ans, on trouve un emploi agréable et bien payé.
4. Il y a plus de tavernes dans l'Est français de Montréal parce que, dans cette partie de la ville, les habitants sont joyeux et aiment se distraire.
5. Le «boss» de Pierre Vallières connaît bien l'histoire de son pays.
6. Maria Chapdelaine est une actrice célèbre.
7. Pierre Vallières et sa famille ont toujours eu une vie dure et des difficultés financières.
8. Il a le sentiment d'être exploité par la bourgeoisie anglaise.
9. Il veut utiliser des moyens non-violents pour changer sa situation.
10. Quand il expose son point de vue au syndicat, il obtient l'adhésion totale de tous les membres.
11. Pour symboliser «un gars de chez nous», il pense à un chanteur.
12. Il incite les Québécois à prendre les armes et à se lancer dans la guerre civile.

faire sauter to blow up / **le gars** (*fam*) guy / **s'en laisser imposer** to let oneself be imposed upon / **écœuré** fed up / **casser la gueule** (*fam*) to bust (someone) in the jaw / **se tenir les coudes** stand shoulder to shoulder / **mauditement** damn well (*expression canadienne*) / **j'ai hâte** = *j'attends avec impatience* / **le débardeur** longshoreman / **le bûcheron** lumberman / **entonner** to strike up (a song) / **le Chant des Partisans** rally song of the French Resistance / **icitte** = *ici (terme canadien)*

Nouveau contexte

Complétez le passage suivant à l'aide des mots et expressions ci-dessous qui vous sont donnés par ordre alphabétique.

Noms : arriéré *m*, chômeurs *m*, cours du soir *m*, gars *m*, générations *f*, instruction *f*, ivrogne *m*, quartier *m*, tavernes *f*
Verbes et expressions verbales : casser la gueule, chercher un emploi, faisais des ménages, fasse des bêtises, gagnait, rembourser
Adjectif : écœuré

Nous avons rencontré un couple de Canadiens français dont l'histoire ressemble à celle des Vallières. Voici ce que nous a dit la femme.

«Moi, je viens de la région de Trois-Rivières, c'est le berceau (*cradle*) de ma famille depuis plusieurs _____1. On était nombreux et pas riche. J'avais cinq frères et quatre sœurs. Je suis venue à Montréal à 17 ans pour _____2. C'est là que j'ai rencontré André, mon mari. On habitait le même _____3, la même rue. Il avait quitté l'école à 16 ans; il n'avait pas beaucoup d' _____4 mais il était différent des autres.

Au début de notre mariage, on ne mangeait pas de tourtières (*meat pies*) tous les jours, on dépensait tout ce qu'on _____5, on avait toujours des dettes à _____6 à l'épicerie du coin. Mais, au moins, on avait du travail, on n'était pas _____7. Moi, je _____8 dans l'ouest de la ville et lui, il allait à l'usine. Il suivait aussi des _____9 parce qu'il ne voulait pas rester ouvrier toute sa vie. ‹Je suis pas complètement idiot, je suis pas un _____10!› qu'il disait, ‹moi aussi je suis capable!› C'était pas un _____11 non plus, comme beaucoup d'autres _____12 qui travaillaient avec lui. Il n'allait pas dans les _____13 oublier ses misères. Non, le soir, quand il était _____14 par toutes ces injustices, il allait discuter au syndicat. Quand il parlait du boss ou des bourgeois des beaux-quartiers, il se fâchait très fort et j'avais peur qu'il _____15. C'était pas un violent pourtant, mais il ne rêvait que d'une chose, c'était de _____16 à tous les riches de l'Ouest qui ne parlaient pas comme nous.»

Vocabulaire satellite

avoir droit à   to have a right to
être fier de   to be proud of
être conscient de   to be conscious of
être coupé de   to be cut off from
la **revendication**   demand
les **inégalités** *f* **sociales**   social inequalities
les **beaux quartiers** *m*   upper-class, fashionable neighborhoods
les **quartiers ouvriers**   working-class neighborhoods
le **réveil**   (re)awakening

le **bilinguisme**   bilingualism
le **pluralisme culturel**   cultural pluralism
l' **appui** *m*   support, backing
s' **identifier à**   to identify with
renouer des liens   to renew, to re-establish ties
la **parenté**   kinship
l' **affinité** *f*   affinity
angliciser   to Anglicize
franciser   to Gallicize, to Frenchify
américaniser   to Americanize

Pratique de la langue

1. Faites le portrait psychologique de Pierre Vallières, tel qu'il apparaît dans l'extrait que vous avez lu. Quels traits de caractère manisfeste-t-il? Le trouvez-vous sympathique? antipathique? Pourquoi?

2. Carlos Garcia est un nouvel immigrant qui vient d'arriver dans la province de Québec. Il compte s'installer plus tard dans une autre partie du Canada où on parle exclusivement anglais. Il voudrait donc, que son fils, Pedro, apprenne bien l'anglais, mais, à l'école, il est obligé de parler toujours français parce que c'est la langue officielle de l'enseignement, de la justice et de l'administration dans cette province. Il ne trouve pas cette situation juste. Qu'en pensez-vous?

Querelle linguistique au Québec

3. Improvisez les dialogues suivants :
   a. Un Canadien francophone et un Canadien anglophone, habitant tous deux Montréal, discutent des problèmes et des bienfaits de la cohabitation des deux communautés linguistiques et culturelles.
   b. Des Canadiens français décident de retourner dans le village natal de leurs ancêtres en Normandie. Ils y retrouvent des cousins qui sont agriculteurs comme eux. Ils parlent de leurs modes de vie différents (à cause du climat, de la dimension du pays, etc.).

4. Vous faites partie d'un groupe minoritaire aux États-Unis dont la culture, la langue, le mode de vie sont en danger de disparition. Allez-vous lutter pour sauver votre héritage ou allez-vous vous intégrer à la majorité? Donnez les raisons qui détermineraient votre choix.

Sujets de discussion ou de composition

1. Regardez la carte des pp.146–147. Imaginez que vous pouvez avoir un billet d'avion gratuit pour aller dans un pays francophone. Lequel choisiriez-vous? Pourquoi?

2. Vous êtes l'envoyé spécial du journal «Le Monde» dans un pays francophone de votre choix. Faites des recherches et présentez un court reportage, oral ou écrit, sur la situation politique, économique et linguistique actuelle de ce pays.

3. Le «débarqué» qui apparaît dans le récit de Fanon écrit une lettre à un(e) ami(e) de France dans laquelle il raconte comment on l'a accueilli quand il est rentré à la Martinique.

4. À discuter : Comment comprenez-vous le titre du livre de F. Fanon «Peau noire, masques blancs»? Les représentants de la culture minoritaire sont-ils toujours obligés de «porter un masque» pour se faire reconnaître et accepter? Pouvez-vous trouver des exemples de ce comportement (*behavior*) dans certains groupes minoritaires?

4ème
PARTIE

Vie culturelle

La communication

Le Français tel qu'on le parle

Foreign visitors cannot fail to notice that the French are unusually sensitive about their language and its correct use. Daily newspapers such as *Le Monde* and *Le Figaro* feature regular columns devoted to language, and readers frequently write to inquire about the propriety of certain idioms. When queried about correct usage (*le bon usage*), any self-respecting Frenchman with a minimum of education will gladly offer a ruling, though often he will base it on a mysterious "sixth sense" attuned to *l'esprit de la langue*. Countless books and articles, and even some government decrees, try to determine what is "proper" French.

This normative attitude may be traced back to the seventeenth century and the emergence of absolute monarchy in a centralized state. The *Académie française*[c], founded in 1635 by Cardinal Richelieu, was given the task of standardizing the language, getting rid of unwarranted expressions, and certifying contemporary usage. In making its rulings, however, the Academy was guided primarily by the usage of the royal court and the upper classes: it declined to sanction thousands of words and idioms that were (and still are) in common use among a large segment of the population. The Academy has also

Marguerite Yourcenar, première femme reçue à l'Académie Française, 1981

been slow to approve recently coined terms used to designate new techniques, ideas, and instruments. As a result, the gap is quite wide in French between formal and informal language, or between written and spoken usage.

Cautiously at first, but emboldened by the example of such writers as Céline, Queneau, and Prévert, more and more Frenchmen have been asserting their right to use, in writing and polite conversation, some of the more colorful and vigorous terms still frowned upon by the Academicians. This subversion of what the writer Claude Duneton[1] calls *la langue de la marquise* has now reached major proportions. In typical French fashion, this has taken the form of a comprehensive *Dictionnaire du français non-conventionnel* (Hachette, 1980) compiled by Jacques Cellard, who writes the language column for the prestigious newspaper *Le Monde*, and by Alain Rey, one of the editors of the respected *Robert* dictionary.

Another reaction provoked by the unrealistic rigidity of "official" French is the wholesale importation of foreign (especially American) terms. In 1964 Étiemble, a noted scholar and critic, vigorously denounced this creeping subversion in his well-known essay *Parlez-vous franglais?* In fact, Étiemble did not systematically oppose the borrowing of English words; rather, he attacked the uncritical adoption of English terms where adequate French equivalents existed, and the subtle distortion of French syntax under the influence of English—two problems long recognized by French Canadians. Because it coincided with de Gaulle's[c] efforts to restore France's prestige and self-respect, the campaign against *le franglais* soon attracted government support. After sifting through some 3,500 terms, several commissions of linguists and technicians recommended 350 for possible "naturalization," and the *Académie française* eventually gave its stamp of approval to 300 of them, whether through outright acceptance of the original English term or by providing a French substitute. In December 1975 a series of government decrees produced a list of foreign terms and French equivalents approved for use by all public agencies, including the state radio and television networks. Since then, further decrees have periodically updated the list or extended it to new areas such as computer science.

[1]Author of *Parler croquant, L'Anti-Manuel de français*, and *La Puce à l'oreille*, in which he extols the versatility and expressive wealth of spoken French.

Dans l'extrait suivant, Henri Mitterand, professeur à l'Université de Paris III, refuse de s'alarmer face à l'évolution et à la transformation de la langue française; il y voit plutôt un signe de sa richesse et de sa diversité.

Chef-d'œuvre° en péril

«Les mecs° de l'opposition flippent° comme des malades... Mais le Président reste cool...» On peut aisément imaginer le bulletin d'informations d'Antenne 2 ou de TF1° prononcé dans la langue usuelle des lycéens. Où va le français?

Des lycéens qui ne connaissent plus l'orthographe,° dit-on. Et qui, lorsqu'ils
5 seront ingénieurs, pilotes de ligne, énarques,° ou gérants° de *pressing*° travaille-ront, golferont et danseront en franglais°...

Bref, la langue française serait° bien malade : rongée° par une carence ortho-graphique° généralisée, défigurée par les liaisons intempestives° des radio- ou des télé-parleurs° (pour ne pas dire des speakers°), enflée° de jargons multiples,
10 dénaturée° par l'afflux du vocabulaire anglo-américain, maltraitée par les jeunes, plus ou moins méprisée° de tous ses utilisateurs, sauf de l'Académie^c et de quel-ques correcteurs spécialisés dans le *rewriting.*

Ce diagnostic alarmant a pour lui les apparences.° Mais peut-être seulement les apparences.
15 Oui, l'orthographe est malmenée° et le temps n'est plus où il fallait° faire moins de cinq fautes dans la dictée pour obtenir le certificat d'études°... Mais pourtant,° depuis l'époque du certificat, le nombre des illettrés° n'a cessé° de diminuer. La maîtrise° collective de notre difficile système orthographique est sans doute meilleure qu'il y a cinquante ou vingt ans.
20 Oui, le français emprunte° sans compter à l'anglais. Le lexique des sports les plus populaires est anglais, comme celui des techniciens de l'aviation, du pétrole, de l'informatique,° du show-business...

---

le chef-d'œuvre masterpiece / **le mec** *(fam)* = *la personne* / **flipper** *(fam)* = *avoir peur* / **Antenne 2, TF1** = *chaînes de télévision* / **l'orthographe** *f* spelling / **l'énarque** *m/f* = *personne qui sort de l'É.N.A. (École Nationale d'Administration) qui forme les hauts fonctionnaires* / **le gérant** = *le directeur* / **le pressing** dry-cleaning business / **le franglais** = *un exemple de langue française dans laquelle il y a de nombreux termes anglais* / **serait** is said to be / **rongé** = *attaqué* / **la carence orthographique** = *insuffisance de rigueur dans l'orthographe* / **intempestif** = *incorrect* / **le radio- (télé-) parleur** radio (TV) host / **le speaker** = *le radio- (télé-) parleur* / **enflé** = *augmenté* / **dénaturé** distorted / **méprisé** disregarded / **ce diagnostic alarmant a pour lui les apparences** = *ce diagnostic apparaît alarmant* / **malmené** = *maltraité* / **le temps n'est plus où il fallait** = *le temps où il fallait n'existe plus* / **le certificat d'études** = *certificat de fin d'études que l'on obtenait à 14 ans. Ce diplôme n'existe plus parce que la scolarité a été prolongée jusqu'à seize ans* / **pourtant** however / **l'illettré,e** *m,f* illiterate / **n'a cessé** = *n'a pas cessé* / **la maîtrise** mastery / **emprunter** to borrow / **l'informatique** *f* computer science

Notre langue a un remarquable pouvoir d'adaptation : qui devinerait° sans un dictionnaire étymologique, que wagon, station, rail et tunnel sont des mots an-
25 glais? Ou bien les mots d'emprunt sont techniquement nécessaires : quelques-uns sont traduits, naturellement ou laborieusement, beaucoup se francisent° rapidement dans la prononciation, sinon dans l'orthographe. Ou bien, arrivés avec la mode, les emprunts disparaissent avec elle...

À vrai dire, il faut admettre une distinction capitale, que dissimulent les idées
30 reçues° : *la* langue française n'existe pas. Ce qui existe, ce sont *des* langues françaises et des usages : le français «conventionnel» (auquel Jacques Cellard et Alain Rey, linguistes et auteurs de dictionnaires, opposent le français «non conventionnel»), mais aussi le parler branché° des jeunes, qui apporte chaque semaine sa moisson° de néologismes, d'ailleurs fragile et fugitive : le langage
35 intello,° qui vieillit vite lui aussi; les vocabulaires spécialisés des sciences et des techniques; les vocabulaires régionaux, voire° extra-hexagonaux° (de Belgique, du Québec, de Suisse, d'Afrique), dont les trésors restent insoupçonnés du° boulevard Saint-Germain.° Un vigneron° de Bourgogne° dispose de plus de mots pour parler de son métier que Racine pour analyser les égarements du cœur°...
40 Que l'on prenne° une vision plurielle de la langue et le français apparaît pour ce qu'il est, c'est-à-dire une langue vivace,° généreuse, expansive, disponible° pour toutes sortes d'usages et de créations.

Aucun danger alors? Dans l'immédiat, non, mais à moyen° ou à long terme peut-être...
45 Je noterai à cet égard° trois séries de faits inquiétants.

Tout d'abord, semble-t-il, une baisse° relative de la lecture et de l'écriture chez les jeunes. On ne s'écrit plus, on se téléphone. Le sport et la télévision absorbent l'essentiel du temps libre. De récentes statistiques ont révélé la chute° du tirage° des grands quotidiens,° ceux où l'information est le mieux élaborée, où s'expri-
50 ment les grandes options politiques, où la culture trouve son expression au jour le jour.°

En deuxième lieu, on valorise° au maximum en cette fin de siècle les sciences «dures» et la technologie, aux dépens des sciences dites «humaines». C'est sans

---

deviner to guess / **se franciser** = *devenir français* / **que dissimulent les idées reçues** = *qui va contre l'opinion générale* / **le parler branché** = *la manière de parler à la mode* / **la moisson** crop / **intello** = *des intellectuels* / **voire** = *et même* / **extra-hexagonal** = *hors de l'hexagone, hors de France* / **insoupçonné du** = *inconnu au* / **le boulevard St-Germain** = *centre intellectuel de Paris* / **le vigneron** wine grower / **la Bourgogne** Burgundy / **les égarements m du cœur** = *la complication des sentiments amoureux* / **que l'on prenne** = *si l'on prend* / **vivace** = *vivante, durable* / **disponible** = *adaptable* / **à moyen terme** medium term / **à cet égard** *à ce sujet* / **la baisse** drop / **la chute** fall / **le tirage** circulation / **le quotidien** = *journal qui est publié tous les jours* / **au jour le jour** = *chaque jour* / **valorise** = *donne une grande importance à*

doute vital pour l'avenir de la nation. Mais une nation survit et s'affirme aussi—
55 et surtout? —par la conscience° qu'elle conserve de ses traditions linguistiques et
culturelles.

Enfin, en conclusion, l'enseignement de la langue française est mal adapté aux
besoins de la société moderne...

Henri Mitterand, *L'Express*

Qu'en pensez-vous?

Êtes-vous d'accord ou non avec les déclarations suivantes? Justifiez votre réponse.

1. On dit que beaucoup de lycéens font des fautes d'orthographe.
2. À l'avenir, ils vont utiliser de plus en plus le franglais, aussi bien dans leur travail que dans leurs loisirs.
3. Certains disent que la langue française est malade.
4. Le nombre d'illettrés est en augmentation.
5. On trouve beaucoup de mots anglais dans le vocabulaire des sports, de l'informatique et des spectacles.
6. La langue française a du mal à absorber les mots nouveaux.
7. Il n'y a pas *une* mais *des* langues françaises.
8. Les jeunes ont un langage à eux.
9. Les gens qui utilisent la langue française en dehors de l'hexagone l'enrichissent d'expressions qui leur sont propres.
10. Henri Mitterand est très pessimiste quand il examine l'état actuel de la langue française.
11. Il note avec inquiétude que les jeunes lisent et écrivent de moins en moins.
12. Les grands quotidiens où les informations sont bien écrites ont vu leur tirage augmenter.
13. En cette fin de siècle, on valorise beaucoup les sciences humaines.
14. L'enseignement du français est particulièrement bien adapté aux besoins de la société moderne.

Nouveau contexte

Complétez le passage suivant à l'aide des mots et expressions ci-dessous qui vous sont donnés par ordre alphabétique.

Noms : annonces *f*, chute *f*, distraction *f*, lecture *f*, lycéens *m*, orthographe *f*, parler *m*, péril *m*, quotidien *m*, speakers *m*, temps libre *m*, tirage *m*, utilisateurs *m*

Verbes : crée, dénaturent, maltraite, méprisent, s'alarmer, séduisent, survivre
Adjectifs : adapté, intempestives, scolaire

Faut-il _____1 devant les devoirs pleins de fautes d' _____2 de nos _____3 ?
Leur _____4 argotique (*slang*) _____5 la syntaxe et _____6 constamment

la conscience awareness

des mots nouveaux, si bien qu'on se demande quelquefois s'il s'agit encore du français! Est-ce vraiment leur faute?

Dans les écoles, l'enseignement du français est soit inexistant soit mal _____ 7 à la société moderne. La _____ 8 n'est plus leur _____ 9 favorite. En général, à cet âge, ils n'ont pas encore l'habitude de lire un _____ 10 et l'on observe, à l'heure actuelle, une _____ 11 inquiétante du _____ 12 des journaux les plus sérieux.

L'écriture, sauf dans un contexte _____ 13, ne fait pas partie de leur vie. Ils ne s'écrivent plus mais se téléphonent. Ils passent, par contre, une grande partie de leur _____ 14 à regarder la télévision. Le franglais et les liaisons _____ 15 des _____ 16 et des speakerines ne les choquent pas.

Ils sont absolument fascinés par les images et la langue des _____ 17 publicitaires. Les slogans qui _____ 18 le langage et _____ 19 les règles grammaticales les _____ 20 par leur originalité et leur drôlerie.

La langue française est-elle en _____ 21, va-t-elle _____ 22 aux changements que lui imposent ces nouveaux _____ 23 ? La question est posée.

Vocabulaire satellite

la **langue** language (of a people)

le **langage** language (of an individual), diction

la **langue courante, parlée** everyday language, spoken language

la **langue littéraire, écrite** literary language, written language

l' **orthographe** *f* spelling

l' **argot** *m* slang

le **néologisme** neologism

l' **anglicisme** *m* anglicism

le **barbarisme** barbarism, improper use of a term

un **langage pédant, prétentieux** pedantic, pretentious language

un **langage raffiné, soigné** refined, polished language

un **langage négligé, vulgaire** careless, coarse language

le **bon usage** correct usage

la **règle** rule

l' **esprit** *m* **de la langue** spirit, genius of the language

la **facilité d'expression** ease, glibness of expression

la **tournure (de phrase)** turn (of phrase)

décrire to describe

s' **exprimer** to express (oneself)

employer, utiliser to use

Pratique de la langue

1. Transcrivez le passage suivant en «bon français». Utilisez les termes qui vous sont donnés par ordre alphabétique pour remplacer les expressions anglo-américaines. N'oubliez pas de faire les accords nécessaires.

allure[1] *f*, atelier[1] *m*, baladeur[1] *m*, course à pied *f*, fatigue *f*, homme d'affaires *m*, mallette[1] *f*

Jean-Paul habitait un *loft* près du quartier de la Bastille. Il était *businessman* et en avait le *look* : costume trois-pièces, *attaché-case* en cuir. Pour éviter le *stress*, il faisait son *jogging* tous les matins, *Walkman* sur les oreilles....

2. En vous servant des listes de vocabulaire ci-dessous, inventez une petite histoire en français conventionnel, puis «traduisez-la» en français non-conventionnel.

Français conventionnel	Français non-conventionnel
amusant	marrant
s'amuser	se marrer
l'agent (de police)	le flic
l'argent	le fric, le pognon *le blé, le pèse*
en avoir assez	en avoir marre, en avoir ras le bol
beau	chouette *, super*
ça va	ça marche, ça gaze
avoir de la chance	avoir de la veine, avoir du pot
pas de chance!	manque de pot!
se dépêcher	se grouiller
la fille	la minette, la nana
fort (adj.)	costaud, baraqué
fou	dingue, cinglé
le garçon	le type, le mec
gentil	sympa
laid	moche, pas possible
manger	bouffer, casser la croute
se promener	se balader
protester	rouspéter, râler
rendre un service, aider	donner un coup de main, dépanner
tranquille	peinard, pépère
le travail	le boulot
travailler	bosser
très bien	génial, terrible, le pied
très (+ adj)	drôlement, vachement (+ adj)
c'est vrai	sans blague? tu rigoles?

[1]l'allure *f* = l'apparence; l'atelier *m* = endroit où travaille un artiste; le baladeur = la radio portative; la mallette = petite valise

3. Faites s'affronter deux personnes qui ont des opinions divergentes. L'une pense que la langue française est menacée et qu'il faut mener une campagne contre l'invasion des termes anglo-américains. L'autre pense, au contraire, que cette campagne est ridicule et qu'il faut laisser la langue évoluer et s'enrichir sans intervenir.

4. Vous faites partie d'un comité chargé de fonder une Académie américaine pour préserver la pureté de votre langue contre l'argot et l'invasion de termes étrangers («frenglish», yiddish, italianismes, etc.). Examinez le pour et le contre de cette initiative et dressez une liste de mots à bannir, en expliquant votre choix. Comment remplacer ces mots par des termes américains, même des néologismes?

5. Pendant près de deux siècles, l'enseignement français s'est efforcé de combattre l'emploi de langues ou de dialectes autres que le français. Que pensez-vous de cette politique? Est-il souhaitable que les minorités ethniques conservent leur langue?

6. Face au danger :

> **U**ne revue scientifique portant le nom prestigieux d' *Annales de l'Institut Pasteur,* faisant référence à un centre de recherche connu du monde entier, orgueil° et honneur de la biologie française, change de nom. Elle s'appelle maintenant *Research in* et n'accepte maintenant que les articles en anglais.

Une réponse :

> **L**e langage est structurant de la pensée,° sa langue maternelle° étant la seule que l'on possède suffisamment pour faire preuve° de toute la subtilité nécessaire à l'élaboration d'une œuvre créatrice de qualité, dans le domaine des sciences comme dans celui de la littérature ou de la philosophie. L'incapacité de penser la science à l'aide de l'outil° incomparable qu'est la langue maternelle peut avoir deux résultats : soit un affaiblissement° de la création, soit une adoption de l'anglais comme un équivalent de plus en plus complet de la langue maternelle. Dans les deux cas, on voit bien que c'est toute la vitalité de la culture nationale que est menacée.°
> —Axel Kahn, «Penser en français,» *Le Monde*

Vous êtes un homme scientifique, connu. Écrivez au directeur des *Annales de l'Institut Pasteur* pour protester contre la décision qu'il vient de prendre.

l'orgueil *m* pride / **est structurant de la pensée** = *structure la pensée* / **la langue maternelle** mother tongue / **faire preuve** to display / **l'outil** *m* tool / **l'affaiblissement** *m* weakening / **menacé,e** threatened

La Presse

It is through the press, radio, and television that people acquire most of their information about public issues. In France newspapers and magazines reflect a diversity of opinions, but most of them project strong partisan views. *Le Monde*, considered by many as the world's best newspaper, is an independent daily that is frequently critical of the government but always fair and responsible. *Le Figaro*, the oldest Paris daily, generally espouses a conservative viewpoint, whereas *France-Soir*, a popular daily, is ostensibly apolitical. Both are controlled by press lord Robert Hersant, whose empire also includes fourteen regional dailies, a racing sheet, eighteen periodicals and a controlling interest in a television channel: La Cinq. The newspaper *La Croix* has ties to the Catholic hierarchy, while *L'Humanité* is the official voice of the French Communist Party. Together these two papers account for less than ten percent of the total circulation of Paris-based dailies. Over the past decade, new dailies have been launched in Paris: *Le Matin*, which did not survive, though it was linked to the Socialist Party; *Le Quotidien de Paris*, notable for its vigorous attacks on the Mitterrand administraion; and *Libération*, a maverick paper with an independent leftist leaning.

Papers carrying a heavy dose of gossip, crime, comic strips, and horoscopes—such as *France-Soir* and its chief rival, *Le Parisien Libéré*—have a strong following, as do illustrated weekly news magazines like *Paris-Match*. Among the serious weekly news magazines, *L'Express* and *Le Point* follow a typically centrist orientation and reflect the views of the bourgeoisie, whereas *L'Événement du Jeudi* and particularly *Le Nouvel Observateur* are both politically and culturally nonconformist, being staffed by a uniquely French breed of *intellectuels de gauche* who are often equally critical of the United States and the Soviet Union.

In a class by itself is *Le Canard Enchaîné*, a well-informed satirical weekly specializing in muckraking gossip. For over sixty years it has maintained a unique style combining puns, cartoons, and other forms of lampooning. It has deflated political reputations and occasionally contributed to the downfall of leading public figures. Under its facetious garb, *Le Canard* comes the closest of any French publication to the American tradition of investigative reporting. It jealously guards its independence by systematically refusing any form of advertising.

LE JOURNAL, C'EST VOTRE VIE

*Il raconte des histoires de tous les jours ou révèle des « affaires ».
C'est quand il se tait qu'il faut commencer à s'inquiéter.*

The French press faces a problem besetting the press in all capitalist societies: how to survive in a market economy at a time when television is cutting into the newspapers' readership and, more important, into their advertising revenue. The following article analyzes this situation.

La crise des quotidiens

Jamais la presse écrite française n'a été à ce point auscultée.° Elle en a, la pauvre, bien besoin. L'année 1987 a été cruelle pour tous les quotidiens. Le glas vient de sonner° pour un quotidien national : *Le Matin*, fondé voilà plus de dix ans. *France-Soir, Libération, Le Quotidien de Paris, Le Figaro* ont beaucoup souffert. Seuls *Le*
5 Monde avec un léger mieux° de 0,9% et *Le Parisien Libéré* en hausse° de 2,8%,
X   tirent leur épingle du jeu.° La presse nationale quotidienne a ainsi perdu en un an près de 3% de ses lecteurs. Ils sont aujourd'hui moins de 2 millions pour 11

---

ausculté = *examiné* / **le glas vient de sonner** the bell has just tolled / **le mieux** = *l'amélioration f* / **en hausse** *f* = *en augmentation* / **tirer son épingle de jeu** here, to break even

titres, y compris les quotidiens économiques et financiers. «La France stagne° au trente et unième rang mondial pour la lecture des quotidiens», s'afflige° Jean
10 Miot, président du syndicat° de la presse parisienne.... Les quotidiens régionaux, souvent en situation de monopole sur leurs terres, verrouillent° mieux leurs marchés. *Ouest-France* qui est distribué dans une douzaine de départements est le premier quotidien de France.

 Mais si elle a mieux tenu le choc,° la presse régionale s'est pourtant elle-même
15 rétrécie.° Alors, ces Français, qui, selon Pierre Albert, directeur de l'Institut français de presse, «furent jusqu'à la Première Guerre mondiale, les plus gros consommateurs de journaux avec les Américains», auraient-ils perdu en trois générations le goût de la lecture de la presse?

 Pas si simple! Car la France, piètre° lectrice de quotidiens, est paradoxalement
20 une boulimique° de la presse magazine. Ainsi de nombreux lecteurs de journaux régionaux ont délaissé° leur quotidien national au profit d'un magazine (*L'Express, Le Point,* etc.)... La France est, dans ce secteur, au premier rang.

 D'autre part, un Français sur deux regarde à 20 heures l'un des journaux télévisés. Et comme la télévision aborde° aujourd'hui plus librement que naguère°
25 les sujets politiques et les sujets de société, elle braconne sur les chasses° traditionnelles de la presse écrite... Toutes les études démontrent que la chute du temps de lecture a été particulièrement forte dans deux catégories autrefois papivores.° Celle des cadres supérieurs^c et, surtout, celle des jeunes : en effet, 45% de ces derniers ne lisent aucun journal.
30 Le prix des journaux constitue un frein° considérable au développement de la presse écrite : «Nous avons la presse la plus chère du monde», se lamentent en chœur la plupart des patrons de presse. Mais si les journaux sont chers en France, c'est que la presse souffre de nombreux handicaps spécifiques. Privés de° capitaux, les quotidiens français ont du mal à se moderniser... Dans les
35 investissements publicitaires, on a privilégié° traditionnellement l'affichage° et la radio, si bien que les recettes° de la presse ne proviennent° que pour 40% de la publicité. Dans la distribution aussi, on a pris du retard, ce qui entraîne° un énorme pourcentage d'invendus° : de 33 à 35%. Dans la plupart des pays développés, les journaux ont trouvé des solutions leur permettant d'être plus accessibles
40 à leurs lecteurs : 90 000 points de vente° en Allemagne contre 36 000 en France.

---

stagne is stagnating / **s'afflige** = *se lamente* / **le syndicat** union / **verrouiller** = *ici, contrôler* / **a tenu le choc** = *a résisté* / **s'est rétréci** = *a diminué* / **piètre** = *médiocre* / **le, la boulimique** = *ici, quelqu'un qui lit beaucoup de journaux* / **ont délaissé** = *ont abandonné* / **aborde** = *parle de* / **naguère** = *autrefois* / **braconner sur les chasses** to poach on someone's preserves / **papivore** = *qui dévore du papier, qui lit beaucoup* / **le frein** = *ici, la barrière* / **privé de** = *sans* / **privilégié** = *favorisé* / **l'affichage** m = *les affiches publicitaires sur les murs* / **la recette** money receipts / **proviennent** = *viennent* / **entraîne** = *cause* / **l'invendu** m = *le journal non vendu* / **le point de vente** = *outlet*

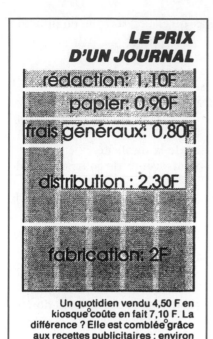

LE PRIX D'UN JOURNAL

rédaction: 1,10F

papier: 0,90F

frais généraux: 0,80F

distribution : 2,30F

fabrication: 2F

Un quotidien vendu 4,50 F en kiosque°coûte en fait 7,10 F. La différence ? Elle est comblée°grâce aux recettes publicitaires : environ 3,50 F par exemplaire.

la rédaction text preparation
les frais généraux overall expenses
le kiosque newspaper stand
comblée made up

Mais si l'on voit bien quels sont les difficultés à surmonter et les remèdes à trouver pour augmenter le nombre de consommateurs, encore faut-il que° ceux-ci trouvent de l'intérêt dans le contenu des journaux qu'on leur présente. Or° la presse écrite souffre d'une crise de crédibilité. Le public, paradoxalement, est
45 plus enclin aujourd'hui à faire confiance aux informations de la radio et de la télévision—pourtant rapides et parfois approximatives—qu'à celles de la presse.

Dans ce contexte, la presse écrite cherche sa voie.° Pour se distinguer, pour se rendre nécessaire, le journal doit peut-être se donner une vocation de° service, de loisir, d'évasion...

Jacques Bouzerand et Roland Mihaïl, *Le Point*

Qu'en pensez-vous?

Êtes-vous d'accord ou non avec les déclarations suivantes? Justifiez votre réponse.

1. La presse écrite française est très auscultée en ce moment parce qu'elle est malade.
2. Tous les quotidiens parisiens ont vu leur tirage baisser.

encore faut-il que it is nevertheless essential that / **Or** now, however / **la voie** = *le chemin* /
se donner une vocation de to aim at

3. La presse régionale française a moins de problèmes parce qu'elle est souvent en situation de monopole.
4. *Le Monde* est le premier quotidien de France.
5. Il est surprenant de constater que la presse magazine se porte très bien.
6. Très peu de Français regardent les journaux télévisés.
7. La chute du temps de lecture a été particulièrement forte parmi les cadres[c] moyens *(middle executives)* et les retraités *(retired persons)*.
8. Les journaux français sont bon marché.
9. La plus grande partie des recettes de la presse provient de la publicité.
10. La France est le pays d'Europe qui a le plus de points de vente de journaux et de magazines.
11. On constate que le public abandonne la presse écrite au profit des informations à la radio et à la télévision.
12. Pour survivre, la presse écrite doit trouver sa voie.

Nouveau contexte

Complétez le passage suivant à l'aide des mots et expressions ci-dessous qui vous sont donnés par ordre alphabétique.

Noms : contenu *m*, handicap *m*, hausse *f*, invendus *m*, lecture *f*, monopole *m*, point de vente *m*, profit *m*, quotidien *m*, rang *m*
Verbes et expressions verbales : s'afflige, analyser, constitue, coûtent, délaissent, fasse... confiance, supplanter
Adjectifs : abordés, distribué, écrite, élevé, régionaux

«Pour moi *Le Monde*, c'est un rite, presqu'une drogue,» nous confie Françoise Breton, bibliothécaire, 40 ans. Tous les jours en sortant de son travail, elle va au _____ 1 le plus proche acheter son _____ 2 préféré. «Je commence à le lire dans le métro et je le termine à la maison. Je ne lis pas tout, bien sûr. Le _____ 3 m'intéresse plus ou moins selon les sujets _____ 4. En général, je lis en entier *Le Monde des Livres* et *Le Monde des Arts et des Spectacles»*.

Quand elle est en vacances, Françoise est capable de faire des kilomètres pour trouver son journal. En effet, *Le Monde* est mal _____ 5 et ne se vend pas bien en province où les journaux _____ 6 sont en situation de _____ 7.

Malheureusement, Françoise ne représente pas la tendance générale. Elle _____ 8 de voir la France au trente et unième _____ 9 mondial pour la _____ 10 des journaux et s'inquiète de voir la radio et la télévision _____ 11 la presse _____ 12. Elle pense, bien sûr, que le prix _____ 13 des journaux français _____ 14 un terrible _____ 15. Quand on note que certains journaux _____ 16 autant qu'un livre de poche, on comprend que de nombreux lecteurs _____ 17 la presse écrite au _____ 18 de la télévision.

Pourtant, dès qu'il y a un événement important, les ventes sont en _____ 19 et il n'y a plus de problèmes d'_____ 20. Il semble que, malgré tout, le public _____ 21 davantage _____ 21 à l'écrit quand il a besoin d'_____ 22 et de réfléchir.

Vocabulaire satellite

l' **hebdomadaire** *m*   weekly
mensuel, mensuelle   monthly
le **kiosque à journaux**   newsstand
l' **abonnement** *m*   subscription
l' **agence de presse** *f*   news service
le **rédacteur en chef**   editor
l' **envoyé,e spécial,e**   special
   correspondent
les **gros titres**   big headlines
la **rubrique**   (specialized) section
l' **article de fond** *m*   background
   piece, «think piece»
la **chronique mondaine**   social page
la **chronique sportive**   sports section

la **météo(rologie)**   weather report
les **petites annonces** *f*   classified ads
le **courrier du cœur**   lonely hearts
   column
le **courrier des lecteurs**   letters to
   the editor section
la **notice nécrologique**   obituary
la **bande dessinée**   cartoon, comics
les **mots croisés** *m*   crossword puzzle
la **censure**   censorship
mettre à nu   to expose
le **journal parlé**   news reports
l' **auditeur, l'auditrice**   listener
le **lecteur,** la **lectrice**   reader

Pratique de la langue

1. Pourquoi les quotidiens français sont-ils les plus chers du monde? Donnez trois raisons.
2. Quelles sont à votre avis, les qualités les plus importantes d'un journal? Dressez une liste d'adjectifs.
3. Qu'est-ce que vous aimez trouver dans un journal? Quelles sont vous rubriques préférées? Et pourquoi?
4. Organisez un sondage (*poll*) parmi vous camarades pour déterminer la proportion de ceux qui lisent ou achètent régulièrement un quotidien ou un magazine. Demandez-leur quels sont leurs journaux favoris, et les raisons pour lesquelles ils ne s'intéressent pas à la presse écrite, si tel est le cas.
5. À débattre : Pensez-vous que certains sujets ne devraient pas être abordés dans la presse? Lesquels? Et pourquoi?
   Ou pensez-vous, au contraire, qu'une presse libre est la garantie du bon fonctionnement d'une démocratie et que, par conséquent, les journalistes ont le droit de tout dire?
6. Avez-vous déjà eu envie d'être journaliste? Si oui, comment envisagez-vous ce métier? Quelle spécialité vous plairait le mieux?

Le Minitel

It is impossible to speak of communication in France without mentioning Le Minitel, a little machine with which the French are learning to communicate differently; it is changing their lives. What is a Minitel? It is a small computer linked by phone connections to a central computer. It is cheap to produce, fits on a bookshelf, and is extremely simple to operate.

The central computer consists of a three-channel network called *Transpac*. *Transpac*'s first two channels (36–13 and 36–14) are used mainly for business and subscription services—databanks, data exchange networks—that are accessible with a telephone call and a password. The third channel is for more general use. Dialing 36–15 and then entering a code provides the link, through *Transpac*, to another computer system (called a *serveur*) with which users can communicate.

Minitel was conceived in 1978 by *La Direction Générale des Télécommunications* at a time when France was modernizing its telephone system. It was designed to replace the traditional paper telephone books and at the same time introduce the French to the computer revolution. First used on an experimental basis in small areas where it was offered free, it is now distributed in major urban centers. With a target of six to eight million Minitel users by the early 1990s, France can boast the largest installed video data-base system in the world.

To individual users Minitel offers a wide and ever-growing array of services. For example, a person can play video games, check a calendar of coming cultural events, and get weather reports, sports scores, daily news, and ads. It is also possible to peruse train schedules, book an airline ticket, obtain a list of hotel vacancies, and make reservations from the privacy of one's home. Shopping can also be done on the video screen. During the presidential elections of 1988, citizens found that interacting with political parties and candidates became easy and fascinating via Minitel. Another interesting offshoot of this new mode of communication is a service called "Messageries conviviales": dialogues between those searching for companions with mutual interests. It is a thriving service with a great number of fanatical "Minitelistes," as seen in the following text.

Jeune branchée

Journal d'une branchée°

Pour ne plus se fatiguer, Thérèse Richard a décidé de tout faire en employant son Minitel. Une aventure épuisante°...

La journée s'annonce° mal : mille choses à faire et une sérieuse fuite° d'eau dans la cuisine. Coincée°! En attendant le plombier je me trouve avec un frigo°
5 vide, une sombre histoire de chèque à régler,° un chat malade. Mes enfants comptent sur moi pour m'occuper de leurs vacances de Noël, sans parler de leurs cadeaux, et mon père qui arrive ce soir désire que je lui trouve une chambre d'hôtel pour «ne pas déranger».° Je sens revenir en force mes maux° d'estomac.

Pour mettre toutes les chances de mon côté, je me connecte, grâce à° mon
10 Minitel sur STELLA° : la date, l'heure et le lieu de ma naissance me donnent la configuration des astres.° La journée sera bonne, même les prévisions pour la

---

le, la branché(e) someone who is plugged in (i.e., into a network); also, someone who is "with it" / **épuisant,e** = *fatigant* / **s'annonce** = *commence* / **la fuite** leak / **coincé,e** stuck, on the spot / **le frigo** = *le réfrigérateur* / **régler** to settle / **ne pas déranger** not to be a bother / **le mal, les maux** = *la douleur* / **grâce à** thanks to / **STELLA** = *service horoscope* / **l'astre** *m* = *l'étoile*

semaine sont encourageantes. Armée de courage et de l'annuaire LISTEL,° j'entreprends de régler mes problèmes.

   Rassurée sur l'état de mon chat grâce à ANIMATEL, je me mets à jongler°
15 avec le 3614 et le 3615 pour passer en revue° le guide des stations de ski et vérifier à tout hasard° les promotions offertes par VOYAGEL. Grâce aux services d'Air France, d'Air Inter et de la SNCF° je dispose des° horaires° et des tarifs.° Les vacances de Victor et de Zoé prennent forme. Ce soir nous déciderons.

   Le cœur plus léger, je me connecte sur OBS,° mon journal préféré, pour
20 prendre le pouls° de l'actualité.° Je ne peux résister à la tentation de faire défiler° certains de leurs dossiers historiques, état de la loi, prises de position° des divers partis.... C'est clair et complet!

   Mais l'homme ne vit pas que de nouvelles : il faut me brancher avant 10 heures sur TÉLÉMARKET si je veux qu'on me livre° par exprès ce soir—pâtes,° huile,°

bousculer to jostle / **les idées reçues** = *l'opinion générale*

l'annuaire LISTEL = *le livret qui indique tous les services du Minitel* / **jongler** to juggle / **passer en revue** to review / **à tout hasard** if by chance there are / **disposer de** to have at one's disposal / **l'horaire** *m* train/plane schedule / **le tarif** = *les prix* / **OBS** = *abréviation pour le magazine le Nouvel-Observateur* / **le pouls** pulse / **l'actualité** *f* current events / **faire défiler (sur l'écran)** to make something appear (on the screen) / **la prise de position** political stand / **livrer** to deliver / **les pâtes** *f* pasta / **l'huile** *f* oil

25 baril de lessive,° boîtes° pour le chat. Un vent de révolte me pousse à pianoter°
une question à Édouard Balladur° sur AGIR : «La rémunération des mères de
famille sera-t-elle prise en compte° dans le prochain collectif budgétaire°?» En
attendant sa réponse, je vérifie sur DIRECT, le serveur° du R.P.R.,° si Jacques
Toubon° n'évoque° pas ce problème. Non...

30   La concierge monte le courrier.° Toujours pas de nouvelles du chèque de la
Sécurité sociale. Après avoir tapé° mon code confidentiel, l'état de mon compte
en banque défile sur l'écran. Mon virement° est arrivé hier. Ouf! Je vais pouvoir
penser aux cadeaux... En attendant, je m'attarde° sur quelques conseils de place-
ments° recommandés par mon banquier. On peut toujours rêver...

35   Il ne me reste que quelques heures avant l'arrivée de mon père. Je lui réserve
une chambre d'hôtel grâce à RIFOTEL.... Mes maux d'estomac ne me lâchent°
pas. Qu'est-ce que j'ai? AK me demande de préciser mes symptômes, mon sexe,
mon âge, mon poids, ma taille.° «La douleur se situe-t-elle en haut ou au centre
de l'abdomen? Se prolonge-t-elle dans le dos?» Je me concentre pour dialoguer,

40 par écran interposé,° avec l'ordinateur qui finit par conclure : «Vous souffrez
certainement de pancréatite.» Allons bon°! En tapant sur la touche° guide, j'ap-
prends tout sur la pancréatite! Du calme. En attendant d'aller chez le médecin,
j'essaie de repérer° sur MEDNAT les plantes qui pourraient me soulager.°

        Les enfants rentrent de l'école. Zoé a eu une mauvaise note en grammaire.

45 Une petite révision sur EAO° s'impose°! Les questions défilent et chaque bonne
réponse s'accompagne d'un commentaire encourageant : «Bravo, réponse
exacte.» Devant tant d'application, je lui promets de la laisser jouer un moment
au pendu° ou à la bataille navale sur FUNITEL...

        Le soir tombe. Mon époux doit rentrer d'un voyage professionnel en province.

50 Je me rassure en consultant l'état de la circulation sur l'autoroute et pioche°
quelques idées pour le dîner sur VATEL.

        Tout est en route. Profitant d'une accalmie,° je calcule le montant° de mes
impôts° sur CALIR et m'essaie aux° subtilités de la Bourse° en gérant° un porte-
feuille° fictif sur JB. Avec quelques vrais millions de centimes à gagner!

---

le baril de lessive big box of laundry detergent / **les boîtes** *f* cans of cat food / **pianoter** to
key in / **Édouard Balladur** = *Ministre de l'Économie du gouvernement Mitterrand-Chirac* /
prendre en compte to take into account / **le collectif budgétaire** = *le budget* / **le**
serveur computer network / **R.P.R.** = *Rassemblement pour la République (parti politique); ancien*
parti du Général de Gaulle, parti de Chirac / **Jacques Toubon** = *Maire de Nice* / **évoquer** =
mentionner / **le courrier** mail / **taper** to type / **le virement** transfer of funds from one
account to another / **s'attarder** linger / **le placement** = *l'investissement m* / **lâchent** =
quittent / **la taille** height / **par écran interposé** using the screen / **Allons bon!** Well
now! / **la touche** the key / **repérer** = *trouver* / **soulager** to soothe / **E.A.O.** =
l'Enseignement assisté par ordinateur / **s'impose** = *est nécessaire* / **le pendu** hangman *(jeu de*
vocabulaire) / **pioche** = *prend* / **l'accalmie** *f* = *période de calme* / **le montant** = *la somme* /
l'impôt *m* tax / **s'essayer à** to practice / **la Bourse** stock market / **gérer** to manage / **le**
porte-feuille portfolio

Peu à peu, les Minitel
s'implantent dans la France entière.
Cela vous concerne. Le Minitel est un nouveau
moyen de communication et d'information qui vous
offre de nombreux et nouveaux services. Parmi ceux-ci figurent
ceux de votre banque.
Pour obtenir un Minitel (si vous ne l'avez déjà), il vous suffit
d'être abonné°au téléphone. Il vous est remis°gratuitement par
les P.T.T.°si vous êtes situé en zone annuaire électronique,° et
moyennant°une redevance°de 85 F/mois dans le cas inverse.
Mais très vite, l'ensemble du territoire en bénéficiera.
Pour plus de précisions,° interrogez votre agence commerciale
des Télécommunications, ou renseignez-vous auprès de votre
agence Société Générale.

Tous les services bancaires à domicile !

De chez vous, un simple numéro suffit
pour être en relation avec la
Société Générale. Vous composez°
votre code d'accès sur votre Minitel,
et aussitôt Logitel est à votre disposition.°
Une gamme complète de prestations°
est à portée de°votre main,
rapidement chez vous, nuit et jour,
7 jours sur 7.

être abonné = *avoir le téléphone*
est remis = *est donné*
les P.T.T. = *Poste-Téléphone-Télégraphe*
en zone annuaire électronique = *dans la zone où il y a l'annuaire électronique*
moyennant = *pour*
la redevance *f* = *le prix*
les précisions *f* = *les informations*
composer   to enter your number
à votre disposition   at your disposal
la prestation = *le service*
à portée de votre main   within your reach

55   La nuit est là. La bonne heure pour les dialogues conviviaux dans les services de messagerie.° Mais mes yeux sont rouges. Nous n'enverrons qu'un seul message ce soir... aux extraterrestres sur AL33. Il partira dans l'espace sous forme de trains d'ondes° depuis° le radiotélescope de Nançay, dans le Cher.° Albert Simon me rassure sur OBS : il ne pleuvra pas demain et GABRIEL me fournit des
60   «incitations à la prière» en attendant l'apaisement° du sommeil. La pluie frappe sur les carreaux.° Que de bruit,° après une longue journée de silence! Heureusement que j'ai bavardé avec le plombier.

Thérèse Richard, *Le Nouvel Observateur*

la messagerie electronic bulletin board / **l'onde** *f* wave / **depuis** = *à partir de* / **le Cher** = *département au sud de Paris* / **l'apaisement** *m* = *le calme, la paix* / **le carreau** windowpane / **que de bruit** what a lot of noise

Qu'en pensez-vous?

Êtes-vous d'accord ou non avec les déclarations suivantes? Justifiez votre réponse.

1. Thérèse a décidé de tout faire à partir de son Minitel parce qu'elle pense que c'est moins fatigant.
2. Il y a une fuite d'eau dans la salle de bains.
3. Elle ne peut pas sortir de chez elle parce qu'elle attend le plombier.
4. Son père, qui arrive ce soir, va venir s'installer chez elle.
5. Avant de commencer à régler ses problèmes, elle consulte son horoscope sur le Minitel.
6. Ses enfants veulent aller faire du ski pendant les vacances de Noël.
7. Pour avoir les dernières nouvelles, elle se connecte sur le service du *Monde*, son journal préféré.
8. Grâce à TÉLÉMARKET, elle peut faire ses courses par ordinateur et se les faire livrer à domicile.
9. Elle utilise son Minitel pour dialoguer avec les hommes politiques.
10. Elle vérifie l'état de son compte en banque en tapant son code confidentiel.
11. Le service Médical du Minitel est capable de faire un diagnostic si on lui envoie une description de ses symptômes.
12. Elle souffre de laryngite.
13. Parce qu'elle a eu une mauvaise note en grammaire à l'école, sa fille Zoé n'est pas autorisée à se servir de l'ordinateur.
14. Avec le Minitel, on peut même communiquer avec les extraterrestres.
15. En fin de journée, elle a mal à la gorge parce qu'elle a beaucoup parlé.

Nouveau contexte

Complétez le passage suivant à l'aide des mots et expressions ci-dessous qui vous sont donnés par ordre alphabétique.

Noms : branchés *m*, écran *m*, horaire *m*, impôts *m*, lecture *f*, messageries *f*, minitelistes *m*, montant *m*, nouvelles *f*, ordinateur *m*, prises de position *f*, services *m*

Verbes et expressions verbales : bavarder, faire défiler, livrer, pianoter, régler, vérifier
Adjectifs : bancaires, fonctionnel, quotidienne

Voici les réactions de deux familles de la banlieue parisienne, récentes utilisatrices du Minitel, devant cette nouvelle machine.

La famille Legoff n'est pas entièrement satisfaite, Jean-Pierre, le mari, s'intéresse à la politique. Il aime _____ ¹ sur l'écran les _____ ² des différents journaux face au même événement. Il s'en sert pour connaître rapidement les _____ ³ mais il n'a pas abandonné la _____ ⁴ de son quotidien. Catherine, sa femme, apprécie beaucoup le service TELEMARKET. Elle se fait _____ ⁵ à domicile toutes ses commandes lourdes d'épicerie. Par contre, elle trouve certains autres _____ ⁶ proposés un peu lents et pense qu'on a plus vite fait de demander un _____ ⁷ de train en téléphonant à la gare. Leur fils, Patrick, est un passionné de Jeux-vidéo. Il adore _____ ⁸ pendant des heures sur le Minitel. Mais devant l'augmentation de leur note (*bill*) de téléphone, ses parents ont dû limiter ses moments d'utilisation de l' _____ 9 .

L'autre famille, les Hérot, sont de vrais _____ 10 . Marc Hérot, professeur de musique dynamique, avoue qu'il passe trois à quatre heures par jour devant son _____ 11 . Il aime les _____ 12 qui lui permettent de _____ 13 avec d'autres personnes fanatiques de musique comme lui. Les Hérot se servent beaucoup de leur Minitel pour _____ 14 leurs problèmes quotidiens. Ils apprécient les services _____ 15 qui leur permettent de _____ 16 à tout moment le _____ 17 de leur compte en banque. L'année dernière, ils ont calculé leurs _____ 18 grâce au serveur CALIR. Les Hérot sont des _____ 19 actifs et convaincus. Pour eux, cette petite machine n'est pas un gadget mais un instrument _____ 20 qui fait partie de leur vie _____ 21 .

Vocabulaire satellite

la **base de données**   data base
le **bogue**   bug
la **disquette**   diskette
le **disque souple**   floppy disk
l' **écran** *m*   screen
l' **imprimante** *f*   printer
le **logiciel**   software
l' **octet** *m*   group of 8 bits (bytes)
l' **ordinateur** *m*   computer

le **micro-ordinateur**   micro computer
le **réseau**   network
le **traitement de texte**   word processor
le **clavier**   keyboard
   taper sur une touche   to hit a key
l' **informatisation** *f*   computerization
la **souris**   mouse
le **lecteur de disquette**   disk drive

Pratique de la langue

1. Faites une liste des services offerts par le Minitel dans ce texte. Quel est le service que vous trouvez le plus intéressant? Pourquoi?
2. Travaillez en groupe et imaginez que vous allez créer votre propre serveur; quels services proposerez-vous? Pourquoi?
3. Improvisez la situation suivante : M. et Mme Toussaint ont trois enfants; ils hésitent à acquérir le Minitel. Le père pense que cela va distraire les enfants de leurs études. La mère pense que c'est un outil (*tool*) pratique et indispensable dont on peut contrôler l'utilisation.
4. Pensez-vous que vous seriez un(e) miniteliste convaincu(e) ou réticent(e)? Dites pourquoi.
5. Vous communiquez par télécommunication avec des élèves d'une classe de français à l'autre bout du pays. Faites, en groupe, une liste de dix messages que vous aimeriez leur envoyer.
6. À débattre : Le Minitel n'est pas vraiment utile. C'est un jouet très cher qui fait perdre énormément de temps et qui n'existera plus dans vingt ans.

Sujets de discussion ou de composition

1. Écrivez une lettre au directeur d'un journal ou à un de ses rédacteurs pour protester contre une prise de position qui vous a déplu ou, au contraire, pour le féliciter d'un article que vous approuvez.

2. Pensez-vous qu'en l'an 3 000 la presse écrite existera toujours? Si non, par quoi sera-t-elle remplacée?

3. À débattre : Toutes ces discussions à propos de la pureté de la langue sont ridicules. Nous devrions tous parler l'espéranto.

4. Êtes-vous d'accord avec ce commentaire de Jean Miot, président du syndicat de la presse parisienne : «La Télévision, c'est le choc, la question. Votre quotidien, le lendemain, c'est la réflexion, la réponse?»

5. À débattre : L'informatisation croissante de notre société profite-t-elle à tous ou bien ne fait-elle qu'accentuer l'écart (*gap*) entre ceux qui «savent» et ceux qui ne «savent» pas?

10

La scène et les lettres

Le renouveau du théâtre en France

Of all the classic forms of artistic expression in France, the theater may well show the greatest promise of survival and renewal. Subsidized, criticized, scrutinized, and constantly reinvented, theater is very much alive not only in Paris but all over France.

In modern French theater three major currents can be discerned. First, there is the commercial *théâtre de boulevard*, the Broadway of Paris, specializing in comedies designed to entertain. Second, there is the classical theater represented by the state-supported *Comédie-Française* (also known as *La Maison de Molière*), which operates several theaters in Paris and takes its productions to the provinces and even abroad. The repertoire of the *Comédie-Française* also includes many foreign and twentieth-century plays. Finally, there is the French government's most remarkable contribution to the revival of the theater, the new state-financed repertory companies such as the *Théâtre National de Chaillot*, the *Théâtre de la Ville*, the *Théâtre de l'Est Parisien*, the *Compagnie Renaud-Barrault*, and the *Théâtre des Amandiers* in Nanterre near Paris. Not to be forgotten are the numerous *cafés-théâtres* which often present avant-garde and controversial plays.

This renaissance would not have been possible without a galaxy of dynamic and progressive directors such as Jean Vilar, Roger Planchon, George Wilson, Jean-Louis Barrault, Roger Blin, Antoine Vitez, Patrice Chéreau and others, most of them first-rate actors as well. Together, these innovators revitalized the repertoire and introduced revolutionary approaches. The late Jean Vilar, for example, was instrumental in launching major theater festivals at Avignon.[1] Other festivals then multiplied, including the *Festival d'automne* in Paris. As a result of Vilar's initiative, the theater season, which traditionally opens almost everywhere else in the fall, in France begins in July under the sunny skies of Avignon.

théâtre 13   45.88.16.30

MARIVAUX

l' Epreuve   les Sincères

mise en scène
JEAN-PIERRE MIQUEL

"Des comédiens épatants"
L'EVENEMENT DU JEUDI

"Pari gagné. C'est drôle, vif, percutant"
LE FIGARO

du 10 janvier au 19 février

MONTPARNASSE

FABRICE LUCHINI
triomphe dans

voyage 19 H
au bout de la nuit

CELINE

PROLONGATION !
tous les mercredi
jeudi et vendredi
Loc. 43.22.77.74

STAGE°
FESTIVAL D'AVIGNON
Palais des Papes
Les métiers du théâtre
*Montage et diffusion
d'une production,
mise en scène, jeu, décors,
costumes, régie, etc.*

Rens. et inscriptions :
SIMET, 8, place du Palais-Bourbon,
Paris-7ᵉ. Tél. : 45-50-23-30 - 45-51-55-50.

le stage internship

[1]Avignon: a city in southern France where a theater festival is held every summer.

Peter Brook, the internationally renowned British director whose company is based in Paris, has observed that the French language accurately renders the specific nature of the theatrical phenomenon by using *répétition* for "rehearsal," *représentation* for "performance," and *assistance* for "audience." In his view—and in the eyes of all actors and directors involved with collective experimentation in the theater—the audience *assiste au spectacle*, meaning that it not only attends the performance but also "assists" the actors in their encounter with the characters portrayed.

In the name of "participation," Ariane Mnouchkine and *Le Théâtre du Soleil* have been experimenting for twenty years with the dual challenge of a collective theatrical organization and a collective creation in which the spectators are directly involved. Based outside Paris at the *Cartoucherie de Vincennes* (a converted munitions factory), the *Théâtre du Soleil* has produced stunningly creative spectacles such as 1789 and 1793, depicting episodes of the French Revolution.

These works have been presented throughout Europe with equal success, despite the language barrier. More recently, Ariane Mnouchkine and her troupe have been experimenting with techniques borrowed from the traditional theatre forms of India (Kathakali) and Japan (Kabuki), which they applied to a series of Shakespearean plays. This attempt electrified American audiences when the *Théâtre du Soleil* appeared at the 1984 cultural festival organized to coincide with the Los Angeles Summer Olympics. Some critics, however, saw it as a mere fad, and differences broke out even among the actors at the Avignon theatre festival, where controversy is a well-established tradition.

Interviewée par la journaliste Catherine Degan, Ariane Mnouchkine explique pourquoi elle s'est tournée vers le théâtre de l'Orient et analyse les méthodes de travail de son équipe.

«L'acteur est un scaphandrier° de l'âme»

ARIANE MNOUCHKINE   Ce qui m'intéresse dans la tradition orientale, c'est que l'acteur y est créateur de métaphores. Son art consiste à montrer la passion, à raconter l'intérieur de l'être humain—et aussi les histoires, bien sûr. J'ai fait un voyage

le scaphandrier deep-sea diver

5   au Japon, un peu à la hippie. En y voyant des spectacles, je me disais : «On dirait du Shakespeare°», alors que je ne comprenais rien ni aux thèmes ni au langage. Et cela parce que les acteurs étaient fantastiques. Là, j'ai senti que la mission de l'acteur était d'ouvrir l'homme comme

10 une grenade.° Pas de montrer ses tripes,° mais de les dessiner, les mettre en signes, en formes, en mouvements, en rythmes. Alors qu'en Occident, on apprend plutôt aux acteurs à serrer les mâchoires° et à ne pas montrer ce qui se passe.

15 Pourquoi, me suis-je demandé, un acteur de Kathakali me parle-t-il complètement? Comment se fait-il, me demande-t-on aujourd'hui, que les gens qui ne savent rien du Kabuki puissent aimer vos spectacles? La réponse est la même : parce que c'est du théâtre! C'est à dire la

20 «traduction en» de quelque chose... Quand nous avons résolu de monter° Shakespeare, le recours à l'Orient est devenu une nécessité. Car Shakespeare se situe dans la métaphore des vérités humaines. Nous cherchons donc à le mettre en scène° en évitant à tout prix le réalisme et

25 le prosaïsme.°

CATHERINE DEGAN   Pourquoi, précisément, avez-vous décidé de monter Shakespeare?

ARIANE MNOUCHKINE   Pourquoi Shakespeare? Parce que, son génie et sa poésie mis à part,° il est si simple, il prend les événements de

30 front.° Avec lui, nous allons à l'école d'un maître, et nous espérons bien en tirer un tout petit quelque chose—qui n'est pas une recette,° bien sûr! De le côtoyer° avec tant d'obstination pendant trois ans, j'en ai plus appris (je ne dis pas : acquis°) sur le théâtre que pendant toutes les

35 années précédentes.

Le Théâtre du Soleil a presque toujours fait des tentatives° de rapport avec l'histoire. *1789* et *1793* étaient des spectacles didactiques. Je ne les renie° pas. Nous avions besoin d'en passer par là. Mais ce qu'il y a de beau chez

40 Shakespeare c'est qu'il ne fait rien d'unique.° Il ne montre

---

on dirait du Shakespeare = *on dirait que c'est du Shakespeare* / **la grenade** pomegranate / **les tripes** *f* guts, innermost emotions / **serrer les mâchoires** *f* to clench one's jaws / **monter (une pièce)** to stage, to produce (a play) / **mettre en scène** to stage / **le prosaïsme** the commonplace / **mis à part** set aside / **de front** head-on / **la recette** recipe / **côtoyer** to live side by side / **acquis** *(participe passé, acquérir)* acquired / **la tentative** attempt, experiment / **renier** to deny / **unique** = *isolé*

jamais une idée sans en montrer le contraire, il n'a pas un éclairage° particulier. Il montre un personnage héroïque puis le montre aussi ignoble. Shakespeare est un poète qui se permet tout, qui sonde° tout; peut-être même qui

45   aime tout. Bien sûr, il n'aime pas l'ignominie mais il en fait entre autres la matière de son art—sans en faire l'apologie.° Il dit : elle existe, la voilà, connaissez-la ou plutôt reconnaissez-la, puisque vous l'avez en vous comme je l'ai en moi...

50   CATHERINE DEGAN   Comment travaille-t-on au Théâtre du Soleil?

ARIANE MNOUCHKINE   Les cinq ou six mois de répétition° d'un spectacle se passent à explorer, attendre, patienter,° s'impatienter, se décourager, espérer de nouveau, rire aussi. Quand il y a un projet, il y a non pas une vision préétablie mais quel-

55   ques fragments, des désirs. Peut-être la conviction que ce chemin inconnu doit mener là—mais comment? Alors le comédien° ou moi-même découvrons un petit bout de chemin.° Nous disons à l'autre : viens, ce doit être par là.° Il arrive que nous tombions tous les deux dans un trou°

60   parce que ce n'était pas par là. Puis nous repartons°... Ce que j'attends d'un acteur, c'est qu'il soit un scaphandrier de l'âme, prêt à voyager très loin avec moi. Même s'il n'a jamais joué, j'attends qu'il me révèle des choses.

     Pour *Richard II* par exemple, je ne voyais a priori que

65   ce que je ne voulais pas : tomber dans la terrible banalité du feuilleton° shakespearien antédiluvien,° noir et vert.° Pendant la répétition la table était pleine de livres d'images, de peintures, de photos, pour nourrir notre imaginaire° et nous donner une distance. Je voulais un

70   *Richard II* qui flamboie° dans le texte. Rien que° le mot «trône» me bloquait° —je ne voyais pas comment résoudre ce problème. Un moment, Georges Bigot° est monté sur une table, et soudain cet éclair° : le trône était là. Je tiens toujours à° faire comprendre combien des choses

---

l'éclairage *m* highlighting, emphasis / **sonder** to probe / **l'apologie** *f* praise / **la répétition** rehearsal / **patienter** = *attendre avec patience* / **le comédien** = *l'acteur* / **un petit bout de chemin** a glimpse of the right direction / **par là** in that direction / **le trou** hole / **repartir** = *recommencer* / **le feuilleton** serialized story, potboiler / **antédiluvien** = *très ancien* / **noir et vert** macabre and crude / **l'imaginaire** *m* = *imagination* / **flamboyer** to burn bright / **rien que** just / **bloquer** to create a mental block / **Georges Bigot** = *un des principaux comédiens du Théâtre du Soleil* / **l'éclair** *m* flash (of inspiration) / **tenir à** to insist on

Les comédiens de la Troupe du Soleil interprétant Richard II

75   qui ont l'air voulues sont venues,° arrivées. Nous avons cherché de l'intérieur ce que ce «simple» texte provoque dans un acteur quand on ne préjuge pas trop de ce qu'il veut dire. Au début, par exemple, les acteurs entraient et sortaient de manière très lente, très majestueuse. Or,°

80   c'est faux. Mensonger.° *Richard II* commence en plein conflit; Shakespeare n'introduit pas, n'expose° rien. Nous découvrions que ces pièces sont rapides, versatiles et non progressives.° Et nous avons trouvé l'idée des entrées «au galop°», qui résolvaient aussi un problème de durée.

85   D'ailleurs quand un acteur ralentit,° c'est toujours mauvais signe : c'est qu'il veut «faire sérieux°» ou se retrouver° peut-être, mais qu'il quitte l'état.°

CATHERINE DEGAN   Qu'est-ce que c'est pour vous que le théâtre populaire?

---

venues = *survenues* (happened unexpectedly) / **or** now, however / **mensonger**
(adj) untrue / **exposer** = *expliquer, montrer* / **progressif, -ive** = *qui avance par degrés* / **les
entrées** *f* «**au galop**» (stage) entrances on the run / **ralentir** to slow down / **faire sérieux** to
appear ponderous / **se retrouver** to come back to oneself / **l'état** *m* involvement in a role

ARIANE MNOUCHKINE   C'est le plus beau théâtre possible, peut-être le plus raf-
90   finé, celui où on se donne le plus de mal. Celui qui peut
                     être reçu par différentes <u>strates</u> de culture,° les <u>jeunes</u>
                     chômeurs comme les professeurs d'université, par divers
                     <u>orifices</u>° mentaux. Ce qu'il y a de plus beau dans un
                     public, c'est son <u>hétérogénéité</u>. À Avignon en particulier
95   il y a, sinon beaucoup d'ouvriers, du moins des gens de
                     toute sorte, de <u>toutes les cultures</u> ou de tous les <u>manques</u>
                     de <u>culture</u>. Le professeur d'université y reçoit l'émotion
                     de l'être moins cultivé qui est assis à ses côtés° et récipro-
                     quement.°
100 CATHERINE DEGAN Le Théâtre du Soleil est aussi une école. On vous a ap-
                     pelée «accoucheuse° d'acteurs».
     ARIANE MNOUCHKINE C'est le plus grand compliment qu'on puisse me faire.
                     Souvent en effet de très jeunes acteurs demandent à
                     entrer pour apprendre leur métier° au sein de la troupe.°
105   Une troupe est la meilleure école qui soit. Si elle n'est pas
                     aussi une école, elle <u>crève</u>° très vite. J'aimerais peut-être
                     qu'il y ait quelques acteurs plus âgés au Théâtre du Soleil,
                     mais il ne s'en présente pas.° Car les plus anciens ont sans
                     doute besoin de plus d'argent (nous gagnons tous six
110   mille francs par mois) et n'apprécient pas, je pense, les
                     tâches collectives auxquelles nous nous astreignons°
                     tous—jusqu'à nettoyer les chiottes.° Comme il se produit°
                     un moment où certains membres de la troupe sentent
                     que c'est indigne° d'eux. Alors, ils s'en vont.

Propos° recueillies par Catherine Degan, *Le Soir*

Qu'en pensez-vous?

Êtes-vous d'accord ou non avec les déclarations suivantes? Justifiez votre réponse.

1. Ariane Mnouchkine s'est intéressée au théâtre de l'Orient parce qu'elle a été fascinée par le jeu (*acting*) des acteurs.
2. Quand elle a monté des pièces de Shakespeare, elle a cherché à en accentuer le côté réaliste et prosaïque.

---

les strates *f* **de culture** cultural levels / **l'orifice** *m* openings, apertures / **à ses côtés** = *à côté de lui* / **réciproquement** = *vice versa* / **l'accoucheuse** *f* midwife / **le métier** = *la profession* / **au sein de la troupe** in the midst of the theater company / **crever** (*fam*) = *mourir* / **il ne s'en présente pas** = *ils ne viennent pas* / **astreignons** (*s'astreindre*) to submit willingly / **les chiottes** (*fam*) latrines / **se produire** = *arriver* / **indigne** unworthy / **le propos** = *la parole*

3. Shakespeare l'a attirée parce que c'est un poète qui se permet tout, qui explore tout.

4. Au Théâtre du Soleil, quand on commence à répéter une pièce, on a, en général, une vision bien nette de ce que l'on va faire.

5. Dans cette troupe, il y a une étroite collaboration entre les acteurs et le metteur en scène.

6. Ce qui frappe dans sa mise en scène de *Richard II*, c'est l'impression de lenteur et de progression.

7. Ariane Mnouchkine définit le théâtre populaire comme le meilleur théâtre possible : celui qui peut satisfaire un public très varié.

8. Le public du festival d'Avignon est très homogène.

9. Le Théâtre du Soleil est aussi une école d'acteurs.

10. Dans cette troupe, il n'y a pas de vedettes, chaque membre contribue également à l'élaboration des pièces et partage les diverses tâches.

Nouveau contexte

Complétez le passage suivant à l'aide des mots et expressions ci-dessous qui vous sont donnés par ordre alphabétique.

Noms : changement *m*, comédien *m*, créateur *m*, être humain *m*, génie *m*, jeu des acteurs *m*, mise en scène *f*, pièces *f*, recettes *f*, répétitions *f*, spectacles *m*, spectateurs *m*, tâches *f*, troupe *f*

Verbe : consiste à

Le Théâtre du Soleil a fêté ses vingt ans en 1984. En vingt ans, la _____ *1* d'Ariane Mnouchkine s'est transformée mais continue à produire de superbes _____ *2*. Cette troupe est une école, une famille où les acteurs sont liés les uns aux autres pendant de longues _____ *3*. Pour un _____ *4*, faire partie du Soleil _____ *5* s'engager tout entier, à accepter un style de vie communautaire, à partager les _____ *6* collectives mais aussi à participer pleinement à la _____ *7*, à être à la fois _____ *8* et acteur.

   Pour Ariane Mnouchkine, l'acteur est celui qui sait s'oublier pour raconter un autre _____ *9*. Le type de travail qu'elle demande est très difficile. Pour elle, faire du théâtre, ce n'est pas apprendre des _____ *10* mais travailler à son propre _____ *11*.

   Le _____ *12* de Mnouchkine n'est plus à démontrer. Il n'existe nulle part ailleurs une troupe semblable à celle du Théâtre du Soleil. Le public vient voir ses _____ *13* pour pénétrer dans un autre monde : la musique, les masques, les costumes, le _____ *14* entraînent les _____ *15* dans une aventure d'où ils ressortent différents.

Vocabulaire satellite

l' **acteur** *m*, **l'actrice** *f* actor, actress

le **comédien**, la **comédienne** actor, actress; comedian, comedienne

la **pièce (de théâtre)** play

l' **œuvre** *f* work (usually artistic)

le **dramaturge** playwright

le **personnage** character

la **scène** stage

la **mise en scène**   (stage) direction
le **metteur en scène**   (stage) director
la **salle**   house (theater)
l' **éclairage** *m*   (stage) lighting
la **régie**   (stage) management
le **décor**   stage set
les **coulisses** *f*   wings
le **souffleur**   prompter
le **rideau**   curtain

le **rôle**   part
le **trac**   stage fright
avoir un trou de mémoire   to have a memory lapse
le **jeu des acteurs**   acting
les **applaudissements** *m*   applause
l' **assistance** *f*   audience
la **vedette** *f*   male or female star
les **accessoires** *m*   props

Pratique de la langue

1. Que veut dire Ariane Mnouchkine quand elle explique que le théâtre c'est «la traduction en» de quelque chose?
2. Vous êtes acteur dans la troupe du Théâtre du Soleil. Expliquez la philosophie de la troupe, les difficultés et les joies de votre métier à un groupe de jeunes attirés par le théâtre.
3. Si vous pouviez être metteur en scène, quels types de pièces aimeriez-vous monter? Quelles méthodes de travail emploieriez-vous?
4. Aimez-vous aller au théâtre? Quelles pièces allez-vous voir (sérieuses, comiques, didactiques, etc.)? Pourquoi?
5. Avez-vous déjà joué dans une pièce? Dans quel type de pièce? Avez-vous eu le trac? En avez-vous gardé un bon souvenir? Pourquoi? Pourquoi pas?
6. Situations à improviser :
   a. Vous interviewez un(e) acteur (actrice) de cinéma célèbre qui vient de jouer dans une pièce de théâtre. Il (elle) vous parle de sa récente expérience, des différences avec le tournage (*filming*) d'un film, de ses appréhensions mais aussi des satisfactions que cela lui a apportées.
   b. Ariane Mnouchkine interroge un jeune homme (une jeune fille) qui désire faire du théâtre et rêve de faire partie de sa troupe.
   c. Vous voulez devenir metteur en scène mais vos parents, qui avaient d'autres ambitions pour vous, essaient de vous en dissuader.

Culture et animation

New directions have also come to French theater from the *Maisons de la Culture*[c] and *Centres d'Action Culturelle* (C.A.C.)[c], which are located in cities and towns throughout France. Launched by de Gaulle's[c] Minister of Culture, André Malraux, these centers were meant to disseminate culture outside Paris. The *Maisons de la Culture* usually combine a theater, artists' workshops, rooms for exhibits, music and projection rooms, and a film library. The government is an important source of funding for these *Maisons*, while local communities support the *Centres d'Action Culturelle*, which are somewhat smaller in scope.

Another kind of cultural center, the *Maisons des Jeunes et de la Culture* (M.J.C.)ᶜ, also promote cultural programs, but they are primarily community centers where young people can learn and practice sports, crafts, and music. These centers are open to such activities as discussion groups, amateur theatricals, *ciné-clubs* and lectures. More than fourteen hundred such centers have been built since 1961.

The following interview is with Guy Foissy, the dynamic director of the Centre d'Action Culturelle *of Mâcon in Burgundy, who is also a versatile playwright and winner of several theatrical prizes.*

FRANCINE BUSTIN   Que fait-on dans une Maison de la Culture ou dans un Centre d'Action Culturelle comme celui que vous dirigez à Mâcon?

GUY FOISSY   D'abord, de la diffusion° artistique (dans tous les domaines : spectacles, expositions,° concerts), ensuite de l'animationᶜ, en
5   général liée à la programmation,° enfin nous apportons une aide (souvent technique) aux productions artistiques locales.

FRANCINE BUSTIN   Quels genres de spectacles ou de manifestations culturelles ont été offerts au public mâconnais° depuis la création du Centre?

10   GUY FOISSY   Nous avons présenté des manifestations dans les domaines les plus divers de l'expression artistique et culturelle : théâtre, musique, jazz, musique folk, danse, variétés, poésie, café-théâtre, opérette, conférences, cinéma, spectacles pour en-fants, spectacles de rue, expositions... Il faut préciser° que
15   notre démarche° est double. Proposer, d'une part, un éven-tail° varié de manifestations intéressant différents publics; d'autre part, avoir une politique volontaire,° une cohérence, une ligne : depuis deux ans, c'est la défense des auteurs contemporains d'expression française, la mise en rapport° du
20   public d'aujourd'hui avec les créateurs d'aujourd'hui.

FRANCINE BUSTIN   Que faites-vous de la formule café-théâtre?

GUY FOISSY   Ce n'est pas nécessairement un café où on fait du théâtre. C'est une petite salle où sont présentés des spectacles peu

---

la diffusion promotion / **l'exposition** *f* exhibition / **liée à la programmation** linked to the choice of programs / **mâconnais** = *de Mâcon* / **préciser** to specify / **la démarche** approach, policy / **l'éventail** *m* range, choice (lit., fan) / **la politique volontaire** deliberate policy / **la mise en rapport** putting in touch

25   coûteux, mais dans lesquels la direction° n'est pas impliquée° et ne prend pas de risques. Cela permet à beaucoup de jeunes comédiens de travailler, même peu (ou pas) payés.

FRANCINE BUSTIN   Et les «spectacles de rue»? À quoi servent-ils?

GUY FOISSY   Les spectacles de rue ont essentiellement une fonction politique et sont souvent liés à des événements ponctuels° de la
30   vie locale (urbanisme, écologie, etc.).

FRANCINE BUSTIN   La gamme de ces activités paraît extrêmement variée. Dans quelle mesure sont-elles déterminées par le goût du public?

GUY FOISSY   Il n'y a pas un public, mais des publics. Nous essayons de les faire se rencontrer, se mélanger.° Mâcon n'est pas une ville
35   universitaire et nous évitons la recherche à la mode° qui s'adresse à une petite élite intellectuelle.

FRANCINE BUSTIN   Dans vos rapports avec les différents secteurs de la population mâconnaise, qui touchez-vous le plus facilement? Dans quels milieux vous est-il le plus difficile de vous implanter et
40   pourquoi?

GUY FOISSY   Nos statistiques donnent° une majorité de jeunes. Comme composition sociale : 19% d'employés, 18% de professeurs, 18% de membres de Comités d'entreprise,° etc. Le milieu le plus difficile? La classe ouvrière, pour des raisons historiques
45   évidentes. De plus, la situation économique et sociale (chômage, fermeture d'entreprises) empêche une mobilisation totale pour la culture.

FRANCINE BUSTIN   Donnez-vous des spectacles dans les entreprises ou dans les usines? D'où vient l'initiative de ce genre d'activité? des pa-
50   trons? des travailleurs ou de leurs représentants?

GUY FOISSY   Oui, parfois, de petits spectacles, des animations. Mais cela coûte cher, car ce n'est pas compensé par des recettes.° L'accord se fait entre nous et les représentants des travailleurs.

FRANCINE BUSTIN   Votre travail est donc bien différent de celui d'un directeur
55   de salle de spectacle? Je pense, par exemple, au travail d'animation que vous entreprenez : en quoi cela consiste-t-il?

GUY FOISSY   En un travail d'information (je ne dis pas de publicité, mais d'information, avec ce que cette démarche a de pédagogique°), par une intervention sur le terrain,° par des débats,

---

la direction those in charge / **impliquer** to be held (financially) responsible /
ponctuel topical, relevant / **se mélanger** mingle / **la recherche à la mode** trendy
sophistication / **donnent** = *indiquent que nous avons* / **Comité d'entreprise** *m* company-
sponsored social group / **les recettes** *f* box-office receipts / **avec... pédagogique** with all the
didacticism implied / **sur le terrain** in the field, at the grass-roots level

60   des documents, par des ateliers de mise en pratique° (par exemple, des ateliers de formation théâtrale). Nous invitons des auteurs, des comédiens, qui rencontrent les professeurs, les élèves, les troupes d'amateurs à Mâcon et dans les villages, etc. Notre présence tend progressivement à se ramifier° dans

65   tous les secteurs de la vie sociale et toutes les tranches d'âge.°

FRANCINE BUSTIN   Pourriez-vous me donner des exemples de projets d'animation qui vous ont mis en contact avec des écoles?

GUY FOISSY   Voici ce qui s'est passé dans l'école d'un village du Beaujolais : La Chapelle-de-Guinchay. Notre animateur-jeunesse avait,

70   avec des professeurs, proposé de travailler ma pièce «La Crique» (*The Creek*) avec les élèves. La pièce devait être jouée dans le courant de° l'année par des professionnels, dans une tournée° venant de Paris. Pendant trois mois, l'ensemble du collège^c a travaillé sur la pièce. Au niveau° théâtral, aidés par

75   des comédiens professionnels de la région, cent élèves ont participé au spectacle : interprétation, conception et fabrication des décors,° composition et exécution de la musique, mise en scène, régie,° etc. De plus, l'ensemble des cours de littérature avait la pièce comme support : orthographe, ana-

80   lyse de vocabulaire, dissertation° sur les thèmes de la pièce. En cours d'anglais, les professeurs faisaient traduire la pièce... Le spectacle a été présenté dans deux villages, au Centre d'Action Culturelle de Mâcon, enregistré° et diffusé° par la radio.

FRANCINE BUSTIN   Est-ce que les pouvoirs publics° interviennent ou vous limi-

85   tent dans le choix des activités que vous souhaitez organiser?

GUY FOISSY   Non. Ils donnent des subventions° et, en principe, n'interviennent pas... tant que° les choses marchent bien, je suppose, ce qui est le cas à Mâcon.

FRANCINE BUSTIN   Y a-t-il un souvenir ou une anecdote qui résumerait à vos

90   yeux le succès du Centre d'Action Culturelle ou des programmes d'action culturelle que vous organisez à Mâcon?

GUY FOISSY   Récemment, certains professeurs s'étaient élevés contre° le fait qu'on ne présentait pas d'auteurs classiques français mais

---

l'atelier *m* **de mise en pratique** workshop / **se ramifier** to branch out / **la tranche d'âge** age group / **dans le courant de** = *pendant* / **la tournée** (theatrical) tour / **le niveau** level / **le decor** set / **la régie** stage management (work of a stage manager) / **la dissertation** = *la composition* / **enregistrer** to record, to tape / **diffuser** to broadcast / **les pouvoirs publics** public officials / **la subvention** subsidy, funding / **tant que** so long as / **s'élever contre** to raise objections to

95   uniquement des auteurs contemporains. Nous n'avons pas cédé.° Un excellent travail a été fait avec les professeurs et les élèves. Maintenant, nous proposons un classique (Molière) et les mêmes professeurs s'élèvent contre le fait de présenter ce qu'on connaît trop et préfèrent des auteurs contemporains! Signe de réussite... Succès? Difficile à dire... Le nombre

100   de spectateurs, bien sûr, le nombre d'adhérents,° mais aussi surtout peut-être, la «vie» de notre Maison, son rayonnement,° le développement et la qualité de son tissu relationnel,° sa capacité à mobiliser des énergies pour travailler avec elle, et aussi sa réputation nationale et internationale.

Qu'en pensez-vous?

Êtes-vous d'accord ou non avec les déclarations suivantes? Justifiez votre réponse.

1. Guy Foissy dirige une Maison de la Culture.
2. Son travail consiste essentiellement à aider les productions artistiques locales.
3. Grâce au Centre Culturel, les Mâconnais ont pu voir de nombreuses pièces de théâtre.
4. Depuis quelques années, le Centre essaie de faire connaître les auteurs contemporains d'expression française.
5. Dans les cafés-théâtres, on peut monter des spectacles peu coûteux.
6. Mâcon est une ville universitaire.
7. Le Centre d'Action Culturelle touche surtout un public jeune.
8. Des représentations théâtrales sont données dans les entreprises et les usines, à la demande des ouvriers.
9. Le directeur du Centre a organisé des projets d'animation avec des écoles de la région.
10. Le Centre ne reçoit pas de subventions du gouvernement.
11. Les Mâconnais s'intéressent aux activités du Centre Culturel et encouragent les efforts de son directeur.

Nouveau contexte

Complétez le passage suivant à l'aide des mots et expressions ci-dessous qui vous sont donnés par ordre alphabétique.

Noms : actrice *f*, adhérente *f*, atelier *m*, collègues *m* pl., décors *m*, directeur *m*, expositions *f*, rayonnement *m*, réussite *f*, tournée *f*, tranches d'âge *f*, troupe *f*
Verbes et expressions verbales : se mélanger, mettre en contact, prendre des risques, touche
Adjectifs : folkloriques, personnel, théâtrales

---

céder to yield / **l'adhérent** *m* subscriber / **son rayonnement** the influence it radiates / **le tissu relationnel** network of relationships

Nous avons interrogé Madame Renaud, professeur de dessin dans un Collège d'enseigne-ment secondaire à 10 kilomètres de Macon.

Journaliste : Madame Renaud, que pensez-vous du Centre Culturel?

Madame Renaud : Je suis _____*1* du Centre depuis sa création et je participe activement aux nombreuses représentations _____*2* qui y sont organisées. Je fais partie de la _____*3* d'amateurs du Centre, pas en tant qu' _____*4* mais je m'occupe de la fabrication des _____*5*. Quand les acteurs sont partis en _____*6* cet été dans d'autres villes de Bourgogne, je les ai suivis. J'emmène souvent mes élèves voir des _____*7* ou des pièces de théâtre et nous en discutons ensuite en classe. Avec un de mes _____*8* qui est professeur de français, nous dirigeons un _____*9* de formation théâtrale pour adolescents et je crois que, pour beaucoup d'entre eux, c'est une expérience très enrichissante sur le plan _____*10*.

J'apprécie beaucoup la politique culturelle proposée par le _____*11*. C'est un homme qui ne choisit pas la facilité et qui sait _____*12*. Parmi les récentes activités du Centre, il y a eu par exemple une exposition sur les églises romanes (*romanesque*) de Bour-gogne, une autre sur la culture de la vigne à travers les âges, des spectacles de dan-ses _____*13*, un concours de bandes dessinées destiné aux élèves des écoles primaires. Tout cela a permis de _____*14* des gens de _____*15* et de catégories sociales très différentes qui n'ont pas toujours l'occasion de _____*16*. Je crois que le Centre Culturel est une _____*17*. Il _____*18* un large public qui lui est fidèle et son _____*19* se fait sentir dans toute la région.

Vocabulaire satellite

le **spectacle** show

le **monde du spectacle** (the world of) show business

le **répertoire** repertory

le **travail en équipe** teamwork

la **représentation** performance, show

la **manifestation culturelle** cultural event

en tournée on the road, on a (theatrical) tour

l' **atelier** *m* workshop

subventionner to subsidize, to fund

émouvoir to move (emotionally)

distraire to entertain

faire rire quelqu'un to make someone laugh

éduquer le public to educate the public, the audience

assister à to attend

Pratique de la langue

1. Y a-t-il un Centre Culturel dans votre ville, dans votre région? Y allez-vous souvent? Quelles manifestations culturelles préférez-vous?

2. Faites un sondage dans votre classe et essayez de trouver les activités artistiques qui intéressent le plus les étudiants. Choisissez parmi les activités suivantes : théâtre, specta-

cles de danse, concerts de musique classique, de musique rock, expositions, films, vidéos. Travaillez en groupe et présentez des activités que vous aimeriez organiser dans votre école, votre université.

3. La Maison de la Culture de votre ville recherche un directeur et une équipe de collaborateurs. Vous posez votre candidature (*apply*) et vous proposez un projet d'animation culturelle pour votre région. Travaillez en groupe pour élaborer ces projets et présentez-les devant la classe.

4. Improvisez les situations suivantes :

a. Vous voulez assister à une manifestation culturelle. Vous ne voulez pas y aller seule. Vous voulez entraîner une amie. Elle vous dit que cela l'ennuie et que, de toute façon, elle n'y comprend rien. Essayez de la persuader de venir avec vous.

b. Le Centre Culturel de la ville de R... menace de fermer parce que la mairie ne veut plus donner de subventions. Réunissez le maire, un professeur de lycée, une jeune actrice, un ouvrier, un homme d'affaires, une personne du troisième âge (*senior citizen*), etc., et faites-les parler en faveur ou contre la fermeture du Centre Culturel.

La vie littéraire à Paris

In France, literature has always occupied a predominant place among the arts. The French are highly sensitive to the quality of written expression, which is not confined to "literature" in its narrow sense, but includes private correspondence, political writing, and the press. The same preoccupation with formal excellence applies to oral expression.

This attitude explains why the distinction between literary achievement and prominence in other fields has never been as rigid in France as in the United States. Many French politicians and scientists have been regarded—or have regarded themselves—as writers of some importance. Napoleon tried his hand at literature, with unimpressive results. On the strength of his essays, memoirs, and collected speeches, de Gaulle[c] can rightfully claim a place in the history of modern French literature, and President François Mitterrand[c], who has authored several books, is justifiably proud of his abilities as a writer. Conversely, two well-known French novelists, André Malraux and Maurice Druon, have served as Ministers of Culture in the Fifth Republic. Among the close advisers of President Mitterrand are the political essayist Régis Debray and Erik Orsenna, winner of the 1988 *Prix Goncourt*. The public's interest in literature is reflected in a very popular television show, Bernard Pivot's "*Apostrophes*", which presents lengthy discussions by new and established writers who introduce their most recent books.

No place in France is heavier with literary associations than Paris. Though perhaps less narrowly concentrated today than it was before World War II, Parisian literary life is still predominantly linked with the Left Bank and

Le Procope

*Colette
Proust*

specifically with the Fifth, Sixth, and Seventh Arrondissements,[c] where the major publishing firms are located, and where writers, critics, and journalists still meet to exchange gossip and make or unmake reputations within a relatively small circuit of cafés and restaurants. Writers still do a good part of their work in cafés—a practice dating back to the eighteenth century. Jean-Paul Sartre insisted that some of his best writing was done at those ancient literary haunts, *La Coupole* and the *Café de Flore*.

Some seven hundred literary prizes are awarded each year in France. The most celebrated and sought after is the *Prix Goncourt*. First awarded in 1903, it originated in a foundation set up by novelist Edmond de Goncourt. Every year since, the ten members of the *Académie Goncourt*, themselves reputable novelists, meet over lunch at the Drouant restaurant to make their famous award. In 1904 a competing prize, the *Fémina*, was created, to be awarded by a jury of women. Two other major awards, the *Interallié* and the *Renaudot*— named after Théophraste Renaudot, a seventeenth-century pioneer of French journalism—are purely honorary, but like the others confer prestige on the recipient and guarantee increased sales. Many French writers owe their initial fame to these prizes, but many other writers of equal importance have never received any. There are other, more explicitly commercial ways of promoting the sale of books. The postwar boom of the paperback market, and the more recent development of book clubs—two innovations borrowed from the United States—are among the most notable.

Les statistiques sont un instrument bien peu adéquat pour rendre compte d'un phénomène aussi subjectif que le goût pour la lecture. Que pouvons-nous apprendre du fait que 30 pour cent des Français affirment lire plus de vingt livres par an? Il est vrai, pourtant, qu'il n'y a pas de littérature sans lecteurs...

L'article reproduit ci-dessous examine un phénomène de marché qui suggère que l'intérêt du public français pour la littérature contemporaine se maintient, et même se développe.

Les «amplis°» du succès

On n'en parle jamais. Pourquoi? Grâce à eux,° de nouvelles couches sociales° se sont ouvertes à la lecture. Ils ont assuré, de Villefranche-de-Rouergue à La Châtre,[1] la célébrité d'auteurs comme Bernard Clavel ou Robert Sabatier, Marie

l'ampli *m* amplifier   /   **grâce à eux** thanks to them   /   **les couches sociales** *f* social strata, groups

[1]Deux petites villes de province

Cardinal ou Émile Ajar[1] : ils agissent en somme comme de prodigieux amplifica-
5 teurs de succès. Pourtant, les éditeurs° les craignent. Les libraires° les jalousent.
Les grandes surfaces° les redoutent.° La presse les oublie. La radio et la télévision
les dédaignent.° De qui s'agit-il? Ce sont les clubs—et en particulier l'un d'entre
eux, le géant : France Loisirs, 2.600.000 adhérents, 575 millions de chiffre
d'affaires° en 1979 (plus de 5% du marché total du livre en France!), et qui fête
10 cette année son dixième anniversaire. Anniversaire spectaculaire autour d'un
gâteau de 20 millions de francs de bénéfice net° pour l'année dernière.

Ces clubs fonctionnent de cette façon. Chaque mois ou chaque trimestre, ils
adressent à leurs adhérents un catalogue leur présentant les nouveautés sélection-
nées et les titres encore disponibles.° Obligation est faite souvent au souscripteur°
15 d'acquérir au moins trois ou quatre ouvrages dans l'année. Moyennant quoi° il
reçoit par la poste, à des prix inférieurs de 20% en moyenne° à ceux des libraires,
un livre (jaquette couleur et reliure cartonnée)° paru° originellement six mois,
un an ou plus avant son passage en club. Concrètement, cela veut dire, pour
France Loisirs—qui, possède également un réseau° de boutiques et de librairies-
20 relais°—plus de dix millions de catalogues expédiés° chaque année et quinze
millions de livres vendus.

Que penser de France Loisirs et des autres? Les points positifs tout d'abord :
un élargissement de la tranche° des lecteurs, c'est incontestable. Une enquête
I.F.O.P.[2]—France Loisirs fait apparaître que 27% des adhérents du club se recru-
25 tent en milieu ouvrier. Ce pourcentage augmente d'une année sur l'autre et est
bien supérieur à celui de la clientèle des libraires. Autant de gagné° par conséquent pour la culture en général, et même pour les libraires en particulier. Car
la lecture est un virus dont il est parfois difficile de se débarrasser.° 37% des
adhérents de France Loisirs déclarent lire plus depuis leur inscription au club.
30   Ce n'est pas tout. Dans un marché difficile, avec la crise° à l'arrière-plan,° les
éditeurs ont de plus en plus de mal à amortir° leurs éditions courantes. Ils vivent
grâce à leurs droits annexes° : traductions, cinéma, télé, poche° et clubs. Un livre

---

l'éditeur *m* publisher / **le, la libraire** bookseller / **la grande surface (un magasin à grande
surface)** department store / **redouter** = *craindre* / **dédaigner** to scorn / **le chiffre
d'affaires** sales figure / **de bénéfice net** net profit / **disponible** available / **obligation est
faite...au souscripteur** = *le souscripteur est obligé* / **Moyennant quoi** In return for which / **en
moyenne** on average / **la reliure cartonnée** cardboard binding / **paru** *(participe passé de
paraître)* = *publié* / **le réseau** network / **la librairie-relais** affiliated bookstore / **expédié** =
envoyé / **l'élargissement** *m* **de la tranche** broadening of the constituency / **autant de
gagné** so much ground won / **se débarrasser** to get rid of / **la crise** = *la crise économique* /
l'arrière-plan *m* background / **amortir** to recover the cost / **les droits annexes** *m* subsidiary
royalties / **le (livre de) poche** paperback

---

[1]Quatre romanciers contemporains ayant gagné plusieurs prix littéraires dont le
Goncourt (Sabatier, Ajar). «Émile Ajar» était, en fait, le pseudonyme du célèbre
romancier Romain Gary (mort en 1981), qui avait déjà remporté le Prix Goncourt sous
son propre nom.
[2]Institut Français d'Opinion Publique

TOP LIVRES
L'EXPRESS-CANAL +
———— RÉALISÉ PAR NIELSEN ————
Les 20 meilleures ventes
du 4 au 10 mars 1989

TITRES	AUTEURS		ÉDITEURS	Clas. préc.	Nbre de semaines de prés.
1 Une brève histoire du temps	Stephen Hawking	■	Flammarion	1	3
2 La Voie cruelle	Ella Maillart	■	Payot	—	1
3 Les Chemins de traverse	Nicolas Hulot	■	Lattès	2	3
4 A l'heure où les ombres s'allongent	R.-L. Bruckberger	■	Albin Michel	40	1
5 Maudits sauvages	Bernard Clavel	▲	Albin Michel	5	4
6 Hiro-Hito. L'Empereur ambigu	Edward Behr	■	Laffont	18	2
7 Comment Obélix est tombé dans la marmite du druide quand il était petit	Goscinny et Uderzo	●	Albert René	29	1
8 Vestiaire de l'enfance	Patrick Modiano	▲	Gallimard	3	4
9 Vent africain	Christine Arnothy	▲	Grasset	7	3
10 Le Fils du chiffonnier	Kirk Douglas	■	Presses de la Renaissance	10	7
11 Champollion	Jean Lacouture	■	Grasset	4	6
12 Méharées	Théodore Monod	■	Actes Sud	11	4
13 La Vérité sur Lorin Jones	Alison Lurie	▲	Rivages	13	5
14 Guide rouge Michelin : France 1989	Ouvrage collectif	●	Michelin	—	1
15 Sous le ciel de Novgorod	Régine Deforges	▲	Fayard	6	9
16 L'Exposition coloniale	Erik Orsenna	▲	Seuil	16	24
17 Journal 1974-1986	Matthieu Galey	■	Grasset	14	2
18 Autoportrait en érection	Guillaume Fabert	▲	Régine Deforges	19	7
19 Un désir d'Orient	Edmonde Charles-Roux	■	Grasset	8	9
20 La Grande Illusion	Alain Minc	■	Grasset	9	8

▲ Romans, récits, nouvelles
■ Etudes, essais, documents
● Bandes dessinées, guides pratiques

Avec la collaboration
de la société
Tite-Live.

Le Top Livres est présenté en avant-première par Philippe Gildas sur Canal +, le jeudi, à 20 h 10.

cédé,° même à bas prix, à France Loisirs, c'est un ballon d'oxygène.° C'est, pour
35 l'auteur, une garantie ou une confirmation de popularité, une assurance-succès pour ses livres à venir.

Mais il y a le revers de la médaille.° Les clubs agissent non comme des initiateurs de
40 culture mais comme des parasites. Ils vont droit au best-seller réel ou supposé. C'est facile : il leur suffit d'attendre les premiers résultats de la vente libraire (à l'exception toutefois du Grand Livre du Mois qui colle°
45 de plus près à l'actualité). Ce sont, en somme, les planqués° de l'édition. Modiano° «marche», Soljenitsyne «marche», tant mieux!... Mais le catalogue de France Loisirs propose au maximum 400 titres, et
50 presqu'aucun «classique».

Ce qui impressionne, en bref, avec les clubs, c'est leur puissance. Ils pèsent plus ou moins consciemment° sur les éditeurs. À la limite, ils risquent d'infléchir° leur produc-
55 tion. Si un livre n'a aucune chance de passer en club il a désormais moins de chance d'être édité tout court.° Et puis il y a un chiffre qui laisse rêveur° : toujours selon l'enquête I.F.O.P., 63% des lecteurs de France Loisirs
60 achètent un livre non sur la promesse du ti-tre, le choix du sujet ou la réputation de l'auteur mais d'abord sur la simple descrip-tion qui en est faite dans le catalogue.

Le livre est devenu pour beaucoup un
65 produit. Ce que l'on appelle la culture de masse. Avec ses ombres° et ses lumières.

Frédéric Vitoux, *Le Nouvel Observateur*

céder to concede, turn over / **un ballon d'oxygène** windfall (lit., oxygen balloon) / **le revers de la médaille** the other side of the coin / **coller** = *adhérer* / **le planqué** *(argot militaire)* risk avoider, one who plays it safe / **Patrick Modiano** a leading French novelist (b. 1947), winner of the Prix Goncourt (1978) / **consciemment** consciously / **infléchir** to influence, distort / **tout court** at all / **laisser rêveur** to leave one wondering / **l'ombre** *f* shadow

Qu'en pensez-vous?

Êtes-vous d'accord ou non avec les déclarations suivantes? Justifiez votre réponse.

1. Les clubs de livres ont amené à la lecture des gens qui traditionnellement ne lisaient pas.
2. Ces clubs sont très appréciés des éditeurs et des libraires.
3. France Loisirs est une agence de voyages très importante.
4. Quand on est membre d'un club de livres, il faut acquérir au moins un livre par mois.
5. Il s'agit, en général, de livres de poche à reliure non cartonnée.
6. Ces livres sont offerts à des prix inférieurs de 20% en moyenne à ceux des libraires.
7. Grâce à des clubs comme France Loisirs, il y a davantage de lecteurs surtout en milieu ouvrier.
8. Les libraires profitent de cet élargissement des lecteurs car la lecture est un virus qui s'attrape.
9. Les clubs ne prennent pas de risques et choisissent de vendre des best-sellers.
10. Il y a cependant beaucoup de classiques dans le catalogue proposé par France Loisirs.
11. La puissance des clubs de livres influence les décisions des éditeurs.
12. La majorité des lecteurs des clubs de livres choisissent d'acheter un livre plutôt qu'un autre parce qu'ils s'intéressent à l'auteur.
13. Le livre reste un objet réservé à une élite.

Nouveau contexte

Complétez le passage suivant à l'aide des mots et expressions ci-dessous qui vous sont donnés par ordre alphabétique.

Noms : best-sellers *m*, bibliothèque *f*, élargissement *m*, garanties *f*, grandes surfaces *f*, lecture *f*, librairie *f*, livres de poche *m*, nouveautés *f*, ouvrages *m*, reliures *f*, titres disponibles *m*, tranche *f*

Verbes : marchent, Redoutez-vous, sont édités

Adjectif : parus

Monsieur Dumas, libraire à Tours, nous parle de son métier.

M. DUMAS «J'adore mon métier. J'ai toujours aimé la _____*1*. Quand j'étais jeune, je me réfugiais dans le bureau de mon père pour regarder les belles _____*2* des livres de sa _____*3*. Les livres m'ont toujours parlé.

JOURNALISTE Libraire, c'est un métier difficile?

M. DUMAS Oui, parce que tout va très vite maintenant. Les romans ont une vie excessivement courte. Il y a constamment des _____*4*.

JOURNALISTE Quels sont les livres qui _____*5* bien en ce moment dans votre _____*6*?

M. DUMAS Les livres d'histoire, beaucoup de livres sur la révolution française _____*7* à l'heure actuelle et ça se vend bien. Parmi les livres _____*8* récemment, j'essaie d'avoir ceux dont les auteurs ont été remarqués à l'émission de télévision «Apostrophes» et puis aussi ceux qui sont dans la liste des _____9 publiée par le magazine «L'Express». Ce sont des _____10 de succès.

Je vends également beaucoup de _____11. C'est un peu ma spécialité. Il y a des centaines de _____12 maintenant. L' _____13 des collections de poche a permis à une nouvelle _____14 de lecteurs, en particulier à des jeunes, d'avoir accès à des _____15 qui avant étaient rares et chers et je trouve que c'est formidable.

JOURNALISTE   _____16 la concurrence des _____17?

M. DUMAS   Non, je pense qu'il est normal que les gens veuillent acheter des livres au meilleur prix possible, mais ceux qui viennent dans ma librairie recherchent autre chose. Ils veulent des informations, un avis et surtout ils veulent discuter et partager avec moi la même passion pour la lecture.

Vocabulaire satellite

la **lecture** reading
l' **ouvrage** *m* work (especially literary)
le **chef-d'œuvre** masterpiece
le **roman policier** mystery, detective story
le **roman d'amour** love story
le **roman d'aventure** adventure story
le **conte, la nouvelle** short story
la **poésie** poetry
l' **essai** *m* essay
la **bande dessinée** comic strip
l' **écrivain** *m* writer
l' **auteur** *m* author
le **romancier,** la **romancière** novelist
le **critique littéraire** literary critic

la **critique littéraire** literary criticism
la **célébrité** fame; celebrity (of a person)
le **titre** title
l' **éditeur** *m* publisher
éditer, faire paraître, publier to publish
la **librairie** bookstore
le, la **libraire** bookseller
la **bibliothèque** library
le, la **bibliothécaire** librarian
les **classiques** *m* classics
la **nouveauté** latest thing
décrire to describe
raconter to tell, to relate
impressionner to impress
impressionnant impressive

Pratique de la langue

1. Qu'est-ce que la lecture représente pour vous? Est-elle une de vos distractions favorites?
2. Demandez à vos camarades de classe quels genres de livres ils lisent pour se distraire. Quelle recommandation les guide dans leur choix—celle d'un ami, d'un professeur, d'un critique, d'un libraire? le hasard?
3. Quels livres emporteriez-vous sur une île déserte? Citez-en au moins trois et justifiez votre choix.

4. À quels personnages de romans aimeriez-vous vous identifier? Pourquoi?
5. Improvisez les situations suivantes :
    a. Organisez une table ronde d'auteurs connus (contemporains ou morts, français ou d'autres nationalités) et faites-les parler d'un de leurs livres.
    b. Vous venez de publier votre premier roman. Il s'agit d'une œuvre autobiographique. Répondez aux questions du reporter du journal de votre université.
6. Que pensez-vous des bandes dessinées? Les Français les prennent très au sérieux et les considèrent comme un genre littéraire à part entière. Qu'en pensez-vous?

Sujets de discussion ou de composition

1. Faites la critique de la pièce de théâtre ou de la comédie musicale la plus populaire de la saison pour le journal de votre université.
2. Un acteur (une actrice) est dans sa loge (*dressing room*) juste avant d'entrer en scène. Écrivez ce qu'il (elle) ressent (*feels*) sous la forme d'un court monologue.
3. Quel est le meilleur livre que vous avez lu? Pourquoi vous a-t-il particulièrement marqué?
4. Que pensez-vous de cette citation de la romancière Marguerite Yourcenar dans *Les Yeux Ouverts* : «Les écrivains véritables sont nécessaires : ils expriment ce que d'autres ressentent sans pouvoir lui donner forme et c'est pourquoi toutes les tyrannies les bâillonnent (*gag*)».
5. Comment voyez-vous l'avenir du texte écrit dans un siècle? D'après vous, existera-t-il toujours ou sera-t-il supplanté par l'audio-visuel et l'ordinateur?

11

Chanson et cinéma

La parole chantée

En France, tout finit par des chansons...

France is a major producer and consumer of music, but statistics cannot measure the emotional impact on the French people of a tradition that goes back to the early Middle Ages. From its medieval origins to the present, the *chanson* has mirrored French society, reflecting both its history and the diversity of its local traditions.

In many parts of France, regional cultures and folk traditions were diluted by the combined effects of industrialization and a centralized government. In recent years, however, the revival of regionalism has brought forth a new generation of popular singers whose works often express the cultural pride they take in speaking for ethnic minorities. They use words from the regional dialect and often sing with a local accent. Among many others, Alain Stivell of Britanny and Julos Beaucarne from Wallonie have achieved national success. But the largest contingent of singers with a distinctive regional flavor comes from Québec: artists such as Félix Leclerc, Gilles Vigneault, and Robert Charlebois are not only popular performers but also poets in their own right. The influence of the relatively new population of immigrant workers is being felt on the cultural scene as well. A growing number of interesting singers mix successfully their North African and West Indian heritage with French traditions to appeal to the *beur* generation (second-generation Arabs born in France) and to a wider audience as well.

Regionalism aside, pacifism and the environment have been recurrent, if marginal, themes in modern French *chansons*. Songs and politics have long been associated in France, and some of the songs have been heard round the world. How many insurrections have been launched to the strains of *La Marseillaise*?[c] Another revolutionary classic, the *Internationale*, was composed in 1888 on a small harmonium by an obscure woodworker, Pierre Degeyter. In 1943 the novelist Maurice Druon wrote *Le chant des partisans*; aired on *Radio France Libre*, which addressed all those in France who had not accepted defeat and occupation by the Germans, it became the song of the French Resistance. Closer to us, this tradition of political involvement was carried on by singers such as Yves Montand, Léo Ferré, Colette Magny and especially Jean Ferrat, who typifies the *chanteur engagé*, the singer whose songs express personal views on the political and social issues of his time.

The use of popular music as a vehicle for poetry is another major tradition that can be traced back to the medieval troubadours. It was revived with great success in the 1930s by Charles Trenet, who translated into songs the expectations and enthusiasm of young people during the period of the *Front Populaire*, the leftist coalition that governed France from 1936 to 1938.

In the post-war years Édith Piaf was at the peak of her career. This frail and pathetic woman, always clad in black, captivated large audiences with her

deep, emotional voice and the universe she recreated on stage. Hers was a world of sad cafés, chance encounters, and passing love. But it was during the 1950s and 1960s that true *chanteurs-poètes* appeared. Poems of Villon, Hugo, Verlaine, Apollinaire, Prévert, Queneau, Aragon, and others, were put to music and became commercial successes. Juliette Gréco (who started her career by singing Jean-Paul Sartre's song, *La rue des blancs-manteaux*), Léo Ferré, and Boris Vian were all artists linked to the intellectual milieu of *Saint-Germain-des-Prés*, the Left Bank district frequented by the avant-garde of the 1950s. This poetic tradition was passed on to Georges Brassens, who in 1967 won the *Grand Prix de poésie*, then to Jacques Brel, Guy Béart, Barbara, Charles Aznavour, and others. Their songs have an enduring appeal and are considered true works of art.

Nowadays, in spite of the enormous influence of British and American rock and folk music, French popular songs live on with a new wave of performers and composers of remarkable verve. Maxime Le Forestier, Alain Souchon, Claude Nougaro, to name a few, and more recently the street-wise Renaud, Catherine Ribeiro, and Bernard Lavilliers, have rejuvenated the French *chanson* with a language and rhythm of their own.

Jacques Brel était le fils d'un industriel belge. Il aurait pu mener une vie confortable et facile; au lieu de cela, il s'est révolté contre son milieu bourgeois et a choisi la route difficile de la chanson. En 1953, il quitte son «plat pays°» et arrive à Paris où il essaie de se faire une place dans le monde artistique parisien. C'est très dur mais le succès arrivera en 1958 quand il passera à l'Olympia, la salle de spectacles où chantent les grandes vedettes.° Devenu lui-même une grande vedette et un remarquable auteur-compositeur, il donnera de très nombreux spectacles en France et à l'étranger° jusqu'à sa mort prématurée en 1978.

Dans ses chansons, il utilise une langue simple et forte et un humour mordant° pour combattre ce qu'il déteste comme dans «Les bourgeois» et «Les Flamandes»[1] mais il sait aussi être tendre, vulnérable et pathétique comme dans «Madeleine», «Ne me quitte pas», «Le moribond», et «Les vieux».

Le journaliste et écrivain Olivier Todd dans un court extrait de son livre Jacques Brel, une vie *nous parle du chanteur en s'appuyant sur° les témoignages° de ceux qui l'ont connu.*

Jacques Brel, l'homme et ses chansons

Brel chanteur, c'est d'abord un prodigieux interprète, ensuite un parolier,° et ce mot n'est pas péjoratif. Enfin, un musicien autodidacte° aux sensibilités° multiples.

On ne peut pas comprendre la formidable présence de Jacques Brel et son
5   succès, si on ne l'a pas vu en scène... Aucun interprète ne lutte en scène comme Brel, sinon Édith Piaf. Sa voix mal placée° (au début de sa carrière) acquiert ampleur° et puissance et devient chaude et convaincante. Il l'a travaillée seul, au fil des tournées,° refusant de prendre des leçons... Avant d'entrer en scène,° même s'il plaisante° avec les musiciens, même si la salle est pleine et la critique
10 acquise,° Jacques a peur. Chaque soir il livre un combat°... Il échauffe° son corps en coulisse° comme un danseur. Avant de franchir° les quelques mètres qui le séparent de son public, il gesticule et saute sur place.° À un moment que lui seul connaît, il inspire° une dernière fois et surgit en courant°... Au contraire de Brassens, il utilise tout son corps. Il exprime sa fougue° et sa passion de la vie...

---

le plat pays flat country *(titre d'une chanson de Jacques Brel sur la Belgique)* / **la vedette** star / **à l'étranger** abroad / **mordant** biting / **en s'appuyant sur** relying on / **le témoignage** testimony / **le parolier** writer of lyrics / **autodidacte** self-taught / **les sensibilités** *f* sensitivities / **mal placé** limited in range / **l'ampleur** *f* volume / **au fil des tournées** while on the road / **en scène** on the stage / **plaisanter** to joke / **la critique acquise** the reviewers won over / **livrer un combat** to struggle / **échauffer** to warm up / **en coulisse** in the wings / **franchir** (here) to cover / **sauter sur place** to run in place / **inspirer** to breathe in / **surgit en courant** dashes forth / **la fougue** = *l'enthousiasme*

[1]La Belgique est divisée en deux communautés : les Wallons qui parlent français et les Flamands qui parlent flamand *(Flemish)*.

Jacques Brel

15 Avec Brel, on croit assister à° une re-création quotidienne° tant° son travail en
scène paraît spontané... Les gens du métier° disent : «Quel professionnalisme!»
Les spectateurs répondent : «Quelle sincérité!»

Au sommet de sa carrière, Brel ne cesse de dire que l'important pour lui c'est
d'écrire, pas de chanter. Il déclare à ses amis : «Si j'avais le temps ou la capacité
20 d'écrire un roman, je pourrais être plus nuancé.° En quatre minutes (le temps
d'une chanson), on n'a pas le temps d'être nuancé. Si on veut que les gens
retiennent une idée, il faut frapper fort.»[1]

Brel met en scène ses textes... Il fait vivre des personnages comme Jef, Marieke,
le grand Jacques, Madeleine... Sa chanson-théâtre s'adresse à tous les gens qui
25 ont vécu ou voudraient vivre une expérience intense...

Les thèmes de Brel sont l'amour —divin ou humain— la mort, l'amitié, l'anti-
militarisme, la dénonciation du conformisme, des hypocrisies, de la médiocrité...

Comme malgré lui, l'homme Brel s'ancre° dans son époque. Plus joyeux
qu'heureux, convaincu de l'absurdité de la vie, il ne cessa de vouloir lui donner
30 un sens.° Là, Jacques Brel est homme du XXe siècle.

Olivier Todd, *Jacques Brel, une vie*

---

assister à = *être présent à* / **quotidienne** = *de chaque jour* / **tant** = *tellement* / **du métier** = *de
la même profession* / **nuancé** = *subtil* / **s'ancrer** to be anchored / **le sens** meaning

[1]Jacques Brel, *Poésie et chansons*

Qu'en pensez-vous?

Êtes-vous d'accord ou non avec les déclarations suivantes? Justifiez votre réponse.

1. Jacques Brel n'a pas écrit lui-même les paroles de ses chansons.
2. En scène, il avait une présence formidable.
3. Il a beaucoup travaillé sa voix en prenant des leçons de chant.
4. Avant d'entrer en scène, il était très à l'aise.
5. Quand il chantait, il utilisait tout son corps.
6. Pour lui, chanter était ce qu'il y avait de plus important.
7. Il pensait qu'il était difficile de dire des choses très nuancées dans la période très courte d'une chanson.
8. Ses chansons font vivre des personnages et sont comme de petites pièces de théâtre.
9. Jacques Brel était pessimiste et pensait que la vie n'avait pas de sens.

Nouveau contexte

Complétez le passage suivant à l'aide des mots et expressions ci-dessous qui vous sont donnés par ordre alphabétique.

Noms : auteurs-compositeurs *m*, interprètes *m*, paroles *f*, parolier *m*, place *f*, présence *f*, public *m*, répertoire *m*, salle *f*, sensibilités *f*, vedettes *f*
Verbes et expressions verbales : avait enregistré, divertir, livrer un combat, reconnaître, ressemblent
Adjectifs : engagées, mordant, nuancée, placée, prodigieux

Le chanteur n'est pas seul responsable du succès de telle ou telle chanson. Il y a souvent, au départ, des hommes comme Pierre D.

JOURNALISTE　Pierre D., vous écrivez des chansons depuis longtemps, n'est-ce pas?

PIERRE D.　Oui, je suis _____ 1 depuis 25 ans. J'écris des textes pour les nombreux chanteurs qui ne sont pas _____ 2. Je suis un poète particulièrement prolixe (*productive*) puisque j'ai écrit environ 1 500 chansons. Bien sûr, toutes ne sont pas devenues de grands succès, des tubes, comme on dit, mais à peu près 200 font partie du _____ 3 des grandes _____ 4 de la chanson.

JOURNALISTE　Vous avez travaillé avec de très nombreux _____ 5; avez-vous quelques souvenirs?

PIERRE D.　Oui, je me souviens avec tristesse d'un jeune chanteur qui _____ 6 des disques fantastiques, qui avait un talent _____ 7 mais qui était incapable de chanter devant une _____ 8 pleine. À chaque spectacle, il devait _____ 9 qui le rendait malade, et finalement, il a été obligé de tout laisser tomber. Par contre, on voit souvent des chanteurs dont la voix est mal _____ 10 et peu _____ 11 se faire rapidement une _____ 12 dans le monde de la chanson parce qu'ils ont une _____ 13 formidable sur scène.

JOURNALISTE　Avez-vous un style particulier que l'on peut _____ 14?

PIERRE D.　Oui, je le pense. J'ai une préférence pour les chansons _____ 15 à l'humour _____ 16. La chanson doit _____ 17, bien sûr, mais elle doit aussi exprimer les _____ _18_ d'une époque, ses préoccupations, ses désirs.

JOURNALISTE   Les chansons que l'on entend à l'heure actuelle à la radio ne _____ _19_ plus à celles de Brassens ou de Brel, par exemple?

PIERRE D.   Oui, c'est vrai. L'orchestration est devenue extrêmement importante et puissante et il est quelquefois difficile de comprendre les _____ _20_, mais je crois que le _____ _21_ apprécie toujours les chanteurs-poètes.

Vocabulaire satellite

les **paroles** *f*   words, lyrics
le **parolier**   lyricist
l' **air** *m*, la **mélodie**   tune, melody
   fredonner un air de musique   to hum a tune
le **compositeur**   composer
le **chanteur**, la **chanteuse**   singer
le **thème**   theme
le **répertoire**   repertory
s' **inspirer de**   to draw inspiration from
   chanter en chœur   to sing together
l' **interprète** *m,f*   interpreter
le **tube** (*fam*)   hit record
le **bide** (*fam*)   flop
le **palmarès (de la chanson)**   hit parade

la **voix**   voice
s' **accompagner à la guitare**   to accompany oneself on the guitar
l' **auditeur** *m*, l'**auditrice** *f*   listener
le **disque**   record
l' **enregistrement** *m*   recording
le **disque compact**   CD
   enregistrer   to record
l' **électrophone** *m*   record player
le **lecteur de disque compact**   CD player
le **magnétophone**   tape recorder
le **magnétoscope**   video-cassette recorder
le **son**   sound
   diffuser (une chanson)   to broadcast (a song)

Pratique de la langue

1. Imaginez que vous travaillez à la station de radio de votre université. Présentez Jacques Brel et une de ses chansons aux auditeurs.
2. Improvisez les situations suivantes :
   a. Vous aimez beaucoup les chansons engagées. Vous pensez que les paroles sont plus importantes que la mélodie. Vous discutez avec un(e) ami(e) qui pense qu'au contraire la musique est plus importante que le texte.
   b. Votre jeune frère a formé un petit orchestre de rock avec des copains et ils jouent tous les soirs dans le sous-sol (*basement*) de votre maison. Vous ne pouvez plus travailler à cause du bruit. Mettez en scène la discussion que vous allez avoir avec votre frère et ses copains.
3. Existe-t-il des chanteurs-poètes américains? Les aimez-vous? Pourquoi ou pourquoi pas?
4. Si vous deviez animer une station de radio locale, quelles chansons choisiriez-vous de diffuser? Pourquoi? Quel serait le style de votre émission?

Radio et télévision françaises

The impact of television is just as powerful in France as in the United States, yet the framework in which the electronic media operate is quite different. Until the early 1980s, the French government held a complete monopoly over radio and television. However, this monopoly was circumvented by the *postes périphériques*—private radio and television stations such as Radio-Télévision Luxembourg (RTL), Radio Monte-Carlo (RMC), and Europe 1 that broadcast from just across the border—and by a small number of unlicensed stations called *radio pirates* operating within France itself.

Since 1974, when President Valéry Giscard d'Estaing tried to create autonomous public corporations, there have been attempts to decentralize and liberalize the monolithic ORTF (Office de Radiodiffusion Télévision Française). Shortly after coming to power in 1981, the Mitterrand[c] administration abolished the state monopoly over radio, thereby turning the *radio pirates* into *radio libres*. However, private radio stations remain subject to a number of regulations designed to preserve the regional and public-service character of their programming.

The deregulation of French television also started during the Mitterrand administration. Six channels now compete for viewers in France: TF1, the oldest and largest of the national channels (denationalized in 1986, it became the first privately owned television station in France); FR3, largely devoted to regional programming, and Antenne 2, both state-owned channels; Channel 5 (la Cinq) and M6, both belonging to the private sector; and Canal Plus, a pay channel that shows only sports and movies. Cable television is becoming popular especially in Paris, where viewers can receive nearly twenty channels, many of them from other European countries.

French television is at the moment trying to adapt to its changing structures. One recent change has been the introduction of commercials. For many years French television was strictly non-commercial and funded, as it still is today in large part, by an annual fee (*la redevance*) paid by the viewers. Although the interruption of television programs by commercials was not generally welcomed by the public, some viewers, especially children, became attracted to them, perhaps because French commercials are funny, innovative, and quite sophisticated.

l'audiensomètre tv-figaro

Vendredi
22 juillet 1988

Sondage hier soir d'un échantillon de **400** téléspectateurs en France métropolitaine, où sont diffusées les six chaînes, réalisé pour *Le Figaro* par Konso-France

	Avant 20 heures		20 heures à 20 h 30		Après 20 h 30	
TF1	17 %	La Roue de la fortune	21 %	Journal	23 %	INTERVILLES *Indice de satisfaction : 13/20*
A2	15 %	Le Journal du Tour	20 %	Journal	8 %	LA CAMORRA *Indice de satisfaction : N. P.*
FR3	5 %	Le 19/20 de l'information	7 %	La Classe	7 %	TERRE DES GANGS *Indice de satisfaction : N. P.*
5	8 %	L'Homme qui valait trois milliards	5 %	Journal	18 %	MEURTRES SOUS LES TROPIQUES *Indice de satisfaction : 13/20*
M6	4 %	L'Incroyable Hulk	1 %	Chacun chez soi	6 %	LE SAINT *Indice de satisfaction : N. P.*
CANAL+	1 %	Stalag 13	1 %	Starquizz	2 %	UN FLIC DANS LA MAFIA
Périphériques	1 %	Divers	1 %	Divers	1 %	DIVERS
	49 %	n'ont pas regardé la télévision	44 %	n'ont pas regardé la télévision	35 %	n'ont pas regardé la télévision

So far, the new private channels have not been able to offer high-quality programming, which is often expensive, and have had to rely on imported programs and cartoons, many of them American and Japanese. To counteract the invasion of foreign media products, private and public channels alike are trying to produce programs that reflect national tastes. But French television is also looking beyond its borders. Telecommunication satellites have been put in orbit over Europe, opening the way to international television. France is especially looking toward a unified Europe with a potential market of 300 million viewers; the first European channel, La Sept, was launched in May 1989. The 1990s seem to offer exciting prospects.

Les «sans-télé»°

«Je donne ma télé à qui° en veut». L'objet en question, relégué° dans un coin du salon, modèle récent, en couleurs, est en bon état de marche°; son propriétaire, Jean-Luc, vingt-six ans, célibataire, instituteur à Paris, a bien réfléchi : «Si je ne m'en débarrasse° pas, je vais passer tout l'hiver planté devant».

5   «Une espèce en voie de disparition°». C'est ainsi que, mi-sérieux,° mi-sourire,° ils se qualifient. Ils n'ont plus, n'ont pas, n'ont jamais eu la télévision. 32% des ménages° ne possédaient pas de poste° en 1970, 13% en 1977, 6% aujourd'hui (*Médiamétrie*, février 1987). Soit° 1 200 000 foyers° qui ne connaissent pas les surprises du zapping.° Un chiffre° encore supérieur à celui des foyers non équipés
10   en réfrigérateurs. À cette différence près° qu'en 1987 pour ne pas avoir la télévision, il faut le plus souvent le vouloir. En effet, il n'est pas très coûteux d'acheter un poste d'occasion,° noir et blanc, ou d'en décharger° un ami ou parent qui vient d'en acquérir un plus moderne. En fait quatre personnes sur cinq des «sans-télé» travaillent et sont le plus souvent cadres supérieurs° ou exercent une
15   profession libérale.

Une vie sans télé? C'est celle d'Odette et d'André, professeur et universitaire° maintenant à l'âge de la retraite.° Un jour, ce dernier, heureux lauréat° d'un concours° de supermarché, gagne une télévision... qu'il offre aussitôt à sa mère. Seule entorse° : lors des° Jeux olympiques, ce couple de sportifs loue° un poste.
20   Même chose pour Élizabeth, professeur de français dans la région parisienne : «J'ai eu la télévision pendant deux mois. Mon mari restait des heures à la regarder. En son absence, un soir, je l'ai fait imploser.° Depuis j'ai divorcé et n'ai toujours pas la télévision.» Elle n'a pas de mots assez durs° pour ce qui fut,° croit-elle, la cause de ses malheurs passés. «Je ne supporte° pas ce matraquage,° cette intrusion
25   à domicile° et la passivité qu'elle entraîne.° Et contrairement à ce que l'on veut nous faire croire, elle délivre un message très idéologique.»

Si Catherine, directrice d'un petit salon de coiffure° à Paris, refuse d'acheter un poste de crainte que° ce ne soit chaque soir de longues batailles pour coucher les enfants, Dominique, lui, responsable° d'une discothèque, s'interroge : «Avons-

---

les «sans-télé» *m = les personnes qui n'ont pas de télévision* / **à qui** = *à celui qui* / **relégué** = *mis, oublié* / **en bon état de marche** in good working order / **se débarrasser de** to get rid of / **une espèce en voie de disparition** a nearly extinct species / **mi-sérieux** half-serious / **mi-sourire** half-joking / **le ménage** = *la famille* / **le poste de télévision** television set / **soit** that is / **le foyer** home / **le zapping** = *l'action de changer de chaînes constamment à distance* / **le chiffre** figure / **à cette différence près** = *avec cette grande différence* / **d'occasion** = *qui n'est pas neuf* / **d'en décharger** = *d'en débarrasser* / **universitaire** = *professeur à l'université* / **la retraite** retirement / **le lauréat** winner / **le concours** contest / **l'entorse** *f* twist / **lors des** = *au moment des* / **louer** to rent / **imploser** to implode, to burst / **dur** harsh / **fut** = *a été (passé simple)* / **supporter** = *tolérer* / **le matraquage** (here) brain-washing / **à domicile** = *chez soi* / **entraîner** = *causer* / **le salon de coiffure** hairdresser's salon / **de crainte que** = *de peur que* / **responsable** in charge of

30 nous le droit d'ôter° cette forme de consommation° et, d'une certaine manière, de sociabilité à nos enfants?»

...On constate que ces rebelles sont jeunes : en effet, on en compte deux fois plus chez les moins de trente-cinq ans, socialement plutôt aisés° et célibataires pour 40% d'entre eux. Cinéphiles,° grands lecteurs ou mélomanes,° ils n'éprou-
35 vent° pas le besoin de regarder la télévision. Ce qui ne signifie pas qu'ils ne soient pas au courant de° la vie des chaînes.° Ils lisent bien souvent avec assiduité° les journaux spécialisés.[1] Et font parfois, en vacances, en famille, une «cure»° de télévision ou s'organisent pour aller voir telle ou telle émission° qu'ils jugent exceptionnelle chez des amis : «Comme pour une sortie au cinéma, au restaurant,
40 on la prévoit,° on s'y prépare.» Il n'est pas non plus surprenant que 55% d'entre eux habitent dans des villes de plus de cent mille habitants et un sur dix en Ile-de-France,° qui offrent une vie culturelle animée.°

Ces «sans-télé» ne sont pas tous pour autant° téléphobes.° Au contraire. Dans certains cas, c'est parce qu'ils en sont friands° qu'ils redoutent son emprise.° Ainsi
45 Daniel, quarante ans, a de mauvais souvenirs. Dépressif,° il est resté seul chez lui pendant deux mois devant son récepteur.° Plus que du téléviseur, c'est de lui-même, de sa faiblesse qu'il se méfie. «Il est très difficile de garder l'esprit critique; la télévision est souvent la plus forte», dit Jacques Ellul, sociologue, qui n'en possède une que depuis quatre ans. «La télévision est une source d'évasion,°
50 reconnaît-il presque à regret, le plus grand moyen de diversion ou de divertissement au sens pascalien° du terme.»

Dès lors° le choix —celui d'avoir ou pas la télévision— relève° de la gestion° de son temps libre. Un choix rendu possible, et non nécessaire, par une situation familiale, économique, sociale et culturelle à un moment donné. Mais si demain
55 celle-ci° devait être perturbée, la santé° plus fragile, l'entourage° moins présent, peut-être alors un trône serait avancé° au pied du lit, au coin du feu ou au bout de° la table pour y poser la boîte magique. Qui peut dire «Fontaine, je ne boirai pas de ton eau»°?

Ariane Bonzon, *Le Monde*

ôter = *enlever* / **la consommation** consumption / **aisé** = *riche* / **cinéphile** = *passionné de cinéma* / **mélomane** = *grand amateur de musique* / **éprouver** = *sentir* / **être au courant de** to be aware of / **la chaîne** TV channel / **l'assiduité** *f* = *la régularité* / **faire une cure de TV** = *regarder intensivement la TV* / **l'émission** *f* program / **prévoir** = *penser à l'avance* / **Ile-de-France** = *la région autour de Paris* / **animé** lively / **pour autant** consequently / **téléphobe** = *qui déteste la télévision (néologisme)* / **être friand de** = *aimer beaucoup* / **redouter l'emprise** *f* **de** = *se méfier de l'influence de* / **dépressif** continually depressed / **le récepteur** = *le téléviseur* / **l'évasion** *f* escape / **le divertissement au sens pascalien** *(d'après le philosophe Blaise Pascal)* = *occupation qui détourne l'homme de penser aux problèmes essentiels* / **dès lors** = *donc* / **relever de** = *dépendre de* / **la gestion** management / **celle-ci** = *ici, la situation familiale* / **la santé** health / **l'entourage** *m* = *la famille, les amis* / **avancé** = *mis* / **au bout de** at the end of / **Fontaine, je ne boirai pas de ton eau** Never say never

---

[1]Journaux comme *Télé-magazine, Télé-7-jours, Télérama* qui sont lus par un très grand nombre de lecteurs.

Qu'en pensez-vous?

Êtes-vous d'accord ou non avec les déclarations suivantes? Justifiez votre réponse.

1. Jean-Luc veut se débarrasser de sa télévision parce qu'elle ne marche pas.
2. Aujourd'hui, 6% des ménages n'ont pas de postes de télévision.
3. Plus de 10% des foyers n'ont pas de réfrigérateurs.
4. Les «sans-télé» sont souvent des chômeurs ou des gens dont les revenus sont modestes.
5. Parce qu'ils n'ont pas la télévision chez eux, Odette et André louent un poste de télévision au moment des élections présidentielles.
6. Élizabeth pense que la télévision a eu une très mauvaise influence sur sa vie privée.
7. Dominique pense que la télé n'a aucune valeur.
8. Les «sans-télé» sont en général passionnés de cinéma ou de musique et lisent beaucoup.
9. Il est intéressant de constater que ceux qui n'ont pas la télévision aiment aller voir quelques bonnes émissions chez des amis.
10. Les «sans-télé» vivent surtout à la campagne.
11. En fait, beaucoup d'entre eux adorent la télévision et ont peur de son emprise.
12. Des sociologues ont remarqué que la télévision développe l'esprit critique.
13. Il est à noter que ceux qui ont pris la décision de ne pas avoir la télévision ne changent pas d'attitude au cours de leur vie.

Nouveau contexte

Complétez le passage suivant à l'aide des mots et expressions ci-dessous qui vous sont donnés par ordre alphabétique.

Noms : chaînes *f*, consommation *f*, divertissement *m*, domicile *m*, émission *f*, entourage *m*, esprit critique *m*, feu *m*, foyer *m*, ménages *m*, pied *m*, postes *m*, récepteur *m*, rôle *m*, temps libre *m*
Verbes et expressions verbales : acquièrent, entraîne, éprouvent le besoin, être au courant, perturber, redoutent l'emprise, se débarrasser de, supportent
Adjectifs : friands, privilégié, regrettable

On ne peut plus nier l'influence de la télévision. Il existe peu de _____1 à l'heure actuelle qui n'aient un ou deux _____2. La place qu'occupe le _____3 dans l'espace du _____4, soit au coin du _____5, soit au _____6 du lit, soit dans la cuisine, indique bien le _____7 qu'il joue dans la vie familiale.

Le spectacle télévisé peut rassembler toute la famille et créer ainsi un moment _____8 où tout le monde se retrouve. Mais, à mesure que les _____9 se multiplient, il devient de plus en plus difficile de se mettre d'accord sur la même _____10, ce qui occasionne des disputes. Très souvent aussi les enfants regardent la télévision seuls. En fait, certains parents l'utilisent comme baby-sitter pour _____11 leurs enfants pendant qu'ils sont occupés à d'autres tâches ou parce qu'ils ne _____12 pas leur agitation. Cela est _____13 parce que, souvent, les enfants _____14 de parler de ce qu'ils viennent de voir. Il est nécessaire qu'ils discutent avec leur _____15 de certaines scènes violentes ou très tristes qui peuvent les _____16. Il faut aussi qu'ils _____17 un _____ *18* vis-à-vis *(toward)*, par exemple, des annonces publicitaires dont ils sont exceptionnellement _____ *19* et dont ils font une grande _____ *20*.

D'autre part, la télévision occupe une très grande portion du _____ *21* des 8 à 12 ans. Souvent, ils se couchent tard pour _____ *22* des dernières aventures de leurs héros, et les instituteurs _____ *23* que la télévision a sur leurs élèves et la passivité qu'elle _____ *24*.

Mais puisqu'il est très difficile de refuser l'intrusion à _____ *25* de ce mode de communication, apprenons à mieux contrôler son utilisation afin qu'il ne soit pour nous qu'un _____ *26* parmi d'autres.

Vocabulaire satellite

le **journal parlé, télévisé** radio, television news

l' **émission** *f* **sportive** sports program

le **feuilleton** TV series

les **jeux télévisés** *f* television games

le **documentaire** documentary

les **variétés** *f*, **les spectacles de variétés** *f* variety shows

l' **annonce** *f* **publicitaire, le spot publicitaire** commercial

le **parrainage** sponsoring

l' **appel de fonds** *m* fund-raising

le **téléspectateur,** la **téléspectatrice** television viewer

le **petit écran** television set (lit., the small screen)

le **téléviseur** television set
allumer la télé to turn the TV on
éteindre la télé to turn the TV off

la **télécommande** remote control

la **chaîne à péage** pay channel
être abonné au cable to subscribe to cable

l' **heure** *f* **de grande écoute, de grande audience** peak time, prime time

diffuser to broadcast

le **speaker,** la **speakerine** news commentator

susciter la réflexion to stimulate thought

divertir to entertain

détendre to relax

une émission déconseillée pour les jeunes a program not recommended for young people

captivant captivating

amusant amusing

bienfaisant beneficial

la **réalité** reality

humoristique humorous

nuisible harmful

Pratique de la langue

1. Comment caractérisez-vous les «sans-télé» (âge, milieu socio-culturel, lieu d'habitation, etc.)? Connaissez-vous personnellement quelqu'un qui appartient à cette «espèce en voie de disparition»?
2. Qu'aimez-vous regarder à la télévision? Quelle(s) chaîne(s) regardez-vous le plus souvent? Pourquoi?

3. Quelle est pour vous la définition d'une bonne émission?
4. Comment choisissez-vous les programmes que vous voulez voir? (lecture de magazines spécialisés, conseil d'un ami, hasard, etc.)
5. Quand plusieurs membres de votre famille veulent regarder des émissions différentes, comment se négocie généralement le choix d'un programme?
6. Vous intéressez-vous aux annonces publicitaires? Quelles sont celles que vous aimez et celles que vous détestez particulièrement? Pourquoi?
7. Improvisez les situations suivantes :
   a. Deux amis discutent de leurs loisirs. L'un est un citadin «sans-télé», mélomane et cinéphile, l'autre habite à la campagne et la télévision est pour lui le principal divertissement.
   b. Organisez une table ronde sur le thème de la violence à la télévision et de ses effets sur les enfants. Interrogez successivement un(e) enfant, une mère de famille, un psychiatre, un créateur de dessins animés violents, et une personne responsable de la sélection des programmes pour enfants.
   c. Vous travaillez pour une chaîne publique; adressez-vous aux téléspectateurs pour solliciter de l'argent afin de pouvoir continuer à leur offrir des émissions de qualité.
   d. Faites discuter deux parents qui ont des avis différents sur l'influence de la télévision sur les enfants. L'un pense que la télévision les aide à se développer intellectuellement et élargit (*broaden*) leur connaissance du monde; l'autre croit, au contraire, que la télévision tue toute créativité chez l'enfant et ne lui donne qu'une image déformée du monde.
8. On dit que l'homme politique de demain devra être télégénique, avoir une bonne apparence à l'écran. Qu'est-ce que cela veut dire exactement? Que pensez-vous de l'influence de la télévision sur la vie politique, particulièrement au moment de l'élection présidentielle?

Le cinéma d'auteur

"For the public, films are just a pastime, a form of entertainment which they have been accustomed, alas, to view out of the corners of their eyes. Whereas for me the image-making machine has been a means of saying certain things in visual terms instead of saying them with ink on paper." Expressed by Jean Cocteau in 1954, this view of literature and filmmaking as related forms of creative expression has long been shared by French writers and directors. Cocteau was not the only writer attracted by the cinema; André Malraux, Marcel Pagnol, Marguerite Duras, Alain Robbe-Grillet, and many others have involved themselves in cinematic creation. Conversely, avant-garde director Jean-Luc Godard, while exclusively a filmmaker, insists that his movies should be viewed as novels, or rather as essays; he films them instead of writing them.

   The French filmmaker's claim to be an author and not just a director is reflected in the expression *cinéma d'auteur*, used to designate films strongly

stamped by their creator's aesthetic and philosophical views (or, disparagingly, by his or her ego). Movie stars and their fans are also part of the system, but in France the filmmaker's name and style are a major box-office consideration; by and large, French moviegoers are more inclined than their American counterparts to select (and remember) a film by the name of the director, rather than by those of the stars. Today directors like François Truffaut, Jean-Luc Godard, Louis Malle, Robert Bresson, Claude Chabrol, Eric Rohmer, Claude Lelouch, Alain Resnais and Bertrand Tavernier are familiar to the average Frenchman, as well as to international audiences.

Most of the important contemporary filmmakers belonged to (or were influenced by) the experimental group known as *la Nouvelle Vague* (1958–1968). Often denounced today for its lack of social consciousness and its surrender to Establishment values, the New Wave never emerged as a coherent school, but contributed new approaches and innovative techniques. Documentaries and shorts played an important part in the crystallization of this style. Most directors of the postwar generation began their careers through this type of work and derived from it a sense of film structure different from that of commercial filmmakers. Using hand-held cameras, shooting most of the footage on location, shunning the traditional "arty" style of cutting and editing in favor of a crisp succession of short, self-contained scenes, these young directors achieved a more versatile, more candidly realistic narrative style that can be traced through most of their production, from Godard's social documentaries to the highly intellectualized works of Rohmer or Resnais.

The French filmmaker best-known to American moviegoers undoubtedly is François Truffaut (1932–1984), whose works regularly met with commercial as well as critical success. After riding the crest of the New Wave with *Les 400 Coups, Tirez sur le pianiste* and *Jules et Jim*, Truffaut gradually altered his style to incorporate many traditional techniques of commercial filmmaking as seen in his last films, *Adèle H.*, *Le dernier métro*, *La femme d'à côté* and *Vivement Dimanche!*

In his first movie, *Les Mistons* (The Mischief Makers), in 1957, he made use of children and in so doing realized that he would like to make a film about childhood. This came about in 1959 with *Les 400 Coups* and in 1976 with *L'Argent de poche*, a collage of sketches on the difficult transition from childhood to adolescence.

Entretien avec François Truffaut

Philippe Goldman a été acteur dans le film de François Truffaut *L'Argent de poche*. Il jouait le rôle du petit Julien Leclou, l'enfant martyr,° battu par sa mère. Lors du tournage° du film en 1976, il a réalisé pour lui-même un entretien avec le metteur en scène° sur le cinéma. À la mort de Truffaut en 1984, cet entretien a été publié dans la revue *Les Cahiers du cinéma*.[1]

QUESTION Quand, comment et pourquoi es-tu devenu cinéaste°?

F. TRUFFAUT Ça s'est fait en plusieurs fois. D'abord j'étais amateur° de cinéma; j'aimais voir beaucoup de films. La deuxième étape° ç'a été d'aimer voir souvent les mêmes films. La troisième étape, de chercher à
5 savoir ce qu'il y a derrière le film; il y a un moment à partir duquel je notais° le nom du metteur en scène en sortant d'un film qui m'avait plu,° je faisais des dossiers chez moi. Ensuite, j'ai commencé à écrire sur les films, à publier les articles ici et là; puis, après mon service militaire, je suis devenu critique de cinéma dans les *Cahiers*
10 *du cinéma* et *Arts et spectacles*.°

Dans un hebdomadaire,° il faut raconter le film qu'on a vu, il ne suffit pas° de dire «c'est très beau» ou «c'est très moche»,° il faut raconter l'histoire, et c'est très difficile de résumer° le scénario° en dix lignes; ensuite, il faut vraiment trouver les arguments pour
15 et contre. À cette période-là, j'ai l'impression que j'ai bien appris le... comment dirais-je? tout ce qui concerne la construction du

l'enfant martyr *m* battered child / **le tournage** shooting / **le metteur en scène** director / **le cinéaste** filmmaker / **l'amateur** *m* fan / **l'étape** *f* step / **il y a...notais** there came a time when I took note of / **plu** = *participe passé de plaire* / **les Cahiers du cinéma et Arts et spectacles** well-known film magazines / **l'hebdomadaire** *m* weekly newspaper / **il ne suffit pas** = *ce n'est pas assez* / **moche** *(fam)* = *mauvais* / **résumer** to summarize / **le scénario** script

[1]En 1954, Truffaut a écrit dans cette revue un article très controversé intitulé : «Une certaine tendance du cinéma français».

François Truffaut pendant le tournage de L'Argent de poche

scénario. Pour la mise en scène° c'était un peu plus difficile, mais
en voyant plusieurs fois un film, comme on en connaît déjà l'histoire, on peut regarder le travail de la mise en scène. Ensuite j'ai
20   fait un ou deux films en muet° en 16mm,° mais qui racontaient
quand même une petite histoire. Parce que je n'ai jamais aimé les
documentaires, j'ai toujours aimé raconter une histoire. J'ai fait,
après, un court métrage° en 35mm, c'est-à-dire le format professionnel. Ce film, c'était *Les Mistons*. Il a eu pas mal de succès pour
25   un court métrage et a reçu une prime° de 5 millions du Centre du
Cinéma.

QUESTION   Tu as voulu travailler très tôt dans le cinéma?

F. TRUFFAUT   À partir de 11–12 ans quand je suis allé voir des films français
pendant la guerre,° mais je n'osais pas penser que je serais metteur
30   en scène. À l'époque il y avait très peu de metteurs en scène jeunes.

---

la mise en scène direction / **le film (en) muet** silent film / **16mm** = *16 millimètres* / **le
court métrage** short subject / **la prime** = *le prix* / **la guerre** = *la deuxième guerre mondiale*

Je pensais que je serais probablement critique de cinéma ou alors, si je pouvais faire plus, je serais scénariste,° surtout que j'écrirais des histoires, que j'aiderais d'autres à faire leurs films—et puis à partir de la Nouvelle Vague, finalement, on s'est tous mis à faire
35   des films.

QUESTION   Comment prépares-tu tes scénarios? Est-ce que tu y penses long-temps avant?

F. TRUFFAUT   J'y pense longtemps avant. Il y a d'abord la première idée : ce serait bien de faire un film comme ça, avec tel personnage° ou
40   dans telle ambiance. J'y pense de plus en plus et il y a un moment où j'y pense de façon assez active pour prendre des notes que je mets dans un dossier avec un titre provisoire.° Et un jour, j'ouvre le dossier avec Suzanne Schiffman[1] et on commence à construire une intrigue.° Je suis sûr de faire un film quand je suis sûr du
45   dernier quart d'heure. J'ai toujours très peur des fins.

QUESTION   En général, il te faut beaucoup de temps pour trouver la fin d'un film?

F. TRUFFAUT   Quelquefois ça va très vite, quelquefois ça prend beaucoup de temps. Et puis il y a certains sujets qui me font peur parce qu'ils
50   sont nouveaux pour moi, ou difficiles, alors je les garde facilement quatre ans, comme *L'Enfant sauvage*.°

QUESTION   Comment choisis-tu tes acteurs?

F. TRUFFAUT   C'est quand on projette° les essais,° on dit «Tiens, lui, il serait pas mal pour Julien», ça se précise° peu à peu. C'est à la projection°
55   qu'on fait le choix. Pendant qu'on tourne° l'essai, quelqu'un peut paraître très mauvais et après, sur l'écran,° on dit : «Ah, mais celui-là est mieux». C'est drôle, on a besoin de vérifier sur l'écran. On connaît mieux un acteur pendant qu'on fait le montage° parce que le tournage se passe trop vite.

60   QUESTION   Changes-tu souvent de scénario en cours de tournage?

F. TRUFFAUT   Beaucoup oui, beaucoup. Surtout *L'Argent de poche*. *Adèle H.*[2] n'a pas changé parce qu'on a mis quatre ans à écrire le scénario et il était très serré,° très rigoureux. Mais dans *L'Argent de poche*, tu as vu que les dialogues étaient improvisés, donc il y a eu beaucoup
65   de changements.

le scénariste = *la personne qui écrit le scénario* / **le personnage** character / **provisoire** = *temporaire* / **l'intrigue** *f* plot / **L'Enfant sauvage** = *titre d'un film de Truffaut* / **projeter** to screen / **l'essai** *m* rushes (in films, a first print) / **ça se précise** = *les choses deviennent plus précises* / **la projection** screening / **tourner** to shoot / **l'écran** *m* screen / **le montage** editing / **serré** tight

[1]Assistante de Truffaut et aussi maintenant metteur en scène.
[2]Film de Truffaut basé sur la vie de la fille du poète Victor Hugo.

QUESTION   Quels sont tes cinéastes préférés?

F. TRUFFAUT   ...J'aime les cinéastes qui font des films presque comme des romans, c'est-à-dire qui font eux-mêmes l'histoire, dont les films se ressemblent mais ne sont pas des films de commandes.°

Interview recueillie par Philippe Goldmann, *Cahiers du cinéma*

Qu'en pensez-vous?

Êtes-vous d'accord ou non avec les déclarations suivantes? Justifiez votre réponse.

1. François Truffaut est devenu cinéaste par hasard.
2. Il a été critique de cinéma dans les *Cahiers du cinéma*.
3. C'est en faisant ce travail de critique qu'il a appris tout ce qui concerne la construction d'un scénario.
4. Il a commencé par faire des documentaires.
5. Ce qui l'intéressait avant tout, c'était de raconter une histoire.
6. Son premier court métrage a été primé au Festival de Cannes.
7. François Truffaut a toujours pensé qu'il deviendrait metteur en scène.
8. Truffaut pensait longtemps à ses scénarios avant de les écrire.
9. Il avait quelquefois du mal à trouver la fin d'un film.
10. Il choisissait toujours ses acteurs avant le tournage.
11. Dans le film *L'Argent de poche*, les dialogues ont été improvisés.
12. François Truffaut aimait les cinéastes qui font des films presque comme des romans.

Nouveau contexte

Complétez le passage suivant à l'aide des mots et expressions ci-dessous qui vous sont donnés par ordre alphabétique.

Noms : acteur *m*, amateur *m*, ambiance *f*, ciné-club *m*, courts métrages *m*, dialogues *m*, documentaires *m*, films muets *m*, intrigue *f*, metteur en scène *m*, montage *m*, personnage *m*, scénario *m*, scénariste *m*, tournage *m*

Verbes et expressions verbales : apprendre par cœur, changeaient, improviser, jouions un rôle, ont eu du succès, projetait

Adjectifs : enthousiaste, naturels, technique

JOURNALISTE   Daniel, tu fais partie du groupe d'enfants qui ont joué dans le film de François Truffaut, *L'Argent de poche*. T'intéressais-tu alors au cinéma?

DANIEL   Un peu, j'avais déjà vu quelques films, surtout des _____*1* et des _____*2* sur les animaux au petit _____*3* de notre école. Le mercredi après-midi, on nous projetait des _____*4* de Charlie Chaplin

le film de commande a commissioned film

ou de Buster Keaton. Le public était très _____*5* et je me souviens avec bonheur de l' _____*6* extraordinaire de ces séances de cinéma.

JOURNALISTE Quels souvenirs as-tu du _____*7* de *L'Argent de poche*?

DANIEL J'ai gardé le souvenir de superbes vacances avec des gens merveilleux. François Truffaut était très gentil avec nous et il était évident qu'il aimait et qu'il comprenait les enfants. Il ne voulait pas que nous _____*8*, que nous devenions un _____*9* différent; il voulait que nous restions _____*10*. Pour lui, tout enfant était un _____*11* par définition et il ne pouvait qu'être naturel.

JOURNALISTE Est-ce que cela a été difficile pour toi d'apprendre des _____*12*?

DANIEL Non, parce que nous n'avions rien à _____*13*. On nous donnait un petit bout de papier avec des indications juste avant le début d'une scène et nous devions _____*14*.

JOURNALISTE Est-ce que le _____*15* a changé au cours du film?

DANIEL Oh oui, on _____*16* les essais après chaque scène et souvent le _____*17* et son équipe modifiaient, _____*18* telle ou telle scène.

JOURNALISTE Est-ce que cette expérience a eu une grande influence dans ta vie?

DANIEL Oui, je suis devenu vraiment _____*19* de cinéma. J'ai songé pendant un moment à devenir _____*20* parce que j'ai toujours aimé construire une _____*21*, raconter une histoire et puis, finalement, je me suis intéressé au côté _____*22* de la production et j'ai participé au _____*23* de plusieurs films dont certains _____*24*. Oui, je peux le dire, ma vie aurait été bien différente sans cette expérience.

Vocabulaire satellite

le **film policier** detective film
le **film d'épouvante** horror film
le **western** western
le **dessin animé** cartoon
la **comédie musicale** musical comedy
le **film à thèse** film with a message
la **vedette (de cinéma)** (movie) star (male or female)
le **réalisateur,** la **réalisatrice** director, filmmaker
le **jeu des acteurs** acting
réaliser un film to make a film
filmer to film, to shoot (a film)
la **musique de fond** background music
le **sous-titre** subtitle
doubler to dub

l' **industrie** *f* **cinématographique** film industry
le **ciné-club** film club
le **cinéma de quartier** neighborhood theatre
passer un film to show a film
effrayant terrifying
passionnant thrilling
divertissant entertaining
émouvant touching
drôle funny
nul (*fam*) very bad
ennuyeux boring
lent slow
sans intérêt uninteresting
à la mode trendy
génial (*fam*) excellent

Pratique de la langue

1. D'après l'entretien que vous venez de lire, dans quelle mesure le cinéma de François Truffaut est-il un «cinéma d'auteur»?
2. Quel genre de films aimez-vous voir? Pourquoi?
3. Quel est le meilleur film que vous avez vu? L'avez-vous vu une ou plusieurs fois? Pourquoi vous a-t-il particulièrement marqué(e)?
4. Quels sont les avantages et les inconvénients de voir un film dans une salle de cinéma ou chez soi à la télévision?
5. Quand vous allez au cinéma ou quand vous louez une cassette vidéo, qu'est-ce qui vous influence le plus? le nom du metteur en scène? le nom des acteurs? les critiques que vous avez lues à propos du film?
6. Quand vous voyez un film basé sur un roman, avez-vous envie de lire le roman après avoir vu le film? Pourquoi ou pourquoi pas?
7. Interview imaginaire : interviewez votre acteur ou votre actrice préféré(e). Demandez-lui quand il (elle) est devenu(e) célèbre, avec quel metteur en scène il (elle) a préféré travailler, quels sont ses projets d'avenir, etc.
8. Vous voulez créer un ciné-club dans votre université avec quelques autres ami(e)s ciné-philes. Comment allez-vous attirer les spectateurs? Projetterez-vous des films étrangers non-doublés? Quel sera le prix des billets? Y aura-t-il une discussion après le film? Travaillez en groupe et échangez des suggestions pour bien faire fonctionner votre ciné-club.
9. Vous habitez une petite ville où l'on a décidé de fermer la dernière salle de cinéma. Vous écrivez au maire pour le convaincre de changer d'avis. Quels arguments utiliserez-vous?

SAUVONS LE CINÉMA

Sujets de discussion ou de composition

1. On dit que la musique adoucit les mœurs. Est-ce toujours le cas? Comment peut-on expliquer l'ambiance de certains concerts de musique rock et le comportement (*behavior*) des spectateurs?
2. Que pensez-vous de cette affirmation : «Il est aussi important aujourd'hui d'apprendre à regarder la télévision que d'apprendre à lire»?
3. Faites la critique d'un film que vous avez vu récemment pour le journal de votre université.
4. Quel est le rôle de la musique dans votre vie? Quel type de musique préférez-vous écouter? À quel moment? Quels sont vos chanteurs, vos compositeurs préférés?

Index culturel

Académie française The best known of the five *académies* that together constitute the Institut de France, which is located on the left bank of the Seine, across from the Louvre. Originally an informal club of writers and critics, the *Académie* was granted an official charter in 1635 by Cardinal Richelieu for the purpose of establishing and maintaining the standards of modern French. The forty members—nicknamed *les Immortels*—are mostly writers, but usually include a small number of high-ranking churchmen, military men, diplomats, etc. New members are elected when vacancies occur through death. In 1980 the *Académie* elected its first woman member: Marguerite Yourcenar, a classical scholar and novelist of French and Belgian ancestry who was a naturalized American citizen and resided in the state of Maine until her death in 1987. The attitude of noted French writers toward the *Académie* has always been ambivalent: some actively seek membership while others scorn it as a fossilized relic.

Allocations familiales An important part of the French social security system. They consist of monthly benefits paid by the government to all families with dependent minors. These benefits are based on the number of children in the family and are extended to all families irrespective of need. The system was initiated in 1940 and was designed to stimulate France's sagging birthrate. Other benefits for families with children include the *prime de naissance*, paid at the birth of each child, and the *prime de salaire unique*, paid as compensation to mothers of low- and middle-income families who stay home to take care of their children, and so are unable to work.

Animation culturelle A loose term covering a wide range of activities. It generally refers to any private or public effort by groups or individuals *(animateurs culturels)* to stimulate cultural activities in a given community. Among the most significant forms of *animation culturelle* are the *Maisons de la Culture*, the *Maisons des Jeunes et de la Culture*, and the *Centres d'Action Culturelle*.

Apéritif An alcoholic beverage like a cocktail, whiskey, or wine taken as an appetizer before dinner.

Arrondissements The city of Paris is divided into twenty administrative units called *arrondissements*. Most *arrondissements* have a distinctive character and are commonly referred to by number (for instance, "*le seizième*", a prestigious residential area).

Until 1977 each *arrondissement* had a mayor, but these *maires* had only limited administrative duties. Since 1977 Paris has had its own mayor—Jacques Chirac—like other French cities and towns.

Assemblée nationale   The lower house of the French parliament (whose upper house is called the *Sénat*). It has a membership of 491, including eleven from the *départements d'outre-mer* (D.O.M.) and four from the *territoires d'outre-mer* (T.O.M.). The members, called *députés*, are directly elected for five-year terms.

Baccalauréat   The nationally administered examination—popularly known as *le bac* or *le bachot*—that comes at the end of *la terminale*, the last year of studies at the *lycée*. The *bac* tests both the students' general knowledge and their grasp of a chosen field of specialization. *Baccalauréat* degrees are awarded in letters *(Bac A)*, social sciences *(Bac B)*, mathematics and physics *(Bac C)*, natural sciences *(Bac D)*, accounting and secretarial skills *(Bac G)*, computer science *(Bac H)*, and various other technical fields *(Bacs E, F)*. Upon passing the exam the student, now a *bachelier*, will be declared admissible to a university.

Cadre   A middle or top executive. The "cadres" embody the dynamic, managerial spirit. Their public image, however, has been marred by unemployment and economic crises.

Centres d'Action Culturelle   More modest and less costly than the *Maisons de la Culture*, but pursuing similar goals, the *Centres d'Action Culturelle* are designed to serve medium-sized cities, including the *villes nouvelles*.

Cités   See Grands Ensembles.

Collège d'enseignement secondaire (C.E.S.)
The lower section of the French secondary school cycle between the elementary school and the *lycée*—roughly, the equivalent of the American junior high school and the first two years of high school. The secondary cycle consists normally of four grades numbered in reverse order, from the *sixième* to the *troisième*. At the end of the *troisième*, students take an examination in order to receive the *brevet d'enseignement du premier cycle* (B.E.P.C.), the highest diploma that most young people in France obtain. Thereafter many leave school to start work, while others go on to the *lycée*.

Communes   The smallest territorial units in France. There were 36,035 *communes* in metropolitan France in 1975, most of them (31,259) with a population of less than 1500. *Communes* are administered by a municipal council elected for six years, and by a *maire* (mayor) whose election is subject to government approval. The government has been encouraging mergers among the smallest *communes*. In 1977 the city of Paris recovered the right to elect its own mayor— a privilege lost in 1871.

Communiste, Parti   The *Parti Communiste Français* (P.C.F.) came into existence in 1921, after a majority of the militants of the *Parti Socialiste* (S.F.I.O) had voted to join the newly formed Communist International. The Communists were active in the Resistance during World War II and emerged in 1945 as the largest party on the Left, with most of the votes of the workers, and considerable support from intellectuals. They consistently polled 20–25 percent of the vote in elections. In 1972 the P.C.F. concluded an alliance with the *Parti Socialiste*. In February 1976 the French Communist Party formally renounced some basic tenets in its official Marxist creed. Despite losing much of its strength to the Socialists in 1981, the P.C.F. was nevertheless included, as a junior partner, in the ruling coalition but pulled out after three years. Since then, its influence has been waning. In the presidential election of 1988, the Communist candidate, André Lajoinie, got 6.76 percent of the vote in the first round of balloting.

Conseil d'État Advisory committee that deals with administrative and judiciary matters.

de Gaulle General Charles de Gaulle (1890–1970) was a World War II hero and the chief architect of the Fifth Republic. When France collapsed before the German attack in 1940, he organized the Free French movement and continued the struggle abroad. Returning after the war, he served as President of the provisional government in 1945–1946, then resigned. Contemptuous of the unstable party-dominated Fourth Republic, for some time he led the Gaullist opposition of the Right, then retired from politics, but was summoned to power at last in the crisis of 1958. Elected President of the new Fifth Republic, he gave Algeria and other colonies their independence and survived the plots and assassination attempts of die-hard supporters of *l'Algérie française*. He ruled France with an authoritarian hand, bolstered by popular support confirmed periodically through referendums. A French traditionalist deeply suspicious of "Anglo-Saxon" influences, he sought to restore French prestige and independence through a foreign policy that ostensibly diverged from that of the United States. He survived the student/worker revolt of May 1968, but resigned in 1969. Aristocratic and aloof, idolizing France's past glory and often scornful of her present, he was a complex phenomenon, a figure of international importance, and, among Frenchmen, the most powerful personality of his time.

Départements The major administrative divisions of France, introduced at the time of the Revolution. The *départements* are not self-governing; their only representative body is a *Conseil Général* with very limited decision-making powers. The central government is represented in each *département* by a *préfet* who supervises and coordinates the administrative services. There are 101 *départements*, including five *départements d'outre-mer* (D.O.M.): Martinique, Guadeloupe, French Guiana, Réunion, and Saint-Pierre-et-Miquelon. Artificially created for purely administrative purposes, the *départements* usually lack the cultural and historical associations of the old provinces (Normandy, Brittany, Burgundy, etc.) One of the first reforms inaugurated by the Mitterrand administration in 1981was to enlarge the decision-making powers of the *départements*, with the chairman of the *Conseil Général* inheriting many executive prerogatives formerly held by the *préfets*.

Facultés Schools within a university, as for instance the *Faculté des Lettres* (School of Liberal Arts), *Faculté de Droit* (Law School), *Faculté de Médecine* (Medical School). Although they belong to the same university, the different facultés may be located in different parts of the city, or even in different cities (e.g., Aix-en-Provence and Marseilles). Thus French students will say "*Je vais à la Fac*" to indicate that they are off to a class.

Grandes Écoles Institutions of higher education other than the universities. Unlike the universities, each *grande école* has its own very restrictive admissions policy. Admission is determined by fiercely competitive exams *(concours)* that may require two or three years of special preparation after the *baccalauréat*. Since the number of places is limited, being admitted to a *grande école* is a real achievement. The most famous of the *grandes écoles* are the *École Normale Supérieure* (familiarly known as "Normale Sup"), where students specialize in humanities or sciences, usually to pursue an academic career; the *École Polytechnique* (nicknamed "*l'X*"); the *Hautes Études Commerciales* (HEC); and the *École Nationale d'Administration* or ENA, whose graduates, "*les énarques*," usually become top civil servants.

Grands Ensembles (or **Cités**)   Large-scale housing projects, generally located in the suburbs and consisting of high-rise apartment buildings with their own shopping centers, schools, theaters, etc. Many were designed for low-income housing (H.L.M.).

H.L.M.   *Habitations à Loyers Modérés:* low-income housing units financed by the French government to alleviate the postwar housing shortage. Most H.L.M.'s are in the form of multiple-story apartment buildings, usually massed in *grands ensembles*.

Légion d'honneur   Order created by Bonaparte in 1802 to reward exceptional civil or military achievements.

Lycée   The upper section of the French secondary school cycle, to which students who have successfully completed four years in the *collège d'enseignement secondaire* may proceed. At the *lycée*, students concentrate on a chosen field of specialized studies like philosophy, mathematics and physics, or natural sciences. After three years, in *terminale*, students take the *baccalauréat* exam; if they pass it, they can attend the university. More advanced than the American high school, the *lycée* corresponds roughly to a junior college. The system is nationwide.

Students who cannot commute daily board at the school, and are called *internes* (as opposed to *externes*) or *pensionnaires*.

Mai 1968   In May 1968 French university students staged violent antigovernment demonstrations. Initially directed against the antiquated university system, their revolt spread to the *lycées*, became nationwide, and sparked in turn the most massive labor strikes in French history. General de Gaulle promised reforms, then called for new elections: in a conservative backlash his supporters—Gaullists and Independents—won a landslide majority in the National Assembly. But his authoritarian regime had been severely shaken, and he resigned in the following year.

Maisons de la Culture   Major regional centers for the visual and performing arts. Launched by de Gaulle's Minister of Culture André Malraux, they were meant to disseminate culture outside Paris. Usually they combine a theater, artists' workshops, rooms for art exhibits, music rooms, a film library, etc. Half the cost is borne by the government, and half by the city where the *maison* is located.

Maisons des Jeunes et de la Culture (M.J.C.)   Community centers where young people can learn about and practice a wide range of activities (sports, arts and crafts, discussion groups, amateur theatricals, music, social affairs, etc.). The first M.J.C.'s were created at the end of World War II. More than 1400 such centers have been built since 1961. Not to be confused with the *Maisons de la Culture* or the *Centres d'Action Culturelle*.

Marseillaise, La   The stirring marching song of the Revolution that became the French national anthem. It was written in 1792 by a young Army officer, Rouget de

Lisle, to rally patriots against the invading forces of Europe's absolute monarchs. It was first sung in Paris by the volunteers from Marseilles, whence it received its name.

Mitterrand, François (b. 1917) President of the Republic, elected in 1981. Born to a middle-class Catholic family, he was completing his law degree when World War II broke out. After escaping from a German POW camp, he joined the Resistance, then entered politics in 1946. As a member of a small Centrist party strategically positioned between Left and Right, he held a variety of cabinet posts throughout the Fourth Republic (1946–1958). Declining to support the Fifth Republic, he ran as the opposition candidate against de Gaulle in the 1965 election, but failed to get the nomination to run against de Gaulle's successor, Georges Pompidou, in 1969. In 1971 Mitterrand joined the ailing Socialist Party and over the next ten years rebuilt it as a major force. He narrowly lost to Valéry Giscard d'Estaing in 1974, but defeated him decisively in 1981. In 1986, however, the Left lost popular support in parliamentary elections and Mitterrand had to cope with a non-Socialist majority in the legislature. For two years France experienced "cohabitation": a conservative legislature with a Socialist president. In 1988, Mitterrand was reelected for a second term. This time, there was no alliance with the Communist party but instead a new significant move toward the center.

Pieds Noirs A nickname applied to European settlers in North Africa (especially Algeria), who had to return to France when French rule ended. The settler community included many people of Spanish and Italian descent, many from Alsace-Lorraine who refused to live under German rule after 1870, and the local Jewish community

as well. Bitterly opposed to Algerian independence, many of the Pieds Noirs supported attempts to overthrow successive French governments on this issue. After 1962, when Algeria became independent, most of them resettled in France, especially in the South.

P.M.U. *Pari Mutuel Urbain:* off-track betting. Betting on horse races is under government control and provides an important source of income for the state. Only the duly franchised branches of the P.M.U. are qualified to accept bets. Other forms of legalized gambling in France include the casinos and the *Loterie Nationale*.

Préfet A high-ranking civil servant representing the central government in each *département*. The administrative services under his jurisdiction are called *la préfecture*, a word also designating the town where they are located. The *préfet* is assisted by a variable number of *sous-préfets*, each of whom is responsible for a section of the *département* and is headquartered in a town referred to as a *sous-préfecture*. There are also *préfets de région*. Under the decentralization plan introduced in 1981 by the Mitterrand administration, the *préfets* and *sous-préfets* lost some of their powers to the elected authorities at the *département* level.

P.T.T. *Postes, Télégraphes, Téléphones:* The French postal and telecommunication service is a state monopoly. Although recently renamed *Postes et Télécommunications*, most French people still refer to it as *les P.T.T.*

Régionalisme Regional movements reacting against what is perceived as the excessive centralization of the French state—a centralization dating from the Revolutionary and Napoleonic periods. Regionalist demands extend from simple decentralization to regional autonomy and even, in a few extreme cases, outright secession. Regionalist militancy has been most pronounced in areas that have preserved a distinct linguistic and cultural heritage: Occitanie (covering some thirty *départements* in the southern half of France); Brittany (especially in its western portion, where Breton is still spoken); Corsica; French Catalonia and the Basque region (both of them spillovers of ethnic minorities based primarily in Spain); and the two Germanic language areas of Alsace-Lorraine and French Flanders. Since 1951, limited teaching of the minority languages has been gradually introduced into the French school system.

R.P.R. *Le Rassemblement pour la République:* Leading opposition party headed by Jacques Chirac, mayor of Paris and former Prime Minister.

S.M.I.C. *Salaire Minimum Interprofessionnel de Croissance:* the minimum hourly wage, as determined by the government. Popularly, *"un smicard"* refers to the lowest-paid blue-collar worker.

S.N.C.F. *Société nationale des chemins de fer français:* Nationalized company since 1937.

Socialiste, Parti France's present Socialist party (P.S.) was created only in 1971, but the tradition of French socialism predates Karl Marx. In 1905 two independent Socialist groups merged to form a new party affiliated with the (Second) Socialist International: *Section Française de l'Internationale Ouvrière.* (S.F.I.O.). The S.F.I.O. was split when a majority of its militants joined the Communist International in 1920, giving birth to the *Parti Communiste Français* (P.C.F.). The S.F.I.O. Socialists remained the largest party on the Left until World War II. From 1945 on, however, the S.F.I.O. was consistently out-polled by the P.C.F. In 1971 the old S.F.I.O. and a number of smaller left-wing groups merged under the name of *Parti Socialiste* (P.S.). Led by François Mitterrand, the P.S. decisively surpassed the P.C.F. and, in 1981, went on to capture an absolute majority of seats in the National Assembly for the first time in the party's history. On that occasion the Socialists drew support from a broad range of voters, but much of this following was fragile and was rapidly eroded over the next few years. The Socialist electorate nevertheless remains broadly based and comprises a wider and more balanced sample of the population than that of any other party. It does, however, include a disproportionately large percentage of low-ranking civil servants, school teachers, and wine growers from southern France. Under Mitterrand's leadership, the Socialist party has greatly evolved. Although it is still France's leading party of the Left, it is now trying to appeal to voters of the center.

Syndicats Membership in unions *(syndicats)*—13 percent—tends to be lower in France than in other Western European countries. Unionized wage earners belong for the most part to one of the five major unions: the leftist *Confédération Générale du Travail* (C.G.T.); the largest of all unions: the C.G.T.-F.O. *(Force Ouvrière)*, which split off from the C.G.T. in 1947; the *Confédération Démocratique du Travail* (C.F.D.T.) and the *Confédération Française des Travailleurs Chrétiens* (C.F.T.C.), both of which grew out of the same Christian labor movement; and the *Confédération Générale des Cadres* (C.G.C.). Employers, businessmen, and farmers also have their own organizations, which are legally regarded as *syndicats*.

Réponses au Nouveau contexte

CHAPITRE 1

Les «jamais» de Stéphanie, p. 7
1. génial (super) 2. piscine 3. fauchais 4. faisais *toujours* des bêtises 5. super (génial)
6. sidéral (super) 7. suçait 8. se promenait 9. parapluie 10. abruti 11. débilité
12. feuilleton 13. profiter 14. trucs 15. endroits

L'angoisse des «prépas», p. 17
1. échec 2. être à la hauteur de 3. cours 4. travail personnel 5. permet 6. amourettes
7. envies 8. cellules 9. camaraderie 10. classements 11. interro écrite 12. décrocher
13. renoncement 14. culture 15. bûcheurs 16. lutteurs 17. se battent

La vie sociale des étudiants, p. 20
1. ambiance 2. refuge 3. bibliothèque 4. chauffée 5. esseulés 6. imprévu 7. relations
8. jeunes 9. culturelles 10. se dépolariser 11. clos 12. disque 13. endroit 14. coûteuses

CHAPITRE 2

Un couple à force égale, p. 27
1. réussite 2. popote 3. professionnelle 4. personnelle 5. mener de front 6. maternité
7. alliance 8. pseudonyme 9. écrasée 10. écrivain 11. acte d'amour 12. cloche
13. s'intéresse à 14. lien 15. incomparable (irremplaçable) 16. irremplaçable (incomparable)

Un enfant pour elles toutes seules, p. 34
1. milieu 2. intellectuel 3. aliénante 4. célibataires 5. filles-mères 6. scandaleux 7. fais
des ménages 8. ai du mal à 9. dérange 10. sommes au ban de 11. ai raté 12. me réjouis
13. me plier 14. n'y peux rien 15. seront supprimés.

CHAPITRE 3

La kid génération, p. 46
1. mûrs 2. technologie 3. ordinateur 4. vidéo 5. partager 6. pédagogique
7. consommateurs 8. durs 9. tendres 10. argent 11. amitié

«Naître ou ne pas naître», p. 53
1. pont 2. ont loupé 3. naissance 4. veine 5. lambine 6. drôle 7. santé 8. mère de
famille 9. salaire unique 10. rendais des services 11. jumeaux 12. maternelle
13. commissions 14. sou 15. apéro 16. fessées 17. scènes 18. bouillais 19. existence
20. s'asseoir

CHAPITRE 4

Les villes nouvelles : Marne-la-vallée, p. 63
1. employée 2. quartier 3. RER 4. trajet 5. trois-pièces 6. loyer 7. équipements
8. centre commercial 9. retourner 10. s'installer 11. boue 12. étage 13. peuplé 14. nouer

des liens **15.** bouge **16.** pavillon **17.** clôture **18.** soustraire à la vue **19.** nous en allant **20.** isolement **21.** réseau

Le chouette bol d'air, p. 71
1. rentrer **2.** détente **3.** passe **4.** cuisinière **5.** maison de campagne **6.** rester **7.** copains **8.** bol d'air **9.** pelouses **10.** cueillir **11.** être puni **12.** revues **13.** chouette **14.** embouteillages **15.** éviter **16.** se perdre **17.** potager **18.** mûres **19.** a *pas* coûté **20.** citadins

CHAPITRE 5
Vendeuses, p. 80
1. vendeur **2.** magasin **3.** rayon **4.** embauché **5.** contact **6.** pointer **7.** répit **8.** courbatures **9.** promotion **10.** haut-parleur **11.** réductions **12.** caisse **13.** maux de tête **14.** tombais de sommeil **15.** avais gagné

Les BCBG, p. 87
1. faire-part **2.** futur **3.** particule **4.** diplômé **5.** polytechnicien **6.** avenir **7.** argent **8.** luxe **9.** comme il faut **10.** éviter **11.** laisser-aller **12.** mauvaises **13.** activité **14.** but **15.** aventure **16.** sensé **17.** embarrassant **18.** fête **19.** règle

Le travailleur immigré, p. 94
1. gosses **2.** chantier **3.** se débrouiller **4.** être embauché **5.** camions **6.** ai *jamais* gagné **7.** envoyer **8.** tutoie **9.** partage **10.** se soûlent **11.** bagarres **12.** louer **13.** me soucie

CHAPITRE 6
Les 7 découvertes d'un septennat, p. 105
1. se réjouissent **2.** dressons le bilan **3.** puissance **4.** septennat **5.** s'est mise en marche **6.** énergies **7.** s'implanter **8.** réduire **9.** a mis en chantier **10.** changer la vie **11.** mentalités **12.** clivage **13.** citoyens **14.** rapprochement **15.** cohabitation **16.** accrue **17.** léguer

Fonctionnaires de père en fils, p. 111
1. exercer la profession **2.** félicite **3.** profession **4.** voie **5.** dispositions **6.** concours **7.** me suis débrouillé **8.** boulots **9.** salaires **10.** mesurer **11.** occupait **12.** ai joué la sécurité **13.** caste **14.** refuge **15.** collectivité **16.** recul **17.** métier **18.** fidélité **19.** privilèges

Chef d'entreprise à vingt ans, p. 118
1. tangibles **2.** supportait **3.** indépendant **4.** nul **5.** goût **6.** informatique **7.** a fondé **8.** ont conçu **9.** logiciel **10.** projet **11.** ont gagné **12.** déclenchant **13.** encouragement **14.** boîte **15.** concilier **16.** PDG **17.** dérisoire **18.** accommode **19.** a *tout* risqué

CHAPITRE 7
Les premières choses qui vous viennent à l'esprit, p. 126
1. hospitaliers **2.** accueillant **3.** Concorde **4.** congés payés **5.** idées toutes faites **6.** casanier **7.** se plier à des règles **8.** chauvin **9.** brasser de l'argent **10.** épargnent **11.** bons vivants **12.** portés sur **13.** beaux parleurs **14.** râleur **15.** crains

Coco Chanel, p. 132
1. me mettre sur le dos **2.** robes **3.** toucher **4.** m'allait **5.** vêtements **6.** maisons de couture **7.** soigné **8.** goût **9.** élégance **10.** jupes **11.** irremplaçables **12.** collection **13.** se démodent **14.** étoffes **15.** vivants **16.** rendent **17.** nouveauté **18.** dure **19.** s'adapter à

Parlons cuisine, p. 140
1. familiale 2. imitation 3. savoir-faire 4. cuisinière 5. savoureux 6. produits
7. paysanne 8. recette 9. cuisson 10. habitude 11. cordon bleu 12. fine 13. innover
14. salé 15 trouvailles

CHAPITRE 8
Gloire et ignominie du débarqué, p. 149
1. voguais 2. paquebot 3. métropole 4. m'affirme 5. parole 6. faillir au devoir
7. débarqué 8. magiques 9. être 10. me débarrasser de 11. créoles 12. gendarme
13. originaire 14. affichait

Mon père écrit à ma mère, p. 155
1. reléguée 2. épouse 3. couple 4. pudeur 5. osait 6. me mis à 7. avait honte 8. gênée
9. propos 10. prénom 11. nom d'état-civil 12. cartes postales 13. rapportait
14. destinataire 15. facteur

La révolte, p. 161
1. générations 2. chercher un emploi 3. quartier 4. instruction 5. gagnait 6. rembourser
7. chômeurs 8. faisais des ménages 9. cours du soir 10. arriéré 11. ivrogne 12. gars
13. tavernes 14. écœuré 15. fasse des bêtises 16. casser la gueule

CHAPITRE 9
Chef-d'œuvre en péril, p. 170
1. s'alarmer 2. orthographe 3. lycéens 4. parler 5. maltraite 6. crée 7. adapté
8. lecture 9. distraction 10. quotidien 11. chute 12. tirage 13. scolaire 14. temps libre
15. intempestives 16. speakers 17. annonces 18. dénaturent 19. méprisent 20. séduisent
21. péril 22. survivre 23. utilisateurs

La crise des quotidiens, p. 178
1. point de vente 2. quotidien 3. contenu 4. abordés 5. distribué 6. régionaux
7. monopole 8. s'afflige 9. rang 10. lecture 11. supplanter 12. écrite 13. élevé
14. constitue 15. handicap 16. coûtent 17. délaissent 18. profit 19. hausse 20. invendus
21. fasse *davantage* confiance 22. analyser

Journal d'une branchée, p. 185
1. faire défiler 2. prises de position 3. nouvelles 4. lecture 5. livrer 6. services
7. horaire 8. pianoter 9. ordinateur 10. branchés 11. écran 12. messageries
13. bavarder 14. régler 15. bancaires 16. vérifier 17. montant 18. impôts
19. minitelistes 20. fonctionnel 21. quotidienne

CHAPITRE 10
L'acteur est un scaphandrier de l'âme, p. 195
1. troupe 2. spectacles 3. répétitions 4. comédien 5. consiste à 6. tâches 7. mise en
scène 8. créateur 9. être humain 10. recettes 11. changement 12. génie 13. pièces
14. jeu des acteurs 15. spectateurs

Les maisons de la culture, p. 200
1. adhérente 2. théâtrales 3. troupe 4. actrice 5. décors 6. tournée 7. expositions
8. collègues 9. atelier 10. personnel 11. directeur 12. prendre des risques
13. folkloriques 14. mettre en contact 15. tranches d'âge 16. se mélanger 17. réussite
18. touche 19. rayonnement

Les «amplis» du succès, p. 207
1. lecture 2. reliures 3. bibliothèque 4. nouveautés 5. marchent 6. librairie 7. sont
édités 8. parus 9. best-sellers 10. garanties 11. livres de poche 12. titres disponibles
13. élargissement 14. tranche 15. ouvrages 16. Redoutez-vous 17. grandes surfaces.

CHAPITRE 11
Jacques Brel et ses chansons, p. 215
1. parolier 2. auteurs-compositeurs 3. répertoire 4. vedettes 5. interprètes 6. avait
enregistré 7. prodigieux 8. salle 9. livrer un combat 10. placée 11. nuancée 12. place
13. présence 14. reconnaître 15. engagées 16. mordant 17. divertir 18. sensibilités
19. ressemblent 20. paroles 21. public

Les «sans-télé», p. 222
1. ménages 2. postes 3. recepteur 4. foyer 5. feu 6. pied 7. rôle 8. privilégié
9. chaînes 10. émission 11. se débarrasser de 12. supportent 13. regrettable 14. éprouvent
le besoin 15. entourage 16. perturber 17. acquièrent 18. esprit critique 19. friands
20. consommation 21. temps libre 22. être au courant 23. redoutent l'emprise 24. entraîne
25 domicile 26 divertissement

Entretien avec François Truffaut, p. 229
1. courts métrages 2. documentaires 3. ciné-club 4. films muets 5. enthousiaste
6. ambiance 7. tournage 8. jouions un rôle 9. personnage 10. naturels 11. acteur
12. dialogues 13. apprendre par cœur 14. improviser 15. scénario 16. projetait
17. metteur en scène 18. changeaient 19. amateur 20. scénariste 21. intrigue
22. technique 23. montage 24. ont eu du succès

Vocabulaire

This vocabulary contains all words and expressions that appear in the text except articles and identical cognates. Irregular verbs are included, as are feminine forms of adjectives and nouns.

Abbreviations

adj	adjective	*fig*	figurative	*pres part*	present participle
adv	adverb	*impers*	impersonal	*pl*	plural
esp	especially	*invar*	invariable	*ps*	passé simple
fam	familiar	*m*	masculine	*subj*	subjunctive
f	feminine	*pp*	past participle		

An asterisk (*) indicates a word beginning with an aspirate *h*.

A

abattre   to knock down
abolir   to abolish
l' **abonnement** *m*   subscription
l' **abord** *m*   access; **d'** ___ at first, in the first place, primarily
aborder   to land, to approach, to tackle
abriter   to shelter
l' **abruti(e)**   idiot
abrutissant   stupefying
absolu(e)   absolute
s' **abstenir**   to abstain
l' **abstrait** *m*   abstraction
l' **accalmie** *m*   lull, (period of) calm
accéder   to accede to, to have access to
accentuer   to stress, to increase
l' **accessoire** *m*   accessory; **les** ___ **s** props

s' **accommoder**   to be satisfied, to make oneself comfortable, at home
accompagner   to accompany, to see (someone) off
accomplir   to perform, to complete
l' **accord** *m*   agreement; **être, se trouver d'** ___ to agree; **d'** ___ OK! **en** ___ **avec** in close relationship with
accoster   to accost, come up to
accoucher   to give birth
l' **accoucheuse** *f*   midwife
accrocher   to hang up, to hook
l' **accroissement** *m*   increase
accroître   to increase, to enhance; **s'** ___ to increase
l' **accueil** *m*   reception, welcome
accueillir   to greet, to welcome, to accept
accueillant(e)   gracious, hospitable
accuser   to accuse, to charge
l' **achat** *m*   purchase

acheter to buy
acquérir to acquire, to get; (**j'acquiers, nous acquérons;** *pp* **acquis**)
l' **acte** *m* deed, act
l' **acteur (actrice)** actor, actress
actif (active) active; l'**actif** *m* worker
l' **action** *f* action, deed, effect; share (of stock)
l' **actionnaire** *m, f* shareholder
les **actualités** *f* current events
actuel (actuelle) current, present; **à l'heure** __ nowadays
actuellement now
s' **adapter** to adapt, to adjust oneself
l' **addition** *f* bill, check (in café or restaurant)
l' **adhérent** *m* subscriber
l' **administration** *f* public service
adoucir to soften, to alleviate
adresser to address, to direct, to aim; **s'** __ **à** to apply to, to speak to
l' **affaire** *f* business, affair, concern, bargain; **les** __ **s** business, trade; **le sens des** __ **s** business acumen; **faire des** __ **s** to do business; **se tirer d'** __ to get along
affectif (affective) sentimental
l' **affichage** *m* placarding
l' **affiche** *f* poster
afficher to post, to display, to make a show of
affirmer to state, to claim; **s'** __ to assert oneself
s' **affliger** to lament
l' **affluence** *f* crowd, abundance
affluer to abound, to flock (to a place)
l' **afflux** *m* massive flow
affreux (affreuse) frightful, ghastly
affronter to face, to confront
afin que so that, in order that
l' **âge** *m* age; **la tranche d'** __ age group
âgé(e) old, aged
l' **agence** *f* agency; __ **de voyages** travel agency
l' **agence immobilière** real estate agency
l' **agent** *m* agent, representative, constable
l' **agglomération** *f* urban center
agir to act; **s'** __ **de** to be a matter of, to be imperative to; **De quoi s'agit-il?** What is it about?

agréable pleasant
agresser to assault
l' **agriculteur (agricultrice)** farmer
aider to help
l' **aide** *f* help
l **aïeule** *f* grandmother
aigu(ë) acute, extreme
ailleurs elsewhere; **d'** __ besides
aimable kind, nice, amiable
aimer to like, to love
aîné(e) elder, eldest, senior
ainsi thus, in this fashion
l' **air** *m* tune, melody
l' **aise** *f* ease; **à l'** __ at ease
aisé(e) well-off; **aisément** readily, easily
ajouter to add
s' **alarmer** to worry
l' **alcool** *m* alcohol, spirits
s' **aliéner de** to become estranged from
l' **alimentation** *f* food, food section (in a store)
l' **allée** *f* aisle, alley, walk
allégrement lightly
allemand(e) German
aller to go, (**je vais, nous allons;** *pp* **allé**); **s'en** __ to go away
l' **alliance** *f* wedding-ring
l' **allocation** *f* benefit, allowance
allumer to light up, to strike up; __ **la télé** to turn the TV on
l' **allure** *f* appearance
alors then, at that time, in that case; __ **que** when, even though, whereas
amasser to pile up
l' **amateur** *m* fan, lover (of something)
l' **ambiance** *f* atmosphere
l' **âme** *f* soul
améliorer to improve
l' **aménagement** *m* arrangement
l' **aménageur** *m* developer
amener to bring, to lead; __ **à** to persuade
l' **ameublement** *m* furnishing
l' **ami(e)** friend; **petite(e) ami(e)** boyfriend, girlfriend
amical(e) friendly; **amicalement** in a friendly way
l' **amitié** *f* friendship
amortir to recover the cost, to pay off
l' **amour** *m* love
les **amourettes** *f* flirtations

amoureux (amoureuse) in love

l' **ampleur** *f* volume

l' **amputation** *f* truncation

amusant amusing

l' **an** *m* year

ancien (ancienne) old, former, ancient

s' **ancrer** to be anchored, to be rooted

anglais English

l' **angoisse** *f* anguish, anxiety

l' **animal** *m* animal

l' **animateur** *m* social director, host (on a radio or television show)

l' **animation culturelle** *f* cultural stimulation, cultural community project

animer to activate, to enliven

animé lively

l' **année** *f* year; **(dans) les __ s 40** (in) the forties

l' **anniversaire** *m* birthday

l' **annonce** *f* announcement; **l' __ publicitaire** commercial; **les petites __ s** classified advertisements

annoncer to announce; **s' __** to begin

l' **annonceur** *m* announcer

l' **annuaire** *m* directory

annuel(le) yearly

l' **antenne** *f* antenna, aerial, channel; **sur l' __** on the air

antillais West Indian, Caribbean

août August

l' **apaisement** *m* peace, calm, appeasement

apercevoir to see, to catch sight of; to perceive (**j'aperçois, nous apercevons, ils aperçoivent;** *pp* **aperçu**); **s' __ de** to notice, to realize, to become aware of

l' **apercu** *m* glimpse, outline, summary

aphone voiceless

apitoyer to cause (someone) to feel pity, to move, to touch

apparaître to appear, to become evident

l' **apparition** *f* advent

l' **appartement** *m* apartment

appartenir à to belong to

l' **appel** *m* call, appeal

l' **appel de fonds** *m* fund-raising

appeler to call, to call to; **s' __** to be called, to be named

les **applaudissements** *m* applause

appliqué(e) studious

appliquer to apply

apporter to bring, to supply

apprécier to appreciate; to appraise

apprendre to learn, to teach

l' **apprentissage** *m* training

approuver to approve

approximatif (approximative) approximate

l' **appui** *m* support, backing

appuyer to support; **s' __** to rely on, to lean on

après after

l' **après-midi** *m, f* afternoon

aratoire agricultural, farming

l' **arbre** *m* tree

l' **arcade sourcilière** *f* ridge of the eyebrow

l' **ardoise** *f* slate

l' **argent** *m* money; **__ de poche** pocket money, small change

l' **argot** *m* slang

l' **argument** *m* point (in a discussion)

l' **arme** *f* weapon

l' **armée** *f* army

armer to equip, to arm

l' **armistice** *m* armistice

l' **arôme** *m* flavor

l' **arpent** *m* acre

arracher to pull out

arranger to arrange, to accommodate; **s' __** to get by, to manage

l' **arrêt** *m* stop, interruption

l' **arrêté** *m* executive order, decree

arrêter to stop, to arrest; **s' __** to come to a stop

l' **arrière-plan** *m* background

l' **arriéré(e)** mentally handicapped

l' **arrivant** *m* newcomer

l' **arrivée** *f* arrival, finishing line (in a race)

arriver to arrive, to happen

l' **arriviste** *m, f* social climber

l' **ascenseur** *m* elevator

l' **aspirateur** *m* vacuum cleaner

assaisonner to season

s' **asseoir** to sit down

assez enough, somewhat, fairly

l' **assiette** *f* plate

l' **assiduité** *f* regularity

assimiler to assimilate, to treat as similar

l' **assistance** *f*   audience

l' **assistante sociale** *f*   social worker

assister à   to witness, to attend

l' **associé(e)**   partner

l' **assurance** *f*   insurance, self-confidence

assurer   to insist, to assure, to guarantee

l' **astrakan**   lambskin fur (coat)

l' **astre** *m*   star

s' **astreindre**   to submit willingly

l' **atelier** *m*   workshop

attacher   to tie; **être attaché(e) à** to be attached to

attaquer   to attack; **être attaqué(e)** to be mugged

s' **attarder**   to linger

atteindre   to reach

attendre   to wait, to expect; **s' __ à** to expect, to anticipate

attentif (attentive)   attentive, heedful

attirer   to attract

aucun(e)   none, no

au-delà de   beyond

au-dessus   above

l' **audience** *f*   hearing, court session

l' **auditeur (auditrice)**   listener

augmenter   to increase

aujourd'hui   today

auparavant   beforehand, previously

auprès de   close to, at, by

ausculter   to examine

aussi   too, also, as; **__ ... que** as . . . as

aussitôt   immediately; **__ que** as soon as

autant   as much, so much, as (so) many; **d' __ que** especially since; **__ que** as much as, as well as

l' **auteur** *m, f*   author

autochtone   native

autodidacte   self-taught

l' **auto(mobile)** *f*   car

autonome   autonomous, self-governing

l' **auto-portrait** *m*   self-portrait

autoriser   to permit, to authorize

l' **autoroute** *f*   expressway, superhighway

autour (de)   round, about

autre   other; *adv* otherwise

autrefois   in the past; **d' __** of yesterday

autrement   in another way

l' **avance** *f*   advance; **en __** early, ahead

avancer   to move forward

avant   before, earlier; **__ tout** above all; **d' __** previous

avec   with

l' **avenir** *m*   future

l' **aventurier (aventurière)**   adventurer

aveugle   blind

aveuglette: à l' __ blindly

l' **avion** *m*   airplane

l' **avis** *m*   opinion, advice, view; **changer d' __** to change one's mind; **à votre (mon) __** in your (my) opinion

l' **avocat(e)**   barrister, lawyer

avoir   to have

l' **avortement** *m*   abortion

avorter   to have an abortion

avouer   to confess

avril   April

axé(e) sur   focusing on

B

le **bac (le bachot)**   baccalauréat

le, la **bachelier (bachelière)**   student who has passed the bac

la **baffe** *fam* slap

le, la **bâfreur (bâfreuse)** *fam* glutton

la **bagarre**   fight, brawl

la **baguette**   narrow stick of French bread

la **baguette magique**   magic wand

bâillonner   to gag

se **baigner**   to take a bath, to go swimming

le **bain**   bath; **la salle de __s** bathroom

la **baisse**   fall, drop

le **baladeur**   walkman

le **ban**   banishment; **au __ de** banned from

banal   trivial

se **banaliser**   to become normal, ordinary

le **banc**   bench

la **bande**   gang, peer group; tape; **la __ dessinée** comic strip

la **banlieue**   suburb(s)

le **banquier**   banker

le **baril**   barrel

la **barre**   rod

la **barrière**   barrier

le **bas**   lower part; **en __** (down) below

bas (basse)   low

la **base**   base, basis; **de __** basic

la **base de données** data base
les **baskets** *m* high-top sneakers
la **basse-cour** farmyard
la **bataille** battle, fight
le **bateau** boat
le **bâtiment** building
  bâtir to build
  battre to beat; **se —** to fight
  bavard(e) talkative
  bavarder to talk
  beau (belle) beautiful, handsome;
    avoir beau faire quelque chose to do
    something in vain
  beaucoup (de) much, many
le **beau-frère** brother-in-law
le **bébé** baby
  belge Belgian
la **belle-fille** daughter-in-law
la **belle-mère** mother-in-law
la **belle-sœur** sister-in-law
le **bénéfice** profits
  bénéficier de to benefit from
le **berceau** cradle
la **besogne** work, task, job
  besoin need; **avoir — de** to need
  bête stupid, foolish
la **bêtise** stupidity: **faire des —s** to goof;
    dire des —s to talk nonsense
le **béton** concrete
  beur *adj* second-generation North
    African
le **biais** indirect manner; **par le —** in a
    roundabout way
le, la **bibliothécaire** librarian
la **bibliothèque** library; **le rat de —**
    bookworm
le **bide** *fam* flop
  bien well, adequately; **— des** many; **—**
    que although
le **bien** good; **les —s** goods, property
  bienfaisant beneficial
le **bilan** assessment, evaluation
le **billet** ticket
  blanc (blanche) white
le **blé** wheat
  blesser to wound
la **blessure** wound
  blond(e) blond
  bloquer to block, to stymie
le **blouson** jacket
la **bobineuse** textile worker
  boire to drink
le **bois** wood

la **boîte** box; *fam* outfit, company, school
le **bol d'air** breath of air
  bon (bonne) good
  bon marché cheap
le **bonheur** happiness
le **bonhomme** simple, good-natured
  man
le **bord** side
  borné(e) limited, narrow-minded
  bosser *fam* to work hard, to cram
la **bouche** mouth
  bouder to pout, to snub
la **boue** mud
la **bouffe** *fam* grub, food
  bouffer *fam* to eat
  bouger to move
  bouillir to boil
la **boulangerie** bakery
  bouleverser to upset
  boulimique bulimic
le **boulot** *fam* work
la **boum** *fam* party
le **bourg** market town
la **bourse** pocketbook, scholarship
la **bourse** stock exchange
  bousculer to knock over, to jostle
le **bout** end, extremity, part; **au — de** at
    the end of, after
la **bouteille** bottle
la **boutique** small shop
le **bouton** button
  boutonner to button (up)
  boutonneux (boutonneuse) pimpled
  braconner to poach
  brader to discount, to sell short
  branché(e) hooked (on something),
    trendy
le **bras** arm
  brasser to turn over, to handle
  brave brave, gallant; **un — homme** a
    decent man, good old so-and-so
  bref (brève) short; *adv* in short
le **bricolage** handiwork, odd jobs
la **brillantine** hair oil
la **brique** brick
  brouiller to mix up, to confuse; **se —**
    avec to quarrel with
le **bruissement** rustling
le **bruit** noise
  brûler to burn
  brusquement suddenly, curtly
  brut(e) raw, gross, undiluted
  bruyant(e) noisy

le **bûcheron**   woodcutter
le, la **bûcheur (bûcheuse)**   grind, hard-working student
le **bureau**   office, study, desk; __ **de poste** post office
burlesque   slapstick
le **but**   aim

C

ça (cela)   this, that, it
le **cable**   cable
cacher   to conceal; **se** __ to hide
le **cadavre**   corpse
le **cadre**   frame(work), surroundings, environment; executive (middle, top)
le **café**   café, coffee
cafard: avoir le __   to have the blues
le **cadeau**   gift
le **cahier**   notebook
le **caillou**   pebble
la **caisse**   box, cash register
le, la **caissier (caissière)**   cashier
le **calcul**   arithmetic
le, la **camarade**   pal, friend; __ **de chambre** roommate
le **camion**   truck
le, la **campagnard(e)**   country folk
la **campagne**   countryside
campé(e)   placed
le **canard**   duck; *fig* newspaper
la **cantine**   cafeteria
capable   competent; __ **de** able to, capable of
la **capacité**   ability, capability
captivant   captivating
car   for, because
caractériser   to characterize
la **carcasse**   hulk
la **carence**   lack (of correctness, exactitude)
le **carreau**   windowpane
le **carrefour**   intersection, crossroads
la **carrière**   career
la **carte**   map; **la** __ **de séjour** resident card
le **carton**   cardboard
le **cas**   case, affair; **le** __ **échéant** if necessary
casanier   homebody
casser   to break
catégorique   blunt

la **cause**   cause; **à** __ **de** because of
causer   to talk, to chat; to cause
la **caution**   security deposit
céder   to concede, to turn over, to yield
la **ceinture**   belt
célèbre   famous
le **célibat**   bachelorhood
le, la **célibataire**   bachelor, single
la **cellule**   cell
la **censure**   censorship
cent   (one) hundred
le **centre commercial**   shopping mall
le **centre de loisirs**   recreation area
le **centre-ville**   downtown
cependant   however, meanwhile; __ **que** while, although
le **cercle**   circle, club
cerné: les yeux __**s**   with rings around one's eyes
certain(e)   certain, some, definite; __**s** some (of them)
certainement   certainly
certes   of course
cesser   to stop, to cease
chacun(e)   each, every one, each one, everybody
la **chaîne**   (TV) channel; __ **à péage** pay channel
la **chaleur**   heat, warmth
chaleureux (chaleureuse)   warm, cordial
la **chambre**   room
le **champ**   field
la **chance**   luck, opportunity; **avoir de la** __ to be lucky
le **changement**   change
changer   to change; __ **d'avis** to change one's mind
la **chanson**   song
le **chant**   song, hymn
chanter   to sing
le, la **chanteur (chanteuse)**   singer
le **chantier**   work site; **mettre en** __ to launch
le **chapeau**   hat
chaque   each, every
le **charbon**   coal
la **charge**   load, burden; **prendre en** __ to assume responsibility for
charger   to load; __ **de** to entrust with
la **chasse**   hunting ground
le **chasseur**   hunter

le **chat** cat
chatouiller to tickle
chaud(e) hot
chauffé(e) heated
chauffer to heat; **faire __** to heat up
le **chauffeur de taxi** cab driver
chauvin(e) super patriotic
le **chef** leader, head, chief; **__ de service** bureau chief, division chief; **le __ de famille** head of household; **le __ d'entreprise** manager of a company
le **chef-d'œuvre** masterpiece
le **chemin** road, way; **le __ de fer** railway
la **chemise** shirt
le **chemisier** blouse
cher (chère) dear, expensive
chercher to fetch, to look for
chercheur researcher
le **cheval** horse; **le __ de trait** work horse
la **chevelure** head of hair
le **cheveu** hair
chez at (someone's place), among, with; **__ soi** at home
le **chiffre** number, figure; **le __ d'affaires** sales figure
les **chiottes** *f, fam* latrines
le **choc** shock; **tenir le __** to bear the brunt of an attack
le **chœur** chorus
choisir to choose
le **choix** choice
le **chômage** unemployment
chômer to be idle, to be unemployed
le, la **chômeur (chômeuse)** unemployed person
choquer to shock
la **chose** thing
chouette *fam* super
ci-dessous down below
le **ciel** sky, heaven
le **ciment** ciment
le **cimetière** cemetery
le, la **cinéaste** director, filmmaker
le **cinéma** movie theater, cinema
le, la **cinéphile** film enthusiast
cinq five
la **circulation** traffic
le, la **citadin (citadine)** city dweller
la **cité** housing project
citer to quote

le, la **citoyen (citoyenne)** citizen
clair(e) clear; **clairement** clearly
la **classe** class; **__ ouvrière** working class
le **classement** grades by order of rank
classer to classify
le **clavier** keyboard
la **clé** key; **__ de voute** keystone
le, la **client (cliente)** customer, patron
le **clivage** separation
clocher *fam* not to work
clore to close
clôturer to close with a barrier
le **cœur** heart; **de __** at heart; **un coup de __** a love story
cohabiter to live with, to coexist
coiffé(e) with one's hair well done
la **coiffure** hairstyle
le **coin** corner, neighborhood
coincé(e) stuck
le **col** collar
la **colère** anger
le **collant** tights
la **collectivité** community; public sector
le **collège** secondary school
le, la **collègue** colleague
la **colline** hill
le **colon** colonist, settler
le **combat** battle, fight
combattre to fight
combien how many, how much
le **comble** acme, summit
comblé(e) filled, laden with
le, la **comédien (comédienne)** actor, actress; comedian, comedienne
la **commande** order
comme as, like, such as
commencer to begin
comment how
le, la **commerçant(e)** shopkeeper, tradesman
le **commerce** small store
commettre to commit
les **commissions** *f* errands; **faire les __** to go shopping
commode convenient
commun(e) commonplace
la **communauté** community
la **commune** township
la **compagnie** company, firm; **en __ de** together with
le, la **compagnon (compagne)** companion, mate

complaisant(e) accommodating, obliging

compliqué(e) complicated

le **comportement** behavior

se **comporter** to behave; to include

composer to compose; __ **un numéro** to dial

le **compositeur** composer

compréhensif (compréhensive) understanding

comprendre to understand, to include

compris: *pp* comprendre; **y** __ including; **tout** __ all inclusive

le **compte** account; **en fin de** __ all things considered; **tenir** __ **de** to take into consideration; **faire son** __ *fam* to succeed, to manage

le **comptable** accountant

compter to count

con *fam* stupid

concerner to concern, to affect

la **concession** plot

concevoir to conceive (**je conçois, nous concevons, ils conçoivent;** *pp* **conçu**)

conclure to conclude

concocter to elaborate

le **concours** competitive exam, contest

concrétiser to take place

le **concubinage** cohabitation of an unmarried couple

la **concurrence** competition

condamner to condemn

condescendant condescending

la **condition** situation, state; **à** __ **que** provided that

le **conditionnement** packaging

conditionné(e) packaged, conditioned

conduire to drive, to lead; **se** __ to behave

la **conduite** behavior

la **confection** making (of an object)

la **conférence** lecture

la **confiance** trust; **faire** __ **à** to trust

la **confidence** secret; **faire une** __ to tell (someone) a secret

confier to entrust, to confide

le **conflit** conflict

confondre to mix up, to merge

conforme consistent, in harmony

le **congé** holiday leave; **le** __ **de maternité** maternity leave

congédier to fire

les **congés payés** paid holidays

les **conjoints** *m* husband and wife

conjugal(e) conjugal

conjugué(e) conjugated

la **connaissance** knowledge, acquaintance

la **connerie** *fam* stupidity

connaître to know

se **consacrer** to devote oneself

la **conscience** consciousness

conscient(e) conscious

le **conseil** advice, council

le **conseiller d'orientation** student adviser

la **conséquence** outcome, consequence

conserver to keep, to retain, to preserve

les **conserves** *f* canned food

la **considération** regard, esteem

considérer to consider, to regard

le, la **consommateur (consommatrice)** consumer

la **consommation** consumption; **prendre une** __ to drink or eat something in a café

le, la **conspirateur (conspiratrice)** conspirator

la **constatation** claim

constater to notice, to observe, to recognize

constituer to represent

la **construction** building, construction

construire to build

consulter to see, to consult, to take the advice of

le **conte** tale, short story; __ **de fée** fairy tale

le **contenu** content

la **contestation** challenge, questioning

continuer to go on, to continue

le **contradicteur** contradictor, opponent

la **contrainte** constraint, compulsion, restraint

le **contraire** opposite

contre: par __ by contrast

contrecarré(e) opposed

le **contremaître** foreman

le, la **contribuable** taxpayer

convaincre to convince

convenir to agree, to concur, to admit

la **convivialité** conviviality, sense of community

le, la **copaine (copine)** buddy, pal

le **cornichon** pickle

le **corps** body

correspondant corresponding

cosmique *fam* out of this world

le **costume** suit (of clothes)

le **côté** side, aspect; **à — de** next to, side by side with

la **côtisation** membership dues

cotoyer to border on, to skirt; to live side by side

coucher to lie down, to sleep

les **couches sociales** social strata

le **coude** elbow; **se tenir les — s** to stand shoulder to shoulder

la **couette** quilt

la **couleur** color

les **coulisses** *f* wings, sidelines

le **couloir** hallway, passageway

le **coup** blow, shot; **faire les 400 — s** to play havoc; **du —** therefore

coupable guilty

couper to cut

le **coup d'œil** glance

la **cour** yard, court

couramment regularly, commonly

courant current; **être au — de** to be aware of

la **courbature** stiffness, muscular ache

courir to run

le **courrier** mail

le **cours** class, course; **au — de** during

la **course** running; **les — s** errands

court(e) short

le **court métrage** short (film)

le **coût** cost; **le — de la vie** cost of living

le **couteau** knife

coûteux (coûteuse) costly

coûter to cost

la **coutume** custom, habit

le **couturier** fashion designer

craindre to fear

la **crainte** fear

le **crâne** skull

craquer to split

la **cravate** tie

le **crayon** pencil

le, la **créateur de mode (créatrice de mode)** stylist

la **crèche** day-care center

créer to create

la **crème** cream; **— patissière** pastry cream

crétin *fam* imp

crever *fam* to die

crier to shout

la **crise** (economic) crisis

le **critère** criterion, yardstick

la **critique** criticism, review (of a book or a play)

le **critique** critic

croire to believe

la **croisade** crusade

croiser to cross, to run across

la **croissance** growth

les **crudités** *f* raw vegetables served as hors d'oeuvres

les **crustacés** *m* shellfish

cueillir to pick (up)

la **cuisine** cooking, kitchen; **faire la —** to cook

cuisiner to cook

la **cuisinière** kitchen range, cook

la **cuisson** cooking procedure, cooking time

cultivé(e) educated, cultured

cultiver to farm, to till; **se —** to broaden one's mind

la **culture** crop, cultivation, culture

la **cure** treatment, therapy

le **curriculum vitae** résumé

D

d'abord at first, in the first place, primarily

la **dactylo** typist

la **dame** lady

dans in, into

d'après according to

davantage more

déambuler to walk

le **débardeur** longshoreman

le **débarqué** returnee

débarquer to disembark, to land

débarrasser to disencumber; **se — de** to get rid of

le **débat** debate

déborder to overflow

le **débouché** (job) opening
debout standing up, on one's feet
déboutonner to unbutton
débrouillard resourceful
la **débrouillardise** resourcefulness
se **débrouiller** to manage, to fend for oneself
le **début** beginning
décevoir to disappoint, to deceive
décharger to unload
déchirant(e) agonizing
déchiré(e) torn, torn apart
se **décider** to make up one's mind
déclencher to trigger off, to set off, to unleash
déclarer to register, to declare
décliner to decline, to wane
déconseiller not to recommend, to advise (someone) against something
décontracté(e) relaxed
le **décor** stage set, scenery, setting
le **découpage** cutting, editing
le **découragement** discouragement
décourager discourage
la **découverte** discovery
découvrir to discover
décrire to describe
décrocher *fam* to obtain, to get
dédaigner to disdain
dedans inside, within
défaire to undo
le **défaut** lack; **à __ de** for lack of
défavorisé(e) underprivileged
défendre to forbid
le **défenseur** defender
défiguré(e) distorted, disfigured
le **défilé (de mode)** showings
définir to define
dégoûter to disgust
dégrader: se faire __ les cheveux to bleach one's hair, to have one's hair layered
déguerpir *fam* to clear out
dehors outside; **en __ de** outside of, except for
déjà already
déjeuner to have breakfast, to lunch
délaisser to forsake, to neglect
se **délecter (de)** to take delight in
le **délire** madness
délivrer to deliver
demain tomorrow

la **demande** application; **faire une __** to apply
demander to ask, to ask for; **se __** to wonder
la **démarche** approach, policy
démarrer (la voiture) to start the car
déménager to move (one's household)
démerdard(e) *fam* canny, resourceful
démesuré(e) inordinate
demeurer to stay, to remain, to reside
le **demi-frère** step-brother
la **demi-sœur** step-sister
la **démission** resignation
démodé(e) old-fashioned
se **démoder** to become outmoded
démographique demographic
la **demoiselle** single woman, young lady
démolir to demolish
dénaturé(e) distorted
la **dent** tooth
dénudé(e) bare, denuded
le **départ** departure
dépasser to pass, to exceed
dépaysé(e) uprooted, out of one's element
dépendre de to depend upon
dépenser to spend
dépeuplé(e) depopulated
le **dépit: en __ de** in spite of
le **déplacement** trip
déposer to leave, to drop off
dépouillé(e) laid bare, exposed
dépourvu de devoid of; **au __** off guard, unaware
dépressif (dépressive) depressed, dejected
déprimé(e) depressed
depuis since, for (time)
le, la **député** legislator
déraciné(e) uprooted
déranger to disturb, to bother
dérisoire paltry
le **dérivé** derivative
dernier (dernière) last, latest
déroutant(e) surprising, confusing
derrière behind
dès from, as early as; **__ que** as soon as; **__ lors** from then on, in that case
désabusé(e) disillusioned
le **désarroi** distress
descendre to go down, to get out of (vehicle)

la **descente**   coming down, going down
désespérer   to despair
déshérité(e)   underprivileged
désigner   to designate, to name
le **désir**   wish, desire, aspiration
désirer   to wish for
désormais   henceforth, from now on
le **dessein**   plan, project
le **dessin**   drawing; **__ animé** animated cartoon film
dessiner   to draw
dessous   below; **en __ de** under; **ci-__** below, hereafter
dessus   above, on top; **au __ de** on top of, over
le **destin**   destiny
le **destinataire**   addressee
détaché(e)   free, detached
détendre   to slacken; **se __** to relax
détenir   to hold, to withhold
la **détente**   relaxation
le **détour**   deviation, detour
le **détriment: au __ de** at the expense of
détruire   to destroy
la **dette**   debt
deux   two
deuxième   second
devant   in front of
devenir   to become, to turn (into)
deviner   to guess
déverser   to pour out
devoir   must, owe (**je dois, nous devons, ils doivent;** *pp* **dû**)
le **devoir**   duty; **les __ s** homework
dévorer   to devour; **__ des livres, des journaux** to be an avid reader
dévoué(e) à   devoted to
le **diable**   devil
la **dictée**   dictation
le **dieu**   god
difficilement   with difficulty
diffuser   (une chanson à la radio) to broadcast (a song)
la **diffusion**   promotion
le **dimanche**   Sunday
le **diplôme**   diploma, degree
le, la **diplômé(e)**   graduate
dire   to say (**je dis, nous disons, vous dites;** *pp* **dit**); **se __** to think to oneself; **à vrai __** in all honesty
le, la **directeur (directrice)**   director, manager, headmaster, headmistress
dires: aux __ de   according to

diriger   to be at the head, to rule, to administer; **se __ vers** to move in the direction of
dirigeant(e)   directing, ruling; **les __ s** rulers, directors
discerner   to notice
le **discours**   speech, talk, verbal rationalization
discret (discrète)   discreet, able to keep a secret
discuter   to discuss
disparaître   to disappear
dispenser   to exempt
se **disperser**   to disperse, to scatter
disponible   available, adaptable
disposer de   to have at one's disposal
la **disposition**   disposition, bent, aptitude
se **disputer**   to fight
le **disque**   record; **le __ souple** floppy disk; **le __ compact** compact disk (CD)
la **disquette**   diskette
la **dissertation**   composition, paper
disséminer   to disseminate
dissimuler   to conceal
distinguer   to distinguish; **se __ de** to be distinguished from
la **distance**   distance
la **distraction**   diversion, relaxation
distraire   to entertain; se **distraire** to amuse oneself
divers(e)   varied; **les faits __** *m* minor, often sensational news items
divertir   to entertain
divertissant   entertaining
le **divertissement**   entertainment
divin(e)   divine
diviser   to divide
divorcer   to divorce
dix   ten
la **dizaine**   (about) ten
le **documentaire**   documentary
le **domicile**   home; **à __** at home
dominer   to tower over, to dominate
le **don**   gift
donc   then, consequently
donner   to give
dont   of which, whose
dormir   to sleep (**je dors, nous dormons**)
le **dortoir**   dormitory
le **dos**   back
le **dossier**   dossier, file

la **douane** customs
doubler (un film) to dub (a movie)
doucement softly, gently, slowly
la **douceur** sweetness
la **douche** shower
doué(e) (de) capable (of)
la **douleur** pain
le **doute** doubt; **sans __** without any doubt
doux (douce) soft
le **dramaturge** playwright
le **drap (de lit)** sheet
dresser to put up, to set up; **se __** to stand up, to rise
droit right, straight; **tout __** straight on
le **droit** law, right; **avoir __ à** to be entitled to; **de __** unquestionable, obvious
drôle funny
dur(e) hard, tough
durant during, for
la **durée** duration
durement harshly
durer to last

E

l' **eau** *f* water
ébaucher to sketch, to outline
l' **éboulement** *m* collapse
échanger to exchange
l' **échantillon** *m* sample
échapper à to escape : **s' __ de** to escape from
échauffer to warm, to warm up
l' **échec** *m* failure
l' **échelle** *f* ladder
échouer to fail, to be stranded
l' **éclair** *m* flash of lightning
l' **éclairage** *m* lighting; emphasis
éclairer to light, to illuminate
éclatant(e) dazzling, striking
éclater to explode
l' **écluse** *f* floodgate
écœuré(e) fed up, disheartened, sickened
l' **école** *f* school; **__ maternelle** nursery school; **__ libre** private school
l' **économie** *f* economy, economics
économiser to save
écouter to listen to

l' **écran** *m* screen; **le petit __** television
écraser to crush, to flatten out
s' **écrier** to exclaim
écrire to write (**j'écris, nous écrivons;** *pp* **écrit**)
l' **écrit** *m* written form
l' **écriture** *f* handwriting, writing
l' **écrivain** *m* (professional) writer
édifier to build (an edifice)
l' **éditeur** *m* publisher
l' **éducation** *f* bringing up (children)
éduquer to train, to educate
effacé(e) unobtrusive
effarouché(e) frightened
effectivement in fact, as a matter of fact
effectuer to execute, to carry on
l' **effet** *m* effect; **en __** as a matter of fact; **faire de l' __** to make a good impression
efficace efficient
effleuré(e) touched lightly
effrayant(e) terrifying
égal(e) equal
également also, equally
l' **égalité** *f* equality
l' **égard** *m* consideration; **à l' __ de** with regard to; **à cet __** in this respect
l' **égarement** *m* wandering
l' **église** *f* church
égoïste selfish, self-centered
l' **égoutier** *m* sewer worker
élaborer to concoct
élargir to broaden
l' **élargissement** *m* broadening
l' **élection** *f* election
l' **électrophone** *m* record player
l' **élevage** *m* raising of livestock
l' **élève** *m, f* pupil
élevé(e) high; brought up; **bien/mal __** well/badly brought up
élever (des enfants) to bring up (children), to raise; **s' __** to rise up; **s' __ contre** to raise objections to
l' **éleveur** *m* breeder
élire to elect (**j'élis, nous élisons;** *pp* **élu**)
éloigné(e) distant
émancipé(e) liberated
emballer to pack, to wrap up; *fam* to pick up (a girl)
embarquer to launch, to get on board
embarrassant(e) embarrassing

s' **embarrasser**   to be concerned (about something)

embaucher   to hire

l' **embouteillage** *m*   traffic jam

embrasser   to kiss

s' **embrouiller**   to get mixed up

émerveillé(e)   amazed

l' **émeute** *f*   riot

l' **émigré(e)**   (political) exile

l' **émission** *f*   TV program

emménager   to move in

emmener   to take away, to lead away

émouvant(e)   touching

émouvoir   to move (emotionally)

empêcher   to prevent

l' **emploi** *m*   job, employment; __ **du temps** schedule

l' **employé(e)**   clerk, white-collar worker, employee

employer   to use, to employ

l' **employeur** *m*   employer

empocher   to pocket

l' **emprise** *f*   hold, grasp

emprunter   to borrow

en   in, into

enceinte   pregnant

enclin(e) à   inclined to

encore   again, still, yet

l' **encre** *f*   ink

s' **endetter**   to go into debt

endommager   to damage

s' **endormir**   to fall asleep; __ **sur ses lauriers** to rest on one's laurels

l' **endroit** *m*   place

l' **enfance** *f*   childhood

l' **enfant** *m,f*   child; __ **martyr** battered child

enfermer   to lock up, to enclose

enfin   finally, at last, in short

enflé(e)   swollen

enfoncé(e)   deep set

s' **enfuir**   to flee, to run away

engagé(e)   committed, hired

l' **engin** *m*   device, tool

engueuler *fam*   to bawl out

l' **enjeu** *m*   stake, issue

enlever   to take away, to remove

l' **ennemi** *m*   enemy

l' **ennui** *m*   boredom; **les __ s** troubles

s' **ennuyer**   to be bored

ennuyeux (ennuyeuse)   boring

l' **enquête** *f*   survey; **l' __ de marché** market research

enraciné   implanted

l' **enregistrement** *m*   recording

enregistrer   to record, to tape, to register

s' **enrichir**   to get rich

l' **enseignant(e)**   member of the teaching profession

l' **enseignement** *m*   teaching, education

ensemble   together; **un __** an aggregate; **les grands __ s** clusters of high-rise apartment buildings

ensuite   after, afterwards, then

entasser   to pile up

entendre   to hear, to listen to, to understand; to wish; **s' __** to reach an understanding, to get along

l' **entente** *f*   relationship

l' **enthousiasme** *m*   enthusiasm

entier (entière)   whole

entonner   to strike up (a song)

l' **entorse** *f*   twist

l' **entourage** *m*   neighbors, surroundings, relatives

entourer   to surround

entraîner   to train; to entail; **s' __** to train

entre   between, among

l' **entrée** *f*   entrance, admission

entreprendre   to undertake

l' **entreprise** *f*   undertaking, business concern

entrer   to go in(to), to enter

entretenir   to keep; to support (someone)

l' **entretien** *m*   interview, meeting, discussion, upkeep

envers   towards, in regard to

l' **envie** *f*   craving, envy; **avoir __ de** to have a craving for, to want, to feel like

environ   around, about, approximately; **les __ s** *m* surrounding area

envisager   to contemplate

l' **envoûtement** *m*   spell

s' **épanouir**   to find fulfillment, to blossom

épargner   to save

éphémère   ephemeral

l' **épicerie** *f*   grocery store

l' **épingle** *f*   pin; **tirer son __ du jeu** to get well out of a problem

l' **époque** *f*   time, time period, era

épouser to marry (someone), to espouse
épouvantable terrible
l' **époux (épouse)** spouse
l' **épreuve** *f* test, proof, trial
éprouver to feel
épuisant(e) tiring
équilibrer to balance
l' **équipe** *f* team; **le travail en __** teamwork
l' **équipement** *m* facility
s' **ériger (en)** to pose (as)
l' **esclavage** *m* slavery
l' **esclave** *m,f* slave
s' **escrimer à** to struggle (to do something)
l' **espace** *m* space; **en l' __ de** within
espagnol Spanish
l' **espèce** *f* kind, species
l' **espoir** *m* hope
l' **esprit** *m* mind; **__ d'entreprise;** entrepreneurship; **__ de clocher** parochialism
l' **essai** *m* try, rushes (films)
essayer to try; **__ des vêtements** to try on clothes; **s' __ à** to try one's hand at
l' **essence** *f* gasoline
esseulé(e) solitary, lonely
essouflé(e) out of breath
l' **est** *m* east
estimer to estimate, to be of the opinion (that)
l' **estomac** *m* stomach
estudiantin(e) concerning students
et and
l' **établissement** *m* firm, premises
l' **étage** *m* floor, story
l' **étape** *f* step, stage (of a journey)
l' **état** *m* state, government, condition
l' **été** *m* summer
éteindre to switch off, to turn off
l' **étiquette** *f* label
l' **étoffe** *f* fabric
étonné(e) surprised
étouffer to smother, to stifle
l' **être** being; **le bien- __** well-being
étrange strange
l' **étranger (étrangère)** foreigner; **à l' __** abroad
étroit(e) narrow
l' **étude** *f* study; **faire des __ s** to get a higher education

étudiant(e) student
étudier to study
l' **évasion** *f* escape, escapism
éveiller to awaken
l' **événement** *m* event
l' **éventail** *m* fan, range, choice
éventuellement if needed, as needed
évidemment of course, obviously
l' **évidence** *f* obviousness; **mettre en __** to show up, to reveal
évident obvious
éviter to avoid
évoluer to evolve
évoquer to mention
l' **examen** *m* examination
examiner to inspect, to examine
exclure to exclude
l' **excursion** *f* trip, tour
exécuter to execute, to perform
exercer (un métier, une activité) to carry on (a trade, an activity)
exhiber to show off
exigeant(e) demanding
exiger to demand
exigu(ë) small, confining
expatrier to expatriate
expédier to send
l' **expérience** *f* experience, experiment
expliquer to explain
exposer explain
l' **exposition** *f* exhibition, exhibit
l' **expression** *f* expression
exprimer to express
expulsé(e) deported
extérieur(e) external, peripheral; **l' __** *m*, outside; **à l' __ de** on the outside
l' **extrait** *m* extract
l' **extrémité** *f* extremity, far end

F

la **fabrique** factory
fabriquer to manufacture, to make
la **façade** façade, front (of a house)
fâcher to anger; **se fâcher** to get angry
facile easy
la **façon** way, fashion; **de cette __** in this way
le **facteur** mailman, factor
la **faculté** school, department of a university

faible weak
la **faiblesse** weakness
faillir to fail
la **faillite** bankruptcy
la **faim** hunger; **avoir __** to be hungry
faire to do, to make (**je fais, nous faisons, vous faites, ils font;** *pp* **fait**)
le **faire-part** announcement (of birth, wedding, etc.)
le **fait** fact; **en __** in fact; **tout à __** quite, completely; **de __** actually
falloir *impers* used only in 3rd person (**il faut, il faudra, il a fallu**) one must, it is necessary to
familial(e) of, relative to the family
familier (familière) familiar
la **famille** family
se **fatiguer** to get tired
le **faubourg** outskirts of a town
faucher *fam* to swipe, to take without permission
faut: (see **falloir**) **comme il __** proper
la **faute** mistake; **__ de** for lack of
faux (fausse) false, fake
favori (favorite) favorite
favoriser to facilitate, to favor, to encourage
fécond fertile, full
la **fée** fairy
féliciter to congratulate
la **femme** woman, wife
la **fenêtre** window
le **fer** iron
fermer to shut, to close
la **fermeture** closing
le, la **fermier (fermière)** farmer
la **fessée** spanking; **donner une __ à** to spank
la **fête** feast
fêter to celebrate
le **feu** fire; **__ rouge** red light
la **feuille** leaf, sheet
le **feuilleton** TV serial
février February
fidèle faithful
fier (fière) proud
se **fier à** to trust, to rely on
la **fierté** (justified) pride
le **fil** thread; **au __ de** throughout the course of
la **fille** girl, daughter; **jeune __** girl, young woman; **__ -mère** unwed mother

la **fillette** little girl
filmer to shoot, to film
le **film muet** silent film
le **fils** son; **petit- __** grandson; **un __ à papa** rich man's son
fin(e) fine, refined
la **fin** end, ending
finalement finally
financier (financière) financial
finir to finish, to end
se **fixer** to settle permanently
flamand(e) Flemish
flamboyer to burn bright
flâner to stroll about, to browse
flatté(e) flattered
le **flic** *fam* policeman, cop
flipper *fam* avoir peur
flou vague, hazy
la **foi** faith
la **fois** time, occasion; **une __** once; **quatre __ par jour** four times a day; **des __** sometimes
la **folie** madness
foncé(e) dark (color)
foncièrement fundamentally, basically
la **fonction** function, duty, office
le **fonctionnaire** official, civil servant
fonctionner to function, to operate
le **fond** bottom
le, la **fondateur (fondatrice)** founder
fonder to found, to create
la **fontaine** fountain
le **football** soccer
le **for interieur** conscience; **dans son __** in his, her innermost heart
la **force** strength; **à __ de** by dint of
la **formation** training, education
la **forme** outward appearance, shape, form, formalism
les **formalités** *f* formalities
la **formation** training, education
formidable wonderful, marvelous
fort(e) strong; *adv* very strongly
fou (folle) crazy, mad, extravagant
la **fougue** enthusiasm, spirit, passion
la **foule** crowd
le **four** oven
fourmiller to swarm
fournir to furnish, to provide; **__ l'effort** to make the effort
s'en **foutre** *fam* not to give a damn
le **foyer** home, hearth, family, social

center, boarding house; **fonder un __** to get married, to set up a household

franc (franche) frank, free

les **frais** *m, pl* expenses

français(e) French

franchir to reach, to overcome

la **franchise** frankness

franciser to Frenchify

frappant surprising, striking

frapper to hit, to strike, to stun

fredonner to hum

le **frein** brake, curb

la **fréquentation** attendance

fréquenter to associate with

le **frère** brother

friand(e) fond of; **être __ de** to be fond of

le **fric** *fam* money, "bread," "dough"

le **frigo** *fam* refrigerator, fridge

les **frites** *f, pl* French fried potatoes

froid(e) cold; **avoir __** to be cold

la **froideur** coldness

le **fromage** cheese

frondeur critical, irreverent

le **front** front; **mener plusieurs choses de __** to be doing several things at the same time

la **fugue** flight, escape; **faire une __** to run away from home

fuir to flee, to shun

la **fuite** flight, leak

fumiste *fam* frivolous, idle

futile futile, trivial

le, la **futur(e)** bridegroom-to-be, bride-to-be

G

gagner to win, to earn, to gain, to reach; **__ sa vie** to earn one's living

gai(e) merry, cheerful

la **gaine** girdle

la **galanterie** politeness

le, la **gamin (gamine)** *fam* kid

la **gamme** range, series

garantir to guarantee

le **garçon** boy; **__ de café** waiter

la **garde (des enfants)** custody (of children)

le **garde** guard, watchman

la **garde-robe** wardrobe

garder to keep, to retain, to take care of

la **garderie** day-care center

le **gars** *fam* boy, lad, guy

le **gâteau** cake

gâter to spoil

gauche left

géant(e) gigantic

le **gel** frost

le **gendarme** policeman

gêné(e) embarrassed

gêner to hinder, to embarrass

le **général** general

génial *fam* wonderful, awesome

le **génie** genius

le **genou** knee; **à __** on one's knees

le **genre** gender, kind; **ce __ de** that kind of; **du __** like; **avoir bon/ mauvais __** to be distinguished, vulgar

les **gens** *m, f* people

la **gent** race, brood

gentil (gentille) nice

le **gérant (de société)** manager (of a company)

gérer to manage

le **geste** gesture

gesticuler to gesticulate

la **gestion** management

la **gifle** slap

le **glas** toll (of a bell); **sonner le __** to toll the knell

glisser to glide, to slip

la **gloire** glory

le, la **gosse** *fam* kid

le **goût** taste, preference

goûter to taste, to appreciate

gouverner to rule, to govern

la **grâce** charm, gracefulness; **__ à** thanks to

la **graisse** fat

grand(e) big, large, great; **pas grand-chose** not much

grandir to grow up

gras (grasse) fat, greasy

gratuit(e) free of charge

grave serious

graver to engrave

le **gré** liking, taste; **contre son __** against one's will

grégaire social, gregarious

grelotter to shiver

le **grenier** attic

la **grève** (labor) strike

grignoter to nibble away

le **grillage**   fence, grating

la **grimace**   grimace; **faire la __** to make faces

grimper   to climb

gros (grosse)   big, stout, heavy; **le __ de** the majority of

la **grossesse**   pregnancy

guère   hardly, not very, not much, hardly any

la **guerre**   war

le **guerrier**   warrior

le **gueulard**   *fam* loud-mouthed person, loudmouth

la **gueule**   *fam* mouth, face; **casser la __ de quelqu'un** to bust someone in the jaw

le **guichet**   window (of a bank, post office, box office) counter

guider   to guide

les **guillemets**   *m* quotation marks

la **guitare**   guitar

la **gymnastique**   gymnastics, exercise; **faire de la __** to exercise

H

habiller   to dress someone; **s' __** to get dressed

l' **habit** *m*   piece of clothing, garment

l' **habitant(e)**   inhabitant, resident

l' **habitation** *f*   residence

habiter   to reside, to populate

l' **habitude** *f*   habit, custom

habitué(e)   used, accustomed; **l' __** regular visitor or customer

habituel (habituelle)   usual, customary

s' **habituer à**   to become accustomed to

*la **haine**   hatred

* **haïr**   to hate (**je hais, nous haïssons; *pp* haï**)

*la **hanche**   hip

l' **harmonium** *m*   harmonium

*le **hasard**   chance, accident; **au __** at random; **par __** by chance; **à tout __** by any chance

*la **hâte**   haste; **avoir __ de** to be eager to

*la **hausse**   rise, increase

* **haut(e)**   high, loud; **en __** up (on top), upstairs; **le __** the top, the upper part

*la **hauteur**   height, level; **être à la __ de** to be equal to

*le **haut-parleur**   loudspeaker

hebdomadaire   weekly; **l' __** *m* weekly paper or magazine

l' **hectare** *m*   10,000 square meters (2.47 acres)

l' **héritage** *m*   inheritance

hériter de   to inherit from

l' **héritier (héritière)**   heir

l' **héroïne**   heroine

*le **héros**   hero

l' **hésitation** *f*   hesitation

hésiter   to hesitate

l' **heure** *f*   hour; **__ de grande écoute** peak time, prime time; **de bonne __** early

heureux (heureuse)   happy

heurter   to stumble

hier   yesterday

l' **histoire** *f*   story, history

l' **hiver** *m*   winter

l' **homme**   man

*la **honte**   shame; **avoir __** to be ashamed; **faire __** to put to shame; **la fausse __** self-consciousness

l' **horaire** *m*   (train, plane, etc.) schedule

l' **horreur** *f*   horror; **avoir __ de** to detest

* **hors de**   out of; **__ saison** out of season

hospitalier (hospitalière)   hospitable

l' **huile** *f*   oil

humain(e)   human; **l' __** *m* essence of humanity

humaniser   to humanize

humide   damp

humoristique   humorous

l' **humour** *m*   humor

l' **hypermarché** *m*   giant supermarket

I

ici   here

l' **idée** *m*   idea; **avoir des __ s noires** to be depressed; **les __ s toutes faites** set ideas; **les __ s reçues** conventional ideas, accepted ideas

ignoble   awful

l' **ignominie** *f*   ignominy, disgrace

ignorer   to be ignorant of

illettré   illiterate

l' **îlot** *m*   small island, isle

l' **image** *f*   image, picture

imagé(e)   vivid, picturesque

l' **imaginaire** *m*   make-believe world, imagination

l' **immatriculation**   registration, enrollment

immédiat: dans l' __   for the present, as a first priority

l' **immeuble** *m*   apartment building

l' **immigré(e)**   immigrant

l' **impact** *m*   impact

l' **imperméable** *m*   raincoat

implanter   to plant, to graft; **s' __** to take root

impliquer   to implicate, to imply, to involve

imploser   to implode, to burst

importer   to matter, to be important; **il __ peu** it doesn't matter; **n'importe quel** any

imposer   to prescribe, to impose; **s' __** to be called for, to be required

l' **impôt** *m*   taxation, tax

l' **impression** *f*   impression; **avoir l' __ que** to seem, to fancy, to feel

impressionnant   impressive

impressionner   to impress

imprévu   unexpected, unforeseen

l' **imprimante** *f*   printer (for a computer)

imprimer   to print, to impress, to impart

l' **imprimeur** *m*   printer

impuissant(e)   powerless

l' **inaptitude** *f*   incapacity

inattendu(e)   unexpected

inciter   to incite, to urge

l' **incertitude** *f*   uncertainty

inclus   included

inconnu(e)   unknown

incontestable   undeniable

l' **inconvénient** *m*   drawback, disadvantage

incroyable   incredible

l' **indice** *m*   index, indication

l' **indigène** *m, f*   native (of any country)

indigne   unworthy

indignement   shockingly, shamefully

indiquer   to indicate, to point out, to point to

indiscutable   unquestionable

indulgent(e)   lenient, lax

l' **industrie** *f*   industry, industrial plant

l' **industriel** *m*   industrialist, factory owner

inégal(e)   unequal

l' **inégalité** *f*   inequality

infamant   dishonorable

infirmer   to invalidate

l' **infirmier (infirmière)**   nurse

infléchir   to influence, to distort

influer   to influence

les **informations** *f, pl*   news

l' **informatique** *f*   computer science

l' **ingénieur** *m*   engineer

innombrable   countless

l' **inondation** *f*   flood

inquiet (inquiète)   anxious

inquiétant(e)   disturbing

inquiéter   to disturb; **s' __** to worry

l' **inquiétude** *f*   anxiety, concern

s' **inscrire**   to register; **__ dans** to be a part of

l' **insigne** *f*   sign, badge

insoupçonné(e)   unthought of

insoutenable   unbearable

inspirer   to inspire, to breathe in; **s' __ de** to draw inspiration from

installé(e)   settled

installer   to set up, to install; **s' __** to settle down

l' **instant** *m*   instant; **pour l' __** for the moment, at this point

instaurer   to establish

l' **instituteur (institutrice)**   secondary school teacher

l' **instruction** *f*   education

instruire   to educate

intégrer   to integrate, to be accepted by (a school); **s' __ à** to become a part of

intempestif (intempestive)   incorrect, unreasonable

intenable   unbearable, impossible

interdire   to forbid

intéresser   to interest; **s' __ à** to be interested in

intéressant(e)   interesting

l' **intérêt** *m*   interest

intérieur *m*   inner part; **à l' __ de** inside of

intérieur(e)   inner; **intérieurement** inwardly

l' **internat** *m*   residence hall, dorm

l' **interne** *m, f*   boarder

l' **interprète** *m, f* interpreter
interroger to ask, to question, to poll, to quiz
interrompre to interrupt
intervenir to interfere
intitulé(e) entitled
intraduisible untranslatable
l' **intrigue** *f* plot (of a play, film, novel)
l' **intrusion** *f* intrusion
inutile useless
invendu not sold; **les __ s** unsold copies (of newspapers)
investir to invest
l' **investissement** investment
irréductible obstinate, intractable
irremplaçable irreplaceable
l' **isolement** *m* isolation
isoler to isolate
issu(e) de born of, emanating from
l' **itinéraire** *m* itinerary, way
ivrogne drunkard

J

jamais ever; **ne __ jamais** never; **à __** forever
la **jambe** leg
le **jardin** garden, yard; **le __ d'enfants** kindergarten
le **jardinet** small garden
le, la **jardinier (jardinière)** gardener
jaunir to turn yellow
jeter to cast, to throw
le **jeu** game; **le __ des acteurs** acting
jeune young; **les __ s** young people
la **jeunesse** youth
joindre to get in touch
joli(e) pretty
jongler to juggle
jouer to play; **__ le rôle** to play the part
jouir de to enjoy
le, la **jouisseur (jouisseuse)** pleasure-seeker
le **jour** day; **de tous les __ s** everyday
le **journal** newspaper; **le __ intime** diary; **le __ télévisé** television news
la **journée** day, daytime
joyeux (joyeuse) happy
le **jugement** judgment, trial
juger to judge, to try, to believe
le, la **jumeau (jumelle)** twin

la **jupe** skirt
jurer to swear
juridique legal, judicial
le **jus** juice
jusque, jusqu'à as far as, until, even; **jusqu'à ce que** until (+clause)
juste right, to the point, well founded; *adv* rightly, precisely

K

le **kid** kid, adolescent
le **kilo (=kilogramme)** kilogram (2.2 pounds)
le **kilomètre** kilometer (.62136 mile)
le **kiosque** newspaper stand

L

là there; **__ -bas** over there
laborieux (laborieuse) hard-working
lâche cowardly
lâché(e) let loose
lâcher to let loose, to give up
laid(e) ugly
la **laideur** ugliness
laïc (laïque) lay, secular
laisser to let, to leave, to lead; **le __ -aller** carelessness, lack of control, free-and-easiness
le **lait** milk
lambin(e) *fam* slow, a dawdler
lancer to launch, to throw
le **langage** speech, language
la **langue** language, tongue
le **lapin** rabbit
large broad, wide, big
la **lassitude** tedium
le **lauréat** winner, laureate
laver to wash
le, la **lecteur (lectrice)** reader; **__ de disque compact** CD player; **le __ de disquette** disk drive
la **lecture** reading
la **légitimité** *f* legitimacy
léguer to transmit, to bequeath
le **lendemain** next day
lent(e) slow
la **lessive** laundry, laundry detergent
léger (légère) light
la **lettre** letter; **les __ s** literature

lettré(e)   lettered, well-educated
lever   to lift, to raise; **se __** to rise
la **liaison**   linkage, connection
libéral(e)   liberal, radical
se **libérer**   to free oneself
la **liberté**   freedom
le, la **libraire**   bookseller
la **librairie**   bookstore
libre   free
le **lien**   bond, tie, link
lier   to bind
le **lieu**   place, location; **au __ de** instead of; **avoir __** to take place; **en premier __** in the first place
la **ligne**   line
la **limite**   limit; **à la __** in the most extreme case
lire   to read **(je lis, nous lisons; *pp* lu)**
le **lit**   bed
le **litron** *fam*   bottle of wine
la **littérature**   literature
le **livre**   book
le **livre de poche**   paperback
livrer   to deliver
le, la **locataire**   tenant
la **location**   rental, rent
la **loge**   **(d'un acteur, d'une actrice)** (actor's) dressing-room
le **logement**   lodging, housing
le **logiciel**   software
la **loi**   law, act (of legislature), rule
loin   far
lointain(e)   far away
le **loisir**   leisure, free time; **le centre de __** recreation area
long (longue)   long; **le __ de** alongside; **au __ de** during the whole course of (time)
longtemps   a long time
le **look**   appearance
lors   then, at that time
lorsque   when
le **lotissement**   development
lourd(e)   heavy
lourdement   ponderously
louer   to rent; to praise
louper *fam*   to miss
le **loyer**   rent, rental
ludique   relating to games, liking games
luisant(e)   shining, glowing
la **lumière**   light

le **lundi**   Monday
la **lutte**   struggle
lutter   to struggle
le **lutteur**   fighter
le **luxe**   luxury
le, la **lycéen (lycéenne)**   student at a lycée

M

la **machine à laver**   washing machine
la **mâchoire**   jaw; **serrer les __ s** to clench one's jaw
le **magasin**   store; **grand __** department store; **le __ à grande surface** big department store
maghrébin(e)   North African
magique   magical
le **magnétophone**   tape recorder
le **magnétoscope**   video-cassette recorder
maigre   thin, skinny
le **maillot de bain**   bathing suit
la **main**   hand; **la main-d'œuvre** labor force, manpower
maintenant   now
maintenir   to uphold, to hold back
le **maire**   mayor
la **mairie**   town hall
mais   but
la **maison**   house, establishment; **à la __** at home
le, la **maître (maîtresse)**   master, teacher; **être __ de** to master, to control
la **maîtrise**   mastery
maîtriser   to master
majeur(e)   major, of age (legal)
le **mal**   evil, harm, ailment; **faire du __** to hurt, to harm; **dire du __ de quelqu'un** to speak ill of someone; **avoir du __ à** (+verb) to have a hard time doing something; **le __ du pays** homesickness
mal *adv*   badly, ill; **__ à l'aise** ill at ease
le, la **malade**   sick person
la **maladie**   illness, disease
le **malaise**   discomfort, uneasiness
le **malentendu**   misunderstanding
malgré   in spite of
le **malheur**   misfortune
malheureusement   unfortunately

la **malle** trunk
la **mallette** attaché case
malmené mistreated
maltraité(e) ill-treated
manger to eat
manier to handle
la **manière** way
la **manifestation** street demonstration;
  la __ culturelle cultural event
manifeste obvious; **le __** manifesto
manifester to exhibit; to take part in
  a demonstration; to appear
le **mannequin** model
le **manque** lack of
manquer to miss
le **manteau** coat
manuscrit handwritten
maquillé(e) made up
marchander to bargain
la **marchandise** goods, merchandise
la **marche** step (of stairs), act of
  walking; **se mettre en __** to start
le **marché** market, deal; **le __ du travail**
  labor market; **bon __** cheap,
  inexpensive
marcher to work; **ça marche** it works
marginal marginal
le **mari** husband
le **mariage** marriage, wedding
se **marier** to get married
marinier (marinière) sea-food
marquant(e) important
la **marque** stamp, mark, brand
marqué(e) indicated
marrant *fam* funny
la **masse** mass; **le mouvement de __**
  mass movement; **comme une __** like
  a log
le **massif** side, aspect
le **matelas** mattress
la **maternelle** nursery school
les **maths** *fam* (= les **mathématiques**)
  f mathematics
la **matière** subject matter, content of a
  course
le **matraquage** beating, brainwashing
maudit(e) damned
mauvais(e) bad, wrong, poor (quality,
  taste)
la **maxime** motto
le **mec** *fam* guy
le **mécontentement** dissatisfaction

le **médecin** physician
la **méfiance** suspicion
se **méfier** to distrust, to suspect
meilleur(e) better; **le, la meilleur(e)**
  the better (of two), the best
le **mélange** mixture
se **mélanger** to mingle
se **mêler de** to interfere with, to meddle
  in
la **mélodie** tune
le, la **mélomane** music lover
le **membre** member
même same, very; *adv* even; **tout
  de __** even so; **__ si** even if
la **mémoire** memory
le **ménage** household, housekeeping;
  faire des __ s to work as a
  housekeeper; **faire le __** to do the
  cleaning
mener to lead (**je mène, nous
  menons**)
mensonger (mensongère) lying,
  deceptive
le **mensuel** monthly magazine
mentir to lie (**je mens, nous mentons**)
le **mépris** scorn; **au __ de** in defiance of,
  at the cost of
méprisé(e) disregarded
la **mercerie** notions store
la **merci** mercy
le **mercredi** Wednesday
la **mère** mother
mériter to deserve
**merveilleux
  (merveilleuse)** wonderful,
  marvelous
la **messagerie** electronic bulletin board
la **mesure** measure; **à __ que** as, in
  proportion as, even as
mesurer to measure
se **métamorphoser (en)** to change
  completely (into)
la **météo(rologie)** weather report
le **métier** trade, craft, skill
le **métis** half-breed, of mixed racial
  descent
le **mètre** meter
le **métro** subway
la **métropole** mother country
le **mets** dish (food)
le **metteur en scène** (stage) director
mettre to put, to set, to place, to wear

(je mets, nous mettons; *pp* **mis); se —
à** to start doing something
mettre en scène to stage
le **midi** noon, south; **le Midi** the south
of France
mieux *adv* better; **le —** best
le **milieu** middle, milieu, environment
militaire military
militer to be active (in a political
party)
mille thousand
milliard billion
un **millier de** a thousand or so
le **mineur** minor (age)
le **ministre** minister, secretary of state
minuté(e) timed; **un emploi du
temps —** a tight schedule
la **mise en place** setting, installation
la **mise en scène** staging, direction
la **misère** poverty
mi-sérieux half-serious
mi-sourire half-smile
mi-temps: à — part-time
mixte co-ed, mixed
le **mocassin** loafer
moche *fam* bad-looking, ugly
la **mode** fashion (clothes), trend
le **modèle** model
modéré(e) moderate
le **modernisme** modernity
modeste modest, unpretentious,
mediocre
les **mœurs** *f, pl* mores, customs
moindre lesser; **le —** the slightest
moins less; **— de** less than; **le —**
least; **au —** at least; **tout au —** at the
very least
le **mois** month
la **moisson** harvest, harvesting, crop
la **moitié** half; **à —** halfway
le, la **môme** *fam* kid
le **moment** moment; **en ce —** now
le **monde** world, people; **tout le —**
everybody; **du —** people, company
mondial(e) worldwide, universal
la **monnaie** change (cash)
le **montage** editing
le **montant** sum
monter to go up, to walk up; **— à
Paris** to come to Paris (from the
provinces); **— un spectacle** to stage,
to produce a show; **— une
entreprise** to launch a business

la **montre** watch
montrer to show
se **moquer de** to laugh at, to make fun
of
la **morale** ethics; **faire la —** to moralize
le **morceau** piece
mordant(e) caustic
moribond moribund
morne monotonous
la **mort** death
mort(e) dead
le **mot** word; **les — s croisés** crossword
puzzle
motiver to motivate
le **moule** mold
la **moule** mussel
mourir to die **(je meurs, nous
mourons, ils meurent;** *pp* **mort)**
la **moutarde** mustard
se **mouvoir** to move, to stir
moyen (moyenne) average, medium
le **moyen** means; **les — s de
transport** means of
transportation
muet mute
municipal(e) local, of the town
le **mur** wall
mûr(e) ripe
le **muret** little wall
le, la **musicien (musicienne)** musician
la **musique** music; **la — de fond**
background music
musulman Moslem

N

nager to swim
naguère lately
la **naissance** birth
naître to be born **(je nais, nous
naissons;** *pp* **né)**
la **natation** swimming
naturel (naturelle) illegitimate (of a
child)
le **navire** ship
navrant(e) sad, heartbreaking
né(e) born (*pp* of **naître**)
néanmoins nevertheless
le **néant** nothingness
nécessaire necessary
la **nécessité** need, necessity
négligé(e) careless, unkempt

négligeable insignificant, negligible
négliger to neglect
négocier to negotiate
le **nègre** Negro
le **néologisme** neologism
nettoyer to clean
neuf (neuve) new
neutre neutral
nier to deny
n'importe quel any
le **niveau** level; **le __ de vie** standard of living
la **noblesse** *f* nobility
les **noces** *f* wedding
le **nœud-papillon** bow tie
noir(e) black
le **nom** name; **au __ de** in the name of; **le __ d'état civil** last name
le **nom de famille** last name
le **nombre** number
nombreux (nombreuse) numerous
nommer to name, to appoint; **se __** to be named, to be called
le **nord** north
notamment especially, among others
la **note** grade; bill
noter to observe, to note
la **notoriété** notoriety, repute
nouer to tie (a knot); **__ des connaissances** to make acquaintances
nourrir to feed
la **nourriture** food
nouveau (nouvel) (nouvelle) new; **de __** again
la **nouveauté** latest thing
la **nouvelle** short story; **les __s** news
noyer to drown; **se __** to get drowned
le **nuage** cloud
nuancé(e) with different shades of opinion, shaded, nuanced, subtle
nuisible harmful
la **nuit** night
nul(le) *fam* very bad
nullement not at all
le **numéro** number

O

obéir (à) to obey
l' **obéissance** *f* obedience
l' **objet** *m* object

l' **obligation scolaire** *f* compulsory school attendance
obligatoire compulsory
observer to observe
obtenir to obtain, to get, to secure; **__ un diplôme** to graduate
l' **occasion** *f* opportunity; **d' __** second-hand
l' **occident** *m* West
occidental Western
occupé(e) busy, employed, occupied
s' **occuper de** to take care of
octroyer to grant
l' **œil** *m* **(les yeux)** eye
l' **œuvre** *f* work (especially creative work)
offenser to offend
l' **offre** *f* offer
offrir to offer
l' **ombre** *f* shadow
omettre to omit
l' **onde** *f* wave
onéreux (onéreuse) costly
l' **opérette** *f* light opera
opiniâtre obstinate
opposé(e) opposite, contrary, completely different
opposer à to pitch against, to contrast with
l' **or** *m* gold
or now, whereas, but
oralement orally
l' **orchestre** *m* orchestra
ordinaire ordinary, common
l' **ordinateur** *m* computer
l' **ordre** *m* order; **dans cet __ d'idées** in that line of thinking
l' **oreille** *f* ear
l' **orientation (scolaire)** *f* tracking
orienter to direct, to track
l' **orifice** *m* opening, aperture
l' **origan** *m* marjoram
l' **orthographe** *f* spelling
oser to dare, to venture
ôter to suppress, to remove
ou or
où where; **d' __** whence
l' **oubli** *m* oblivion
oublier to forget
l' **ouest** *m* west
outre beyond; **en __** besides, furthermore; **territoire d' __ -mer** overseas territory

l' **ouverture** *f*   opening, gap

l' **ouvrage** *m*   work

l' **ouvrier (ouvrière)**   manual worker, blue-collar worker; **la classe ouvrière** working class

ouvrir   to open (*pp* **ouvert**)

P

le **pain**   bread

paisible   peaceful

la **paix**   peace

le **palier**   landing

le **palmarès**   hit-parade, honors list

la **pancarte**   sign

le **panneau**   board

le **pantalon**   trousers

la **pantoufle**   slipper

le **papier**   paper

le **paquebot**   steamer

par   by, through; __ **ailleurs** in other respects

paraître   to appear, to seem (**je parais, nous paraissons;** *pp* **paru**)

le **parapluie**   umbrella

le **parc**   park

parce que   because

le **parcours**   course

pardonner   to forgive

pareil(le)   similar

la **parenté**   kinship

le **parent**   parent, relative

parfois   sometimes

le **pari**   gamble, bet

parisien (parisienne)   Parisian

parlementaire   parliamentary, congressional

parler   to speak, to talk

le **parleur**   talker; **le beau** __ glib talker; **le haut-** __ loudspeaker

parmi   among

la **parole**   spoken word, speech; **les __ s** lyrics (of a song); **donner la __ à** to give (someone) a chance to speak

le **parolier**   writer of lyrics

parquer   to put together

le **parrainage**   sponsorship

la **part**   share, part; **d'une __ d'autre __** on the one hand . . . on the other hand; **à __** except for, aside from, apart from

partager   to share, to divide

le, la **partenaire**   partner

le **participe**   participle

particulièrement   particularly

la **partie**   part, game; **faire __ de** to belong to

partir   to leave, to be off; **à __ de** beginning with

le **partisan**   partisan

partout   everywhere; __ **ailleurs** anywhere else

parvenir à   to succeed at

le **passé**   past, time past

passer   to pass, to spend (time); __ **un examen** to take an exam; **se** __ to happen, to occur, to take place; **Qu'est-ce qui se passe?** What's going on?

passionnant   thrilling, interesting

passionné(e)   passionate, enthusiastic

se **passionner pour**   to become passionate about

le **pastis**   anis-flavored aperitif

les **pâtes** *f, pl*   pasta

patienter   to be patient

la **pâtisserie**   pastry, pastry shop

le **patois**   regional dialect

patraque *fam*   in bad health, worn out

la **patrie**   homeland, motherland

le **patrimoine**   heritage

le, la **patron (patronne)**   boss, employer

la **pause**   break

pauvre   poor

la **pauvreté**   poverty, scarcity

le **pavé**   paving stone

le **pavillon**   small house (generally in the suburbs)

payer   to pay

le **pays**   country

le **paysage**   landscape

le, la **paysan (paysanne)**   peasant

le **péage**   toll, charge

la **peau**   skin

pêcher   to fish

pédant   pedantic

la **peine**   penalty, sorrow, difficulty; **à __** barely, hardly; **valoir la __** to be worth the trouble

la **peinture**   painting

péjoratif (péjorative)   derogatory, depreciatory

la **pelouse**   lawn, grass

pendant   during

pendre   to hang

le **pendu** person hanged
pénétrer to enter, to penetrate
pénible hard, unpleasant
la **pensée** thought
penser to think
la **pension alimentaire** alimony
le, la **pensionnaire** boarder
perdre to lose; **se —** to get lost
le **père** father
la **période** period
le **péril** peril, danger
périphérique peripheral
permanent(e) ceaseless, continuing
permettre to allow, to permit, to make possible
le **permis de conduire** driver's license
permissif (permissive) permissive
le **personnage** character, personality
la **personne du troisième âge** senior citizen
le **personnel** staff, personel
la **perte** loss, waste
perturber to disturb
peser to weigh
la **pétanque** game of bowls
petit(e) small, little; **le — écran** television
le **pétrole** oil
un **peu (de)** a little (bit of); **à — près** approximately
le **peuple** people, nation, masses
peupler to populate
la **peur** fear; **avoir — de** to be afraid of
peut-être perhaps
la **physique** physics
la **phrase** sentence
pianoter to key in (on a computer)
la **piastre** (Canadian) dollar
la **pièce** piece; room; play (theater); **un deux- —** a two-room apartment
le **pied** foot
le **piège** trap
la **pierre** stone
piètre poor, paltry, mediocre
le **pilori** pillory
la **pilule** pill
piocher to pick, take, draw
la **piscine** swimming pool
la **piste** track
le **pistolet** gun
la **place** place, position; space, room; job; public square
le **placement** investment

la **plage** beach
plaindre to pity; **se —** to complain
plaire to please, to be agreeable; **ça me plaît** I like it
plaisanter to joke
la **plaisanterie** joke
le **plaisir** pleasure
la **planche à dessin** drawing board
le **planqué** *fam* risk-avoider
planté(e) placed
le **plat** dish, plate, course (of a meal)
plat(e) boring, flat
plein(e) full; **en —** in the middle of
pleurer to cry
pleuvoir to rain
se **plier à** to conform to
le **plombier** plumber
la **pluie** rain
la **plupart** most, the greatest part
plus more; **le —** most; **ne... plus** no more, no longer; **jamais —** never again; **de —** furthermore; **non —** (not) either
plusieurs several, many
plutôt rather
la **poche** pocket
la **poêle** frying pan
la **poésie** poetry
le **poète** poet
le **poids** weight
la **poignée** handful; **— de main** handshake
le **point** point; **le — de vue** point of view; **faire le —** to get oriented; **le — de vente** outlet; **mettre au —** to perfect
pointer to punch in
la **pointure** shoe size
le **poireau** leek; **faire le —** *fam* to be kept waiting
le **poisson** fish
la **poitrine** chest
le **poivrot** *fam* drunkard
poli(e) polite
la **police** police
le **policier** policeman
la **politique** politics, policy
la **pomme de terre** potato
ponctuel topical, relevent
le **pont** bridge
la **popote** *fam* housewife
la **porte** door
porté sur prone to

la **portée**   reach; **à la __ de** within reach of

porter   to wear, to carry, to bear

la **portion**   part

poser   to put, to set down, to place; to ask (a question); **__ sa candidature** to apply (for a job)

posséder   to own

le **possesseur**   owner

la **poste**   post office

le **poste**   job, position; **__ de télévision** television set

le **pot**   pot; **le __ de vin** bribe

le **potager**   vegetable garden

le **pote** *fam*   buddy

le **potentat**   potentate, magnate

le **pouce**   thumb

le **poulet**   chicken

le **pouls**   pulse

pour   for

le **pourboire**   tip

pourquoi   why

poursuivre   to follow, to pursue, to chase, to go on

pourtant   however, though

pousser   to push, to grow; **faire __** to grow

pouvoir   to be able to, can (**je peux, nous pouvons, ils peuvent; *pp* pu**)

le **pouvoir**   power

pratique   practical

la **pratique**   practice; **en __** in practice, practically speaking

pratiquer   to practice, to be familiar with

préciser   to specify; **se __** to take shape

préférer   to prefer

le **préjugé**   prejudice

premier (première)   first

prendre   to take (**je prends, nous prenons, ils prennent; *pp* pris**); **__ un pot, un verre** to go out for a drink; **__ sa retraite** to retire

le **prénom**   first name

la **préoccupation**   concern

près (de)   near, close (to)

présent   prcscnt; **à __** now

présenter   to offer, to present; **se __** to show up

presque   almost, nearly

la **presse**   press

se **presser**   to hurry

la **pression**   pressure; **faire __ sur** to influence, to intimidate

le **pressing**   dry-cleaning business

les **prestations sociales** *f*   national insurance benefits

prêt(e)   ready

le **prêt-à-porter**   ready-made clothes

prétendre   to claim

la **prétention**   pretentiousness, claim

prêter   to lend; **se __ à** to lend oneself to

la **preuve**   evidence, proof; **faire __ de** to give proof of, to show

prévoir   to foresee, to plan

la **prière**   prayer

la **prime**   bonus, prize

le **principe**   principle

le **printemps**   spring

la **prise**   hold, grasp **être en __ avec** to be at grips with; **__ de position** stand (on an issue); **__ de bec** *fam* dispute, fight

privé(e)   private; **__ de** deprived of; **le privé** private sector

privilégié(e)   privileged

le **prix**   price, prize, award

le **problème**   problem, issue

le **procédé**   procedure

le **processus**   course, process

prochain(e)   next, neighboring

proclamer   to proclaim, to announce

proche (de)   near

le **producteur**   producer

produire   to produce; **se __** to happen

le **produit**   product

profiter   to take advantage of, to benefit, to thrive

les **professions libérales** *f*   the professions

profond(e)   deep

profondément   deeply

la **programmation**   choice of (TV) programs

le **programme**   (school) curriculum

le **programme électoral**   political platform

le **progrès**   progress

la **progression**   advancement

la **projection**   screening

le **projet**   plan

projeter   to plan, to screen

prolixe   talkative, productive

prolonger   to prolong

la **promenade**   walk, stroll
se **promener**   to go for a walk
promettre   to promise
la **promotion**   graduating class; **en __** on special (sale)
propager   to propagate
le **propos**   remark, words; **à __ de** in connection with, concerning
propre   clean, own; **__ à** peculiar to, characteristic of
le, la **propriétaire**   owner
la **propriété**   property, ownership
le **prosaïsme**   commonplace
protéger   to protect
prouver   to prove
provençal(e)   of Provence
provenir   to come from
la **province**   the provinces
provisoire   temporary
proximité *f* proximity; **à __ de** in the vicinity of
la **prune**   plum
le **pseudonyme**   pseudonym, assumed name
le **psychiatre**   psychiatrist
le **psychologue**   psychologist
le **public**   audience, public
publicitaire   pertaining to advertising
la **publicité**   advertising
publier   to publish
la **pudeur**   modesty
puis   then, afterwards, next
puisque   since, seeing that
la **puissance**   power, strength
puissant(e)   powerful
le **pull**   pullover
punir   to punish
pur(e)   pure
la **pureté**   purity, clearness
le **pur-sang**   thoroughbred

Q

la **qualité**   quality, good point
quand   when
quant à   as for, as to
quarante   forty
le **quart**   quarter, one-fourth
le **quartier**   section of a town, quarter, ward
quasiment   almost
quatre   four

quel(le)   what, which; **__ que soit** whatever (whichever, whoever) . . . may be
quelconque   any (whatever); ordinary, commonplace
quelqu'un   someone, somebody
quelque   some, any
quelquefois   sometimes, occasionally
la **querelle**   quarrel
la **question**   question, issue; **il est __ de** the issue is to, there is some talk of; **Pas __!** Out of the question!
la **quête**   search, quest
la **queue**   waiting line; **faire la __** to wait in line
la **quinzaine**   approximately fifteen
quitter   to leave
quoi que (+subj)   what(ever) . . . may
quoique   although, though, albeit
quotidien (quotidienne)   daily; **le __** daily paper

R

le **rabais**   discount
la **racine**   root
raconter   to tell, to narrate
se **raccrocher à**   to hang on to
raffiné(e)   refined, polished
rafistolé(e)   patched up
le **rail**   track
la **raison**   reason, motive, justification; **avoir __** to be right, to be justified
rajeunir   to rejuvenate
ralentir   to slow down
le, la **râleur (râleuse)** *fam* grumbler
ramasser   to pick up
ramener   to bring (someone) back; to repatriate
se **ramifier**   to branch out
la **rancœur**   resentment
le **rang**   status, rank
rangé(e)   orderly, well-ordered
ranger   to arrange, to put away, to rank
rapide   swift
le **rapport**   report, relationship; **par __ à** with respect to, compared to
rapporter   to bring back, to fetch, to yield, to bring in; **se __ à** to refer to
le **rapprochement**   reconciliation, bringing together

rarement rarely, seldom
rassembler to gather, to round up
rassuré(e) reassured
rater to miss; **un raté** a failure (person)
se **rattacher à** to be linked to
rattraper to catch up
le **rayon** department (in a store)
le **rayonnement** influence
le **réalisateur d'un film** filmmaker
réaliser to carry out, to make
la **réalité** reality; **en __** actually
se **rebeller contre** to rebel against
récemment recently
le **récepteur** (receiving) set (radio or TV)
la **recette** recipe; box-office receipts, returns
recevoir to entertain, to receive, to get, to welcome (**je reçois, nous recevons, ils reçoivent** *pp;* **reçu**)
la **recherche** research, search; **à la __ de** in search of
le **récit** narrative, account
réclamer to demand, to claim, to complain
récolter to harvest
la **récompense** reward
récompenser to reward
reconnaissable recognizable
la **reconnaissance** recognition, acknowledgment
reconnaissant(e) grateful, thankful
reconnaître to recognize, to acknowledge
le **recours** resort
recruter to recruit; **se __** to be recruited
recueillir to gather, to shelter
recul: avec le __ in retrospect
se **recycler** to retrain oneself
le, la **rédacteur (rédactrice)** editor (newspaper)
la **redevance** tax (for television)
redevenir to become again
redoubler to double; to repeat (a year at school)
redouter to fear
la **réduction** discount
réduire to reduce
réellement actually, in reality, truly
refaire to remake, to do over again
réfléchi(e) serious, thoughtful, careful

réfléchir to reflect, to think, to ponder
refléter to reflect, to mirror
le **refus** refusal
refuser to refuse
le **regard** look, glance, stare
regarder to look at, to watch
la **régie** stage management
le **régime** diet; **être au __** to be on a diet
la **règle** rule
le **règlement** regulation
régler to settle (bill, account); to regulate, to plan
le **règne** reign; *fig* incumbency, administration
le **regroupement** regrouping
rejoindre to rejoin, to join, to catch up
se **réjouir** to be pleased
relancer to propose anew
les **relations** *f* connections, friends
relégué(e) exiled, confined
relever to pick up; **__ de** to be dependent on
relié(e) linked to
la **reliure** binding
remarquer to observe, to notice, to remark
rembourser to pay back, to reimburse
remédier to remedy
remplacer to replace
remplir to fill
la **rémunération** payment, salary
la **rencontre** encounter, meeting; **à la __ de** in search of
rencontrer to meet, to run across
le **rendement** output, productivity
rendre to give back, to return, to render (justice); **se __ compte de** to realize
renforcer to reinforce
renier to deny, to disclaim, to reject
le **renoncement** sacrifice
le **renouveau** revival
le **renouvellement** renewal
le **renseignement** information, directions
renseigner to inform; **se __** to make inquiries
rentable profitable
la **rente** (unearned) income
la **rentrée** start of the term

rentrer to go home

renverser to upset; **être renversé par une voiture** to be run over by a car

renvoyer to send back, to throw back, to dismiss

répandre to spread out

le **repas** meal

repasser to iron

le **repère** reference

repérer to locate, to spot

le **répertoire** repertory

répéter to repeat

la **répétition** rehearsal

le **répit** respite

répondre (à) to answer, to respond

la **réponse** answer, response

se **reporter sur** to transfer, to shift

reposer to set down; **se __** to rest

reposant(e) restful

représentant representing

la **représentation** performance, show

réprimer to repress, to suppress

la **reprise** resumption, return

reprocher (quelque chose à quelqu'un) to blame (someone for something)

le **réseau** network

réservé(e) reserved

réserver to book

la **résidence** building, construction

résister à to withstand

résolu (*pp* of **résoudre**) resolved, solved

résoudre to solve, to resolve; **se __ à** to bring oneself to

la **responsabilité** responsibility, liability

responsable responsible

le, la **responsable** the person responsible for, the person in charge

respirer to breathe

ressembler à to look like

ressentir to feel, to experience

resserrer to tighten

ressortir to go (come) out again; to stand out; to dig up

le **reste** remainder, rest

rester to stay, to remain, to be left

le **resto** *fam* restaurant

les **restrictions** *f, pl* limitations, reservations

le **résultat** result, outcome

résumer to summarize

le **retard** delay; **en __** late, delayed

retenir to retain, to remember

réticent(e) reticent, hesitant

se **retirer** to withdraw

retomber to fall back, to fall down again

retourner to return, to go back

la **retraite** retirement, pension

rétrécir to shrink

retrouver to meet, to find again, to rediscover; **se __ d'accord** to find oneself in agreement

la **réunion** meeting, gathering

réunir to gather; **se __** to congregate

réussir to succeed; to pass (an exam)

la **réussite** success

la **revalorisation** revaluation

le **rêve** dream

le **réveil** (re-) awakening

révélateur revealing

se **révéler** to reveal oneself as

la **revendication** demand

revendiquer to justify, to claim, to lay claim to

revenir to come back

le **revenu** income

rêver to dream

le **revers** reverse; **__ de la médaille** the other side of the coin

la **révolte** rebellion

se **révolter** to revolt

la **revue** review; **passer en __** to review

le **rez-de-chaussée** first floor

la **richesse** wealth

le **rideau** curtain

ridicule ridiculous

rien nothing; **__ d'étonnant** nothing surprising; **__ que** merely, just

rigoler *fam* to laugh

la **rigueur** rigor, harshness; **à la __** if it comes to the worst

rire to laugh; **le __** laughter

risquer to take a chance

la **rive** bank (of a river)

la **robe** woman's dress, gown

le **roi** king

le **rôle** role

roman(e) Romanesque (architecture)

le **roman** novel; **__ policier** detective story

le, la **romancier (romancière)** novelist

rompre *pp* **rompu** to break

la **ronde** round

rond(e) round

ronger   to attack, to eat away
rosi(e)   flushed
le rossignol   nightingale
le rôti   roast beef
rouler   to drive (along)
la route   road
la rubrique   specialized section (in a newspaper)
la rue   street
ruiner   to ruin

S

le sac   handbag, purse
saccager   to destroy
sage   wise, good
sain(e)   healthy, wholesome
saisir   to get hold of, to seize, to grasp
la saison   season
le salaire   salary, wages
sale   dirty
salé   salted
salir   to get dirty, to soil
la salle   (large) room, hall; __ de bains bathroom; __ de théâtre house; __ de séjour living room
le salon   living room
le samedi   Saturday
le sang   blood
sangloter   to sob
sans   without
la santé   health
satané(e)   devilish, confounded
satisfaire   to satisfy
sauf   except
la sauge   sage
sauté(e)   stir-fried
sauter   to jump; faire __ to blow up
sauvage   savage, wild
savant(e)   learned, professional
le savant   scientist
savoir   to know
le savoir   knowledge, culture
le savoir-faire   know-how
le savoir-vivre   good manners, social conventions, good living
savonner   to soap
savoureux (savoureuse)   flavorful
le scaphandrier   deep-sea diver
le scénario   script

le scénariste   script writer
la scène   stage; mettre en __ to stage
la scène de ménage   family squabble
le schéma   outline, blueprint
scolaire   (of or relative to) school
scolariser   to provide education
le scrutin   ballot
la sécheresse   drought
secouer   to shake
le secteur   sector, area
séduire   to captivate, to seduce
sein: au __ de   in the midst of
le séjour   stay, residence; le permis de __ residence permit
selon   according to; __ que depending on whether
la semaine   week
semblable   similar
semblant: faire __   to pretend
sembler   to seem, to appear
le sens   sense, direction, meaning; le bon __ common sense
sensé   sensible
la sensibilisation   sensitivity
sensible   sensitive
le sentiment   feeling, sensation
sentir   to feel, to experience, to smell; se __ bien to feel good
séparer   to separate
la série   series, succession
serrer   to clench; __ les mâchoires *f* to clench one's jaw
le serveur   provider of services (on the Minitel)
le, la serveur (serveuse)   waiter, waitress
le service   service, agency, division (in a bureaucracy); le chef de __ division chief
se servir de   to use
sécher (un cours) *fam*   to cut a class
le seuil   threshold; au __ de at the beginning of
seul(e)   lonely, single, alone, only
seulement   only, except
sévère   strict, rigid
si   if, while, though; *adv* so, so much, such as
sidéral *fam*   awesome
le siècle   century
signaler   to make conspicuous, to point out, to signal
signer   to sign

significatif (significative) significant

la **signification** meaning, significance

signifier to mean, to signify

silencieux (silencieuse) silent

singulier (singulière) singular, peculiar, odd

sinon if not, unless, or else

le **site** site spot

la **situation** position, job

situer to place, to locate; **se __** to be located, to stand

le **smicard** person earning the SMIC (minimum wage)

la **société** company, firm; society, community

le **socle** base, foundation

soi oneself, himself, herself, itself

soigné(e) refined, polished, well-kept

soigner to nurse, to take care of

soigneusement carefully

le **soin** care

le **soir** evening, nightfall, night

la **soirée** evening; evening party, night out

soit... soit either . . . or

le **sol** ground, floor

les **soldes** *m* sale(s)

le **soleil** sun

solide robust

solliciter to invite, to stimulate

la **somme** sum, whole; **en __** in sum

le **sommeil** sleep

le **sommelier** wine waiter

le **sommet** summit, peak

le **son** sound

le **sondage** gallup poll, public opinion survey

sonder to probe

songer to think, to consider, to dream

sonner to ring the bell

sonore high-sounding; **la bande __** sound track

la **sorte** kind, species; **de toutes __s** of all kinds; **faire en __ que** to see to it that

la **sortie** coming out, going out, outing, night out; exit

sortir to go out; **__ un livre** to publish; **__ avec** to date, to go out with

le **sou** penny; **sans le __** penniless; **des __s** *fam* money

le **souci** worry, concern; **sans __** carefree

le **souffleur** prompter

souffrir to suffer, to endure (*pp* **souffert**)

le **souhait** wish

souhaitable desirable

souhaiter to wish

soulager to soothe

se **soûler** to get drunk

soulever to lift (up), to raise (a problem)

soumettre to submit, to subdue (*pp* **soumis**)

la **soumission** subordination

soupçonner to suspect

souple flexible

sourd(e) deaf

le **sourire** smile

la **souris** mouse

sous under

le, la **souscripteur (souscriptrice)** subscriber

le **sous-sol** basement

le **sous-titre** subtitle

soustraire to hide, to screen

le **souvenir** souvenir, memory

se **souvenir de** to remember

souvent often

le, la **speaker (speakerine)** television announcer, news commentator

le **spectacle** show; **le monde du __** show business circles

le, la **spectateur (spectatrice)** spectator, member of the audience

se **spécialiser en** to major in

spontané(e) spontaneous

sportif (sportive) athletic

le **spot publicitaire** commercial

le **stage** internship

stagner to stagnate

la **station-service** gas station

le **statut** status

stocker to stock, to store

le **stress** stress, fatigue

stressant(e) tiring, causing stress

subsister to last

la **subvention** subsidy, funding

subventionner to subsidize

succéder à to succeed, to come after; **se __** to follow (one another) in succession

sucer to suck
le **sucre** sugar
le **sud** south
suer to sweat
suffire à to suffice, to be sufficient; **ça suffit** that's enough
suffisant(e) pretentious
suggérer to suggest
se **suicider** to commit suicide
la **suite** continuation, follow-up, series; **de __** consecutively; **tout de __** immediately
suivant according to
suivant(e) following
suivre to follow, to attend (a course) **(je suis, nous suivons;** *pp* **suivi)**
superbe superb, haughty
supérieur(e) higher, upper-ranking, superior
superposé(e) superimposed; **les lits__s** *m* bunk beds
supplémentaire additional
supporter to tolerate, to endure, to sustain, to withstand
supposer to assume
supprimer to suppress, to eliminate, to cancel
sur on; **__ soixante** out of sixty
sûr(e) secure
un **surcroît de __** addition, increase; **de __** in addition
les **surgelés** *m* frozen food
surgir to spring forth, to dash, to emerge
surmonter to overcome
surprenant surprising
surtout above all, especially
le **surveillant** special staff member supervising students outside of class
susciter to arouse
suspect(e) suspicious, fishy
sympa *fam* **(sympathique)** nice, pleasant, congenial
le **syndicat** labor union

T

la **table** table; **la __ ronde** panel
le **tableau** board, blackboard
le **tablier** apron
la **tache** spot, stain
la **tâche** task

la **taille** height, size; **de __ à** capable of
le **tailleur** tailor; woman's suit
se **taire** to be silent: **(je me tais, nous nous taisons;** *pp* **tu)**
le **tamarinier** tamarind tree
tandis que while, whereas
tant de so many, so much; **Tant mieux!** So much the better!; **Tant pis!** Too bad!; **__ que** as much as, as long as
taper (à la machine) to type
tard late
le **tarif** price
le **tas** heap; **des __de** *fam* lots of
la **taverne** tavern, bar
la **télécommande** remote control
télégénique who looks good on TV, telegenic
téléphobe hostile to television
le, la **téléspectateur (téléspectatrice)** television viewer
le **téléviseur** television set
la **télévision** television
tel(le) such, like
tellement so (to such a degree)
le **témoignage** testimony
le **témoin** witness
le **temps** time, weather; **en même __** at the same time; **au __de** in the days of; **de __ en__** from time to time; **tout le __** all the time; **à plein __** full-time; **à mi- __** part-time
la **tendance** tendency
tenir to hold, to keep **(je tiens, nous tenons, ils tiennent;** *pp* **tenu);** **__ à** to value, to insist on; to be due to **(cela tient à);** **__de** to take after
la **tentation** temptation
la **tentative** attempt, experiment
tenter to try, to attempt
la **tenue** attire; **en __** in uniform
terminer to finish, to complete
le **terrain** field, a piece of land; **sur le __** at the grassroot level
la **terre** soil, earth; **par __** on the floor, ground
terrible awful, dreadful
le **territoire** territory
le **terroir** country, soil
la **tête** head
le **théâtre** theater
tiers third
timide shy

tirer to throw, to shoot, to draw

le **tiroir** drawer; **faire un —** to compartmentalize

le **titre** title; **au même — que** at the same level as; **les gros — s** big headlines

le **toit** roof

la **toile** canvas

tolérer to tolerate

tomber to fall

le **ton** tone; **sur ce —** in this tone of voice

tondre (la pelouse) to mow (the lawn)

tôt early; **le plus — possible** as soon as possible

la **touche** key

toujours always, ever, still

le **tour** turn, spin, round; **faire un —** to go for a ride

la **tour** tower

le **tournage** shooting (of film)

la **tournée** (theatrical) tour

tourner to turn, to mill around, to circumvent, to shoot (a film); **se —** to turn back

la **tournure de phrase** turn (of phrase)

la **tourtière** meat pie

la **Toussaint** All Saints' day

tousser to cough

tout(e), tous, toutes *adj* any, every, all, whole; **tout** *adv* all; **tout, tous, toute(s)** *pron* all; **en — et pour —** all in all

le **trac** stage fright

tracé(e) marked out

traduire to translate, to express

le **train** train, pace, mood; **être en —de** to be in the process of (doing something)

traîner to hang around

le **trait** *m* feature

la **traite** installment

le **traité** treatise

le **traitement de texte** word processor

traiter to treat, to handle, to deal with

le **traiteur** caterer

le **trajet** route, journey, ride

la **tranche d'âge** age group

trancher to slice, to decide abruptly, to cut in bluntly

tranquille quite, still

traumatiser to traumatize

le **travail** work, labor; **les travaux** construction work, chores; **les travaux ménagers** household chores

travailler to work, to labor

le **travailleur** working man; **les —** workers, the working class

travailleur (travailleuse) hardworking

travers: à travers, au travers de through

traverser to cross

très very

tricher to cheat

la **tribu** tribe

le **tricot** sweater

le **trimestre** term

les **tripes** *f,pl fam* guts, innermost emotions

tripoter to finger, to handle

triste sad, deplorable, unsavory

la **tristesse** sadness

le **troc** barter

le **troène** privet (bush)

trois three

troisième third

tromper to cheat, to fool, to betray; **se —** to make a mistake

la **tronçonneuse** chain saw

le **trône** throne

trôner to sit proudly

trop too, too much, too many; **de —** in excess, superfluous

le **trottoir** sidewalk; **faire le —** to be a streetwalker

le **trou** hole; **— de mémoire** memory lapse

le **troubadour** troubadour

troubler to disturb

le **troupeau** herd

la **troupe** group, body, theater company

la **trouvaille** find, discovery

trouver to find; **se —** to be located, to find oneself (condition), to feel; **se — d'accord** to find someone in agreement

le **truc** *fam* thing

truffé(e) crammed

le **tube** *fam* song on the hit parade

tuer to kill

tutoyer to address someone as "tu" (showing either familiarity or lack of respect)

le **type** *fam* guy

U

s' **unifier** to become unified

uniforme solid, lacking in variety

s' **unir** to unite, to join forces

unique only; **enfant __** *m,f* only child

les **uns** some (people)

Untel: Monsieur, Madame __ Mr., Mrs. So-and-So

l' **urbaniste** *m* city planner

l' **usage** *m* use (of something), usage, custom

l' **usager** *m* user (of a public utility)

user to wear out, wear down; **__ de** to make use of

l' **usine** *f* industrial plant, factory

usité(e) in use

utile useful

l' **utilisateur (utilisatrice)** user

utiliser to use, to utilize

V

les **vacances** *f* holidays, vacation

la **vache** cow

la **vague** wave

vaillamment valiantly

vaincre to overcome, to conquer, to defeat (**je vaincs, il vainc, nous vainquons;** *pp* **vaincu**)

le **vaisseau** vessel, ship

la **vaisselle** dishes, crockery, dishwashing; **faire la __** to do the dishes

valable valid, sound

la **valeur** value, asset

valoir to be worth, to deserve (**je vaux, il vaut, nous valons, ils valent;** *pp;* **valu**); **il (ça) vaut mieux** it is better; **faire __** to point out; **__ la peine** to be worthwhile; **ça lui a valu des ennuis** it brought him trouble

varié(e) diverse, varied

les **variétés** *f* variety shows

le **veau** calf

vécu (*pp* of **vivre**) lived

la **vedette** star

la **veille** the day before, the eve

la **veine** luck

le **velours** velvet, corduroy

le, la **vendeur (vendeuse)** salesperson

vendre to sell

venir to come (**je viens, nous venons, ils viennent;** *pp* **venu**); **__ de faire quelque chose** to have just done something

le **vent** wind; **Du __!** Beat it!

la **vente** sale; **la __ en gros** wholesale trade

le **ventre** belly, stomach

véritable real, genuine

véritablement truly

la **vérité** truth

vermoulu(e) decayed

vernir to varnish

le **verre** glass; **prendre un __** to have a drink

verrouiller to lock, to control

vers toward

vert(e) green

la **verve** animation; good spirits

la **veste** jacket

le **vestiaire** cloakroom

les **vêtements** *m, pl* clothes

vêtir to clothe (*pp* **vêtu**)

le, la **veuf (veuve)** widower, widow

la **viande** meat

le **vide** void, lack

vider to empty

la **vie** life; **la __ active** real world, working population; **à __** for life; **le train de __** standard of living; **le mode de __** way of life

le **vieillard** old man

vieillir to grow old

vieux (vieil) (vieille) old

vif, vive alive, vivid, sharp; **sur le __** live, candid, from life

la **vigne** vineyard, grape vine

le **vigneron** winegrower

le, la **villageois (villageoise)** villager, village resident

la **ville** town, city; **la __ -dortoir** dormitory town

le **vin** wine

une **vingtaine** approximately twenty

le **virement** transfer of funds

la **virulence** aggressiveness

le **visage** face

vis-à-vis vis-à-vis

viser to aim, to take aim

vite quickly

la **vitrine** store window

vivace hardy

vivre to live (**je vis, nous vivons,** *pp* **vécu**); **faire __** to support

le **vœu** wish

voguer to sail

la **voie** track, way

voilé(e) veiled

voir to see (**je vois, nous voyons;** *pp* **vu**)

la **voirie** road and sewer maintenance office

voisin(e) neighboring, next door

le **voisinage** neighborhood

la **voiture** car, carriage

la **voix** voice, vote; **à haute __** aloud

voler to steal, to fly

le, la **volontaire** volunteer; *adj* deliberate

la **volonté** will

volontiers willingly, readily

volubile talkative

voué(e) à devoted to

vouloir to want, to wish (for) (**je veux, nous voulons, ils veulent;** *pp* **voulu**); **en __ à quelqu'un** to have a grudge against someone

le **voyage** trip, journey

voyager to travel

vrai(e) real, true

vraiment really

la **vue** view; **en __** in the public eye

W

wallon (wallonne) Walloon

la **Wallonie** the French-speaking part of Belgium

le **w.c. (water closet)** toilet

X

xénophobe xenophobic

Y

y *pron* to it, of it, to them, in it, etc.; **j'y pense** I'm thinking of it; *adv* there; **vous __ êtes** you've got it (*lit.* you are there)

les **yeux** *m* eyes (*pl* of **œil**)

Z

le **zapping** the act of changing TV channels rapidly

Zut! darn it

Photo Credits

3, © Stuart Cohen/COMSTOCK. **6,** © Peter Menzel. **9,** © Peter Menzel. **16,** © Hugh Rogers/Monkmeyer Press. **19,** © Hugh Rogers/Monkmeyer Press. **23,** © Beryl Goldberg. **25,** © Beryl Goldberg. **32,** © Mark Antman/Image Works. **38,** © Peter Menzel. **44,** © Philippe Gontier. **49,** Monique Manceau/Photo Researchers, Inc. **57,** (left), Mark Antman/The Image Works. **57,** (right), © Hugh Rogers/Monkmeyer Press. **59,** Daniel Aubry. **61,** © Peter Menzel. **66,** © Peter Menzel. **74,** (left), Martine Frank-Magnum. **74,** (right), © Beryl Goldberg. **76,** Michael Bry/Monkmeyer Press. **85,** © Peter Menzel. **92,** © Beryl Goldberg. **99,** (upper) © Beryl Goldberg. **99,** (lower), Michael Bry/Monkmeyer Press. **101,** Laurent Maous/Gamma Liason. **110,** © Hugh Rogers/Monkmeyer Press. **115,** Richard Kalvar/Magnum Photos, Inc. **121,** (left), © Peter Menzel. **121,** (right), © Peter Menzel. **130,** UPI/Bettmann Newsphotos. **135,** © Hugh Rogers/Monkmeyer Press. **143,** © Beryl Goldberg. **153,** © Hugh Rogers/Monkmeyer Press. **157,** © Peter Menzel. **164,** (upper and lower), © Mark Antman/The Image Works. **166,** UPI/Bettman. **175,** Michael Bry/Monkmeyer Press. **181,** © Peter Menzel. **188,** Monkmeyer Press. **193,** Tirage Archive Magnum. **203,** © Hugh Rogers/Monkmeyer Press. **210,** French Film Office. **214,** French Film Office. **217,** © Hugh Rogers/Monkmeyer Press.

Literary Credits